W0108960

E-Book inside.

Mit folgendem persönlichen Code
können Sie die E-Book-Ausgabe
dieses Buches downloaden.

80188-e9x6p-
56r2n-n00q2

Registrieren Sie sich unter
www.hanser-fachbuch.de/ebookinside
und nutzen Sie das E-Book
auf Ihrem Rechner*, Tablet-PC
und E-Book-Reader.

Lisa Nienhaus
Die Weltverbesserer

Lisa Nienhaus

Die Weltverbesserer

66 große Denker, die unser Leben verändern

Anregende Lektüre
wünscht

Bibliografische Information der Deutschen Nationalbibliothek
Die Deutsche Nationalbibliothek verzeichnet diese Publikation in der
Deutschen Nationalbibliografie; detaillierte bibliografische Daten
sind im Internet über http://dnb.d-nb.de abrufbar.

Einmalige genehmigte Sonderauflage der Vollack Gruppe

© 2015 Carl Hanser Verlag München
Internet: http://www.hanser-literaturverlage.de
Lektorat: Martin Janik
Herstellung: Andrea Reffke
Umschlaggestaltung:
Hauptmann & Kompanie Werbeagentur, Zürich, unter Verwendung
dreier Fotos von © ullstein bild: TopFoto, Granger Coll., ullstein, Reuters
und sechs Fotos von © Getty Images: Universal History Archive,
Bloomberg, Imagno, Robert Lackenbach, Walter Stoneman,
Leonard McCombe
Satz: Kösel Media GmbH, Krugzell
Druck und Bindung: Friedrich Pustet, Regensburg
Printed in Germany
ISBN 978-3-446-44308-2
E-Book-ISBN 978-3-446-44322-8

INHALT

VORWORT

Wenn längst verstorbene Denker der Ökonomie sich eine Schlacht auf Youtube liefern – inszeniert als Rap-Battle, professionell verfilmt –, dann kann man das als Spinnerei für ein Nischenpublikum abtun. Wenn sich aber 5 Millionen Menschen dieses Video anschauen, dann geht das nicht mehr. Denn der Erfolg zeigt: Diese Männer liegen im Trend.

Die Männer auf dem Video, von dem hier die Rede ist, sind die beiden wohl berühmtesten Ökonomen des vergangenen Jahrhunderts: John Maynard Keynes und Friedrich August von Hayek, dargestellt von zwei Schauspielern. Und die 5 Millionen Menschen, die seit dem Jahr 2010 ihre musikalische Abrechnung in der weißen Stretchlimousine auf dem Weg zur »Party at the Fed« sehen wollten, waren sicherlich nicht nur Studenten der Volkswirtschaftslehre. Nein, auf einmal wollen viele Menschen die großen Ökonomen kennenlernen.

Das liegt paradoxerweise daran, dass die Wissenschaft der Ökonomie im Staube liegt. Die Finanzkrise und die daraus folgende Wirtschaftskrise hat kaum ein damals einflussreicher Vertreter des Faches vorhergesehen. Sogar das Gegenteil war der Fall. Viele der bekannten Wirtschaftsforscher hatten geglaubt, die Zeit, in der es große Krisen gab, sei vorbei. Nicht zuletzt sei das dem Fortschritt ihrer eigenen Wissenschaft zu verdanken, so die übliche Argumentation. Ökonomen hätten der Politik gezeigt, wie sie Wirtschaftszusammenbrüche verhindern könne.

Das war ein Irrtum. Der amerikanische Ökonom Paul Krugman spricht sogar davon, dass ein Großteil der Makroökonomie der vergangenen 30 Jahre »bestenfalls spektakulär nutzlos, schlimmstenfalls schädlich« gewesen sei. Andere fragen sich, ob Ökonomie überhaupt eine Wissenschaft ist. Denn man erkenne keinerlei Fortschritt ihrer Erkenntnisse.

Doch während auf der einen Seite die Skepsis so groß ist wie nie, ist auf der anderen Seite der Bedarf an Beratern mit wirtschaftlichem Sachverstand in den vergangenen Jahren noch größer geworden. Die Schwierigkeiten, denen sich die Welt gegenübersieht, sind groß, die Wirtschaft ein vorrangiges Thema. Wer ist der richtige Ratgeber in dieser Lage?

Die Antwort ist so einfach wie überraschend: Es sind die großen Wirtschaftsdenker, die wir als Ratgeber brauchen. Diejenigen der Geschichte und die aktuellen, die berühmten und die zu Unrecht fast Vergessenen, die Ökonomen und diejenigen, die von außen auf die Wirtschaft blicken. Denn bei aller Kritik an der Ökonomie als Wissenschaft haben wir in den vergangenen Jahren eines gelernt: Dieses Mal ist nicht alles anders. Vieles von dem, was wir heute erleben, ist schon früher erkannt, bedacht, beschrieben worden. Die Wirtschaftsberater und -politiker hatten es nur vergessen, verdrängt oder für veraltet gehalten.

Welch ein Irrtum! Nun werden alte Weisheiten hervorgekramt, berühmte Bücher entstaubt und unter dem Eindruck der aktuellen Geschehnisse neu gelesen. Hayeks »The Road to Serfdom«, auf Deutsch: »Der Weg zur Knechtschaft« eroberte kurzzeitig Platz eins der Bestsellerlisten in Amerika. Wieder gelesen werden Keynes' »General Theory« ebenso wie die Werke der Krisenkenner, etwa John Kenneth Galbraiths »Kurze Geschichte der Spekulation« oder Charles Kindlebergers »Manias, Panics and Crashes«.

Wer sich einlässt auf die Begegnung mit den großen Wirtschaftsdenkern, der wird solche Schriften finden, die die Finanzkrise erschreckend gut erklären. Aber auch Denker, die das Problem des Euro nicht nur vorausahnten, sondern prognostizierten. Und Menschen, die ideenreich die großen Fragen der heutigen Zeit behandeln: Brauchen wir Wirtschaftswachstum zu unserem Glück? Sind die Zentralbanken zu mächtig? Wie befreien wir die Menschen aus der Armut? Sind Abkommen über freien Handel gefährlich?

Die großen Wirtschaftsdenker wollen die Welt nicht nur besser verstehen, sondern tatsächlich verbessern. Sie wollen Krisen verhindern, Armut beseitigen und die Welt gerechter machen. Viele von ihnen haben es tatsächlich geschafft, sie sind echte Weltverbesserer oder werden es künftig sein. Andere gerieten auf Abwege, entwickelten weltferne Theorien, die die Wissenschaft in die falsche Richtung trieben, oder wurden glühende Nationalsozialisten. Alle 66 in diesem Buch Versammelten aber haben mindestens eine bahnbrechende Idee gehabt, die die Welt weiterbringt.

Das ist die Zeit für die Rückkehr der Weltverbesserer, der großen Denker der Ökonomie. Das ist die Zeit der Rückkehr von John M. Keynes und Friedrich A. Hayek. Die Zeit, in der man neu blickt auf Walter Eucken und Karl Marx, auf Paul Krugman und Ben Bernanke, auf Ayn Rand und Adam Smith.

Für dieses Buch haben wir 66 große Denker der Wirtschaft neu entdeckt. Dabei steht im Mittelpunkt, was die Forscher und Denker uns heutzutage noch zu sagen haben, bei welchen aktuellen Schwierigkeiten sie uns helfen. Wir präsentieren Berühmte und clevere Außenseiter, Männer und Frauen, Amerikaner und Deutsche, Japaner und Russen. Kurz und knapp sind die Texte, für Jedermann geschrieben. Es ist eine Einführung in die Gedankenwelt der Wirtschaft in 66 Kurz-Lektionen.

Keynes lehrt uns, wirtschaftliche Depressionen zu verstehen. Hayek erklärt die Bedeutung der Zinsen der Notenbanken für die Übertreibungen an Märkten. Richard Musgrave begründet, wozu es eine staatliche Schulpflicht braucht. Ayn Rand beschreibt enthusiastisch den Segen der individuellen Freiheit. Douglass North lehrt uns die Vorteile des Wettbewerbs kleiner Staaten. Der Schriftsteller Charles Dickens beschreibt in seinen Büchern den Fortschritt als Weg aus der Armut der Massen. Anthony Atkinson erklärt, wie der Staat den Reichen am sinnvollsten ihr Geld abnimmt. Rüdiger Dornbusch weiß, warum Währungen verrücktspielen. Und Ibn Khaldun seziert erschreckend genau, wie Staaten fett werden und untergehen.

Noch vor wenigen Jahren war die Ökonomie eine Wissenschaft, von der die Leute nicht viel erwarteten: höchstens Rezepte gegen die kleinen Widrigkeiten der Wirtschaft. Jetzt genügt das nicht mehr. Jetzt sollen Ökonomen die Welt der Wirtschaft neu ordnen – und die Menschen wollen verstehen, wo ihre Rezepte herkommen und wer sie weshalb erfunden hat. Die Idee ist relevant, aber genauso der Kontext, in dem sie geboren wurde. Wieso entwickelte gerade Keynes so viele Therapien der Weltwirtschaft, die heute wieder aktuell sind? Wieso hat gerade Hayek begriffen, welche Ineffizienzen der Sozialismus birgt? Welche Lebensumstände brachten Ayn Rand dazu, zur radikalsten Liberalen aller Zeiten zu werden?

Schade nur, dass die Ideengeschichte in der Wissenschaft immer noch als ein Verliererthema gilt. »Mit Dogmengeschichte kann man keine Karriere machen«, sagt etwa ein in Deutschland bekannter Professor hinter vorgehaltener Hand. »Deshalb beschäftigen sich damit nur Emeritierte.«

Die Ökonomie sah sich jahrzehntelang als Wissenschaft, die wie eine Naturwissenschaft Gesetze entdeckt und diese dann lehrt, höchstens noch versehen mit dem Namen des Entdeckers, aber losgelöst von dessen Leben und Geschichte. Den Studenten der Volkswirtschaftslehre wurde das Interesse an der Geschichte der Ideen bislang gezielt abtrainiert. Das kann man sehr schön in einer Untersuchung von David Colander, einem amerikanischen Forscher, nachlesen. Er befragte im Jahr 2004 amerikanische Ökonomiestudenten zu ihren Interessen. Im ersten Studienjahr war noch jeder Fünfte interessiert an der Geschichte ökonomischer Ideen, im zweiten Jahr nur noch jeder Sechste und im dritten Jahr und später nur noch jeder Dreiunddreißigste.

Man kann davon ausgehen, dass die meisten Menschen eher so ähnlich denken wie die Studenten im ersten Jahr. Sie wollen die

Ideengeschichte der Wirtschaft kennenlernen und die Menschen, die dahinter stehen. Denn die Ökonomie ist keine Wissenschaft, die nur bestimmte Regelmäßigkeiten und ewige Gesetze findet. Nein, sie speist sich zuallererst aus Ideen. Guten Ideen, die die Welt verändern können, wenn sie zum rechten Zeitpunkt ausgesprochen werden.

Ja, der Titel »Die Weltverbesserer« dieses Buches ist ernst gemeint. Wir wollen hier zeigen, was Wirtschaftsdenker wirklich vermögen: die Welt erklären, nicht vorhersehen; alte Theorien auf den Kopf stellen, wenn die Wirklichkeit nicht mehr dazu passt; Therapien entwickeln für die oft hochkomplexen Probleme der Wirtschaft. Diese Ideen und Therapien sind keine Naturgesetze, sie stammen von Menschen, die sich etwas dabei gedacht haben. Und darüber sollte jeder etwas wissen. Nur wer die großen Denker kennt, kann die aktuelle Wirtschaftspolitik hinterfragen. Wie Keynes schrieb: »Die Männer der Tat, die sich frei wähnen von jeglichem intellektuellen Einfluss, sind für gewöhnlich Sklaven irgendeines längst verblichenen Ökonomen.«

Deshalb gibt es dieses Buch.

Lisa Nienhaus, 2015

JOHN MAYNARD KEYNES

Der Bezwinger der Weltwirtschaftskrisen

// John Maynard Keynes vertraute seinem eigenen Kopf mehr als der
herrschenden Meinung. Das machte ihn zum mächtigsten Ökonomen des 20. Jahrhunderts.

Er ist vielleicht der größte Ökonom des 20. Jahrhunderts: John
Maynard Keynes. Die Weltwirtschaftskrise war die Stunde seiner
außergewöhnlichen Ideen. In einem Cambridger Diskussionskreis
mit jungen Ökonomen entwickelte er die Gedanken, die er 1936
unter dem Titel »The General Theory of Employment, Interest
and Money« veröffentlichte. Dieses Buch wurde das wohl wichtigste ökonomische Werk des 20. Jahrhunderts – und das mächtigste. Es veränderte die Wirtschaftspolitik in aller Welt.

Schon vor der Weltwirtschaftskrise war Keynes bekannt für
starke Ansichten, die er gegen große Widerstände vertrat. Als Sohn
eines Professors an der Universität Cambridge erhielt er die bestmögliche Erziehung in Eton und an der Universität Cambridge.
Nach dem Studium der Philosophie, Mathematik und Ökonomie
arbeitete er im India Office der britischen Regierung, dann im britischen Finanzministerium und kehrte später zum akademischen
Leben zurück.

1919 war Keynes schon einflussreich genug, um Mitglied der
britischen Delegation bei den Versailler Friedensverhandlungen
nach dem Ersten Weltkrieg zu sein. Doch er trat von dieser Position zurück, weil er mit der restlichen Delegation uneins war. Er
war sicher: Die Deutschland auferlegten Reparationszahlungen
waren eine wirtschaftliche und politische Katastrophe. Seine Gedanken hierzu publizierte er in dem brillant geschriebenen Buch
»The Economic Consequences of the Peace«. Es wurde ein Best-

seller und machte Keynes insbesondere in Deutschland populär. Heute ist allgemein anerkannt, dass er mit seinen Bedenken richtig lag. Der Friedensschluss von Versailles war eine der wichtigsten Gründe für Hitlers Aufstieg und für den Zweiten Weltkrieg.

Auch danach blieb Keynes einer, der seinem eigenen Kopf mehr vertraute als der herrschenden Meinung. Winston Churchill führte 1926 als britischer Finanzminister den Vorkriegs-Goldstandard für das Pfund wieder ein. Keynes war darüber sehr verärgert und schrieb sein Pamphlet »The Economic Consequences of Mister Churchill«. Darin prognostizierte er für Großbritannien eine Periode der Deflation mit großer Not für die Arbeiterklasse. Die Ereignisse der Folgejahre sollten ihm recht geben. So musste fünf Jahre später auch der Goldstandard des Pfundes wieder aufgegeben werden.

In diesen Jahren gehörte Keynes der britischen Liberalen Partei an. In seinem Vortrag »Am I a Liberal?« plädiert er für einen Liberalismus, der sich von den alten Ideen des Laissez-faire, also von einer Wirtschaft an der langen Leine, verabschiedet und dem Staat eine ordnende Funktion zuweist.

Seine größte Zeit kam aber kurz darauf, in Folge der Weltwirtschaftskrise, die 1929 mit dem Schwarzen Donnerstag an der New Yorker Börse begann und sich in der ganzen Welt ausbreitete. Damals gab es eine hitzige Debatte über die Ökonomie. Denn die herrschende Theorie schien nicht mehr geeignet, die Welt der Wirtschaft zu erklären und sinnvolle Politikempfehlungen zu geben. Keynes' »General Theory«, die 1936 erschien, markierte eine Wende, denn er schlug eine andere Art zu denken vor.

Zentral ist bei Keynes, dass er das traditionell angenommene Saysche Gesetz negiert. Dieses besagt, kurz gefasst: Jedes Angebot schafft sich seine Nachfrage selbst. In der Wirtschaft insgesamt kann es demnach nicht weniger Nachfrage als Angebot geben und damit auch keine Arbeitslosigkeit. In der herkömmlichen Theorie ist es der Zins, der die Funktion hat, Gesamtangebot und Gesamtnachfrage nach Gütern zu jedem Zeitpunkt zur Deckung zu bringen. Er sorgt dafür, dass die Menschen nicht mehr Geld horten (sparen), als sie investieren.

Keynes glaubt, dass das nicht funktioniert. Denn das Geldsystem der Marktwirtschaft erlaubt keinen negativen Zins. Es kann aber sein, dass Angebot und Nachfrage erst bei einem negativen Zins zur Deckung kommen. Wenn nun selbst bei einem Zins von null das Gesamtangebot der Volkswirtschaft über der Gesamtnachfrage liegt, dann kann die Zentralbank noch so viel Geld anbieten, das Gleichgewicht der Wirtschaft kann sie nicht herstellen. Denn statt zu investieren, halten die Bürger Bargeld, weil andere, weniger liquide Anlagen auch keine höhere Rendite bieten als die Nullrendite des Bargeldes. Dies bezeichnete Keynes als eine Situation des »Liquidity Trap«, auf Deutsch »Liquiditätsfalle«. Das Perfide an dieser Falle: Es kommt zu Massenarbeitslosigkeit.

In genau solch einer Situation steckten Keynes zufolge viele Länder in der Weltwirtschaftskrise. Und genau solch eine Situation erkennen viele seiner Anhänger auch seit der Finanzkrise im Jahr 2008. Dass das plausibel ist, begründet Keynes anhand einer psychologischen Theorie des Investitionsverhaltens, bei der die Unsicherheit und Stimmungen eine große Rolle spielen. Daraus leitet er ab, dass eine für Vollbeschäftigung ausreichende private Investitionstätigkeit nur erreicht wird, wenn die »Animal Spirits« der Menschen nicht allzu düster sind.

Seine Politikempfehlung lautete: Der Staat solle in die Bresche springen und die Gesamtnachfrage stärken – durch schuldenfinanzierte Staatsausgaben. Dieser Gedanke revolutionierte die Politik. Es führte nach dem Zweiten Weltkrieg zum Konzept der staatlichen Globalsteuerung, das sich auf der ganzen Welt verbreitete.

In den siebziger Jahren des 20. Jahrhunderts kam es allerdings zur Abkehr von dieser Idee. Denn die Praxis zeigte, dass die Globalsteuerung politisch immer dann versagte, wenn es darum ging, die staatliche Nachfrage zurückzufahren, also dann, wenn der Staat sparen sollte. Das war in der damaligen Zeit sinnvoll, um die überbordende Inflation zu bekämpfen. Angeführt von Milton Friedman, Friedrich August von Hayek und in Deutschland Herbert Giersch kam es zu einer antikeynesianischen Wende.

Seit der Großen Rezession im Jahre 2008 ist Keynes allerdings wieder zurück. Wohl auch wegen der großen Ähnlichkeit der Finanzkrise mit den Anfängen der Weltwirtschaftskrise. Was würde Keynes wohl heute tun, fragt man sich. Denkt man an die Austeritätspolitik in Europa, die trotz hoher Arbeitslosigkeit den Staat zum Sparen anleiten will, dann ist sicher, dass das Keynes nicht gefallen würde. Welchen Titel hätte er einem Buch gegeben, das diese Situation beschreiben würde. Vielleicht hieße es »The Economic Consequences of Mr. Schäuble«.

Carl Christian von Weizsäcker

GARY BECKER

Gegensätze ziehen sich an

// Wir heiraten aus Liebe, glauben wir. Stimmt nicht, sagt Ökonom Gary Becker. Die Wahl des Ehepartners ist für ihn ein rationales Kalkül. Und die Familie eine kleine Fabrik, in der Arbeitsteilung Vorteile bringt.

Warum heiraten Menschen überhaupt, warum heiraten sie in der Regel paarweise, und – nicht zuletzt – wie kommt jemand an den richtigen Partner? Mögen andere Menschen Gefühle für weltbewegend halten, Ökonomen glauben, dass nur eines unser Leben bestimmt: das Verhältnis von Nutzen und Kosten. Warum sollten Menschen, die ihr Auto oder ihren Arbeitsplatz nach rationalen Kriterien aussuchen, beim Partner fürs Leben nur das Herz entscheiden lassen?

Gary Becker war überzeugt, dass die Menschen den Ehepartner mit Vernunft wählen. Anfangs wurde der Wirtschaftsprofessor aus Chicago für seine Übertragung des ökonomischen Prinzips auf andere Lebensbereiche als »ökonomischer Imperialist« verunglimpft. 1992 aber erhielt Becker mit dem Nobelpreis höchste akademische Ehren, ausdrücklich für seine »Verdienste um die Ausdehnung der mikroökonomischen Theorie auf einen weiten Bereich menschlichen Verhaltens«.

Dabei hat Becker seine Ehe-Theorie mittags zusammen mit Studenten in der Mensa entwickelt, wie er einmal erzählt hat, und anschließend immer weiter ausgefeilt. Die Kernidee: Nicht Liebe, Zuneigung oder Vertrauen sind bei der Partnerwahl entscheidend, sondern eine Abwägung der Beteiligten, ob sie gemeinsam mehr Güter produzieren können als jeder für sich allein. Dabei kann es um so unterschiedliche Dinge gehen wie Essen, Prestige, Gesundheit oder Kinder. Wer heiratet, opfert Freizeit, Zeit und oft materielle Spielräume. Er verspricht sich davon aber mehr Lebensqualität, die dieses Opfer rechtfertigt.

Das rationale Kalkül vor einer Heirat geht deshalb wie folgt: Vorteile einer Heirat werden gegen Suchkosten abgewogen. Jemand wäre demnach bereit zu heiraten, wenn er es für unwahrscheinlich hält, durch eine weitere Suche einen Partner zu finden, mit dem er sich besserstellen könnte.

Das gilt natürlich auch für den jeweils anderen. Es wird daher zu einer Hochzeit kommen, wenn entweder einer glaubt, besonderes Glück bei der Suche gehabt, also gleichsam ein Schnäppchen gemacht zu haben – oder wenn sich zufällig zwei gefunden haben, die meinen, dass ihre Attraktivitätswerte im weitesten Sinne ausgeglichen sind.

Auch das Phänomen der Verbindung reicher Männer und schöner Frauen hielt Gary Becker durch seinen Ansatz für erklärbar: Geld und Aussehen sind komplementäre, also sich ergänzende Faktoren der Haushaltsproduktion – ihr gemeinsames Auftreten sichert ein Wohlfahrtsoptimum. Die Familie sieht Becker als eine Art kleine Fabrik an. Es wird deshalb zur Arbeitsteilung zwischen Haushalt und Erwerbsarbeit kommen, wenn die Spezialisierungsgewinne höher sind als die Erträge einer gemeinsamen Ausführung beider Tätigkeiten. Je ähnlicher dabei die Einkommen sind, die Männer und Frauen erwirtschaften, desto geringer sind die Spezialisierungsgewinne und umgekehrt.

Die Zahl der Kinder, die ein Paar bekommt, hängt nach Beckers Theorie von den Kosten und dem Nutzen des Großziehens von Kindern ab. Deshalb hätten Paare tendenziell weniger Kinder, wenn die Frau berufstätig sei und eine gutbezahlte Stelle habe.

In armen Ländern seien Investitionen in Kinder hingegen oft lebensnotwendig, weil nur die eigenen Nachfahren für die Altersvorsorge aufkommen. Die Einführung von Sozialversicherungen für Alter und Krankheit und die wachsenden Verwendungsmöglichkeiten für die Zeit wie Reisen minderten den Nutzen von Kindern – und erklärten den Geburtenrückgang in den reichen Ländern.

Ebenso lassen sich Paare nach Beckers Ansatz scheiden, wenn sie nicht länger davon überzeugt sind, dass sie besser dran sind, wenn sie verheiratet blieben. Auch das ist ein Kosten-Nutzen-Kalkül: Nimmt etwa der Reiz des Partners mit den Jahren ab, oder wird die Konkurrenz attraktiver, kommt es zur Scheidung. Dies gilt zumindest, wenn keine Regulierungen von außen den Wettbewerb stören. Strenge Scheidungsgesetze etwa oder religiöse Regeln, die eine Scheidung erschweren, teuer machen oder ausschließen. Becker widersprach damit der einst verbreiteten Auffassung,

Scheidungen seien ein Nebenprodukt des Wohlstands. Die Scheidungsziffern sind Becker zufolge vielmehr dann gestiegen, als die Einkünfte der Frauen im Vergleich zu denen der Männer aufholten; der Vorteil für Frauen, verheiratet zu bleiben, sei kleiner geworden.

Bei der farbigen Bevölkerung in Amerika seien die Scheidungszahlen sogar noch höher als bei der weißen, schrieb Becker. Das liege daran, dass farbige Frauen auf dem Arbeitsmarkt in den Vereinigten Staaten besser dastünden als farbige Männer, bei denen die Arbeitslosigkeit höher und die Einkommen geringer seien.

Ein »Siegeszug des ökonomischen Paradigmas« in Standesämtern, Kirchen und Schlafzimmern? Immer wieder musste Becker für seine Theorien Spott einstecken. Der Princeton-Ökonom Alan S. Blinder etwa führte 1974 in einem Aufsatz für das »Journal of Political Economy« Beckers Theorie ad absurdum, indem er sie zur »Theorie des Zähneputzens« weiterentwickelte. Blinder, der im Gegensatz zum konservativ-liberalen Becker als eher linksliberal gilt, stellte ein künstlich aufgeblähtes mathematisches Modell vor, das sich mit der Optimierung der täglich auf das Zähneputzen verwendeten Zeit beschäftigt. Dabei ging er – Becker persiflierend – von der Annahme aus, dass das Einkommen einer Person eine von Arbeitszeit und Zahnhygiene abhängige Funktion sei.

Becker selbst verwies dagegen darauf, wenn er mit »nicht so intellektuellen« Menschen über seine Thesen spreche, finde er oft Bestätigung. Diesen erscheine die Absicht der Besserstellung durch Heirat oder Scheidung »ganz natürlich«. Der Ökonom, der im Mai 2014 gestorben ist, war selbst übrigens zum zweiten Mal verheiratet, allerdings verlor er seine erste Frau nicht durch Scheidung, sie starb.

Auch noch im hohen Alter forschte und lehrte Becker weiter an der University of Chicago. Außerdem baute er gemeinsam mit dem Juristen Richard Posner einen Online-Blog auf, in dem beide vor allem über wirtschaftspolitische Fragen diskutierten. Hin und wieder widmeten Becker und Posner sich auch der ökonomischen Theorie der Ehe: So sprach sich Becker dort gegen Steuervergünstigungen für Eheleute aus und bekam sogar Zustimmung von Posner. Als liberaler Ökonom meinte Becker, es sei die Pflicht des Staates, auf Eingriffe und lenkende Subventionen zu verzichten. Das gelte für Firmen und für Ehen.

Christian Siedenbiedel

FRIEDRICH LIST

Der Feuerkopf der Globalisierung

// Friedrich List kämpfte schon im 19. Jahrhundert dafür, Handelsschranken niederzureißen. Aber nur zwischen Nationen mit ähnlicher Leistungskraft. Armen Ländern gestand er Zölle zu. Die Debatte tobt bis heute.

»Et la Patrie, et l'Humanité.« Sowohl das Vaterland als auch die Menschheit stellte Friedrich List in den Mittelpunkt seiner Überlegungen, als er das französischsprachige Motto einer im Jahre 1838 in Paris verfassten Schrift für die Französische Akademie der moralischen und politischen Wissenschaften voranstellte. Der Platz des Nationalstaates in einer sich internationalisierenden Wirtschaft ist eines der großen Themen dieses württembergischen Feuerkopfes gewesen, der 1789 in Reutlingen zur Welt kam und seinem Leben 1846 in Kufstein selbst ein Ende setzte.

In deutschsprachigen Geschichten des ökonomischen Denkens findet List noch immer seinen Platz, aber insgesamt scheint sein Name in den Vereinigten Staaten und in Schwellen- sowie Entwicklungsländern heute bekannter zu sein als in seinem Heimatland. »Freihandel ja, aber …« lautet die bekannteste These aus seinem reichen Werk – eine These, die noch heute für viele Diskussionen sorgt.

List betrachtete Freihandel als eine grundsätzlich vorteilhafte Organisationsform internationalen Wirtschaftens. Als Deutschland nach den Napoleonischen Kriegen in fast 40 Staaten mit fast ebenso vielen Zollgrenzen unterteilt war, verfasste er ein Manifest zur Beseitigung dieser Handelsschranken.

Auch mit seinem Eintreten für Gewerbefreiheit, ein möglichst einfaches Steuersystem und einen effizienten Staat vertrat List liberale Perspektiven. Allerdings befürwortete List Freihandel nur zwischen Staaten mit einem vergleichbaren wirtschaftlichen Entwicklungsniveau. Da das im frühen 19. Jahrhundert fragmentierte Deutschland aus überwiegend agrarisch geprägten Staaten bestand, ließ sich für Deutschland die Abschaffung der Handelsgrenzen befürworten. Ganz anders sah es im Handel mit England aus, das als erste große Nation in die Industrialisierung eingetreten war und im Vergleich zu Deutschland wie zu den damals jungen Vereinigten Staaten von Amerika eine deutlich höhere wirtschaftliche Leistungsfähigkeit besaß, die sich aus technischem Fortschritt erklärte. Länder auf einer niedrigeren wirtschaftlichen Entwicklungsstufe sollten nach Ansicht Lists das Recht haben, sich durch Handelsbeschränkungen gegen die Exporte aus dem fortgeschrittenen Land zu wehren, bis das zurückgebliebene Land den Vorsprung des Konkurrenten, zum Beispiel durch fleißiges Kopieren der ausländischen Innovationen, aufgeholt hatte.

Diese Idee des Schutzzolls oder Erziehungszolls verbindet sich bis heute mit dem Namen Friedrich Lists, obgleich sie bei früheren Autoren nachgewiesen werden kann. Anders als es die damals führende klassische Wirtschaftslehre britischer Autoren wie Adam Smith und David Ricardo postulierte, besaßen aus Lists Sicht nicht nur Individuen legitime Interessen, sondern auch Nationen.

List war zeitlebens ein Mann, der mit seinen Ideen lauthals hausieren ging. Er war ungeheuer fleißig und begeisterungsfähig bis zur Besessenheit, aber auch unbequem, halsstarrig und verletzend. Als junger Mann im Staatsdienst brachte er, der Reutlinger »Generalsyndikus der deutschen Zukunft« (Theodor Heuss), es ohne akademische Ausbildung kurzzeitig zum Professor an der Universität in Tübingen. Als Abgeordneter im Parlament in Stuttgart geriet er in Händel mit dem Königshaus, worauf er nach Zwischenstationen in Straßburg und in der Schweiz in die Vereinigten Staaten emigrierte. Dort vertrat er die Schutzzollidee und schrieb viel über Politische Ökonomie, was dazu führt, dass »Frederick List« unter Amerikas Ökonomen kein unbekannter Name ist.

In den Vereinigten Staaten entdeckte List aber auch eine andere große Leidenschaft: die Eisenbahn als junges Verkehrsmittel, die mit ihren Transportmöglichkeiten die Voraussetzung für wirtschaftlichen Wohlstand schuf. List ist als »Eisenbahnpionier« ebenso in die Geschichtsbücher eingegangen wie als Ökonom und als Befürworter eines politischen Nationalliberalismus.

Als List in seinen späten Jahren nach Europa zurückkehrte, bemühte er sich um eine Beschäftigung als Planer von Eisenbahnstrecken und Manager von Eisenbahnen. Lists Kompetenz wurde geschätzt, ihm aber nicht vergolten – der Württemberger scheiterte immer wieder wegen seiner komplizierten Persönlichkeit, aber auch an Vorbehalten des deutschen Adels gegenüber dem nunmehr amerikanischen Staatsbürger. Am Ende sah List, körperlich und seelisch erkrankt und von Armut bedroht, im Selbstmord den letzten Ausweg.

Die Idee des Schutzzolls ist bis heute populär – und umstritten. Anhänger finden sich in Schwellen- und Entwicklungsländern. Sie begründen mit der Idee den Wunsch nach Handelsbeschränkungen gegenüber den Industrienationen. Bei Widerständen aus den Industrienationen verweisen sie auf deren eigene Geschichte: Kurz vor dem Ersten Weltkrieg hatten auch damals wirtschaftlich weit entwickelte Nationen wie das Deutsche Reich zur Zollpolitik gegriffen. Generell aber sind die Jahrzehnte nach dem Zweiten Weltkrieg eine Zeit der Liberalisierung des Welthandels gewesen; Zölle spielen heutzutage kaum noch eine Rolle.

Die Debatte, ob der Freihandelsgedanke einer Zähmung bedarf, ist niemals verstummt. Sie reicht heute weit über die Zollfrage Lists hinaus. Eine prominente Rolle in dieser Debatte spielt der aus der Türkei stammende Ökonom Dani Rodrik, der lange in Harvard lehrte und jetzt am Institute for Advanced Studies in Princeton arbeitet. Rodrik wirft nicht nur konkrete Fragen auf wie jene, ob eine finanzielle Globalisierung auch für Länder mit wenig entwickelten Banksystemen und Kapitalmärkten vorteilhaft sein muss, wenn diese massiven Zuströmen und Abflüssen ausländischen Kapitals ausgesetzt sind. Er geht das Thema auch grundsätzlich an.

In einem 2009 erschienenen Buch postuliert Rodrik, der sich als Marktwirtschaftler und nicht als linker Globalisierungsgegner versteht, ein »fundamentales politisches Trilemma« der Weltwirtschaft: »Wir können nicht gleichzeitig Demokratie, nationale Selbstbestimmung und wirtschaftliche Globalisierung betreiben. Wenn wir die Globalisierung weiterführen wollen, müssen wir entweder den Nationalstaat oder die demokratische Politik aufgeben. Wenn wir die Demokratie behalten und vertiefen wollen, müssen wir zwischen dem Nationalstaat und internationaler wirtschaftlicher Integration wählen. Und wenn wir den Nationalstaat und Selbstbestimmung bewahren wollen, müssen wir zwischen einer Vertiefung der Demokratie und einer Vertiefung der Globalisierung wählen.«

Gerald Braunberger

JOAN ROBINSON

Normale Zeiten gibt es nicht

// Ökonomen sollen das Leben erklären, sagt Joan Robinson. Ausbeutung und Arbeitslosigkeit waren die Themen der mächtigsten Frau in der Ökonomie.

Es gibt ein Zitat von Joan Robinson, das fast alles darüber sagt, was sie als ihre Lebensaufgabe ansah. »Ökonomie sollte man nicht mit dem Ziel studieren, eine Reihe von fertigen Antworten auf ökonomische Fragen zu erlangen«, schrieb sie 1978, »sondern um zu lernen, wie man es vermeidet, von Ökonomen getäuscht zu werden.« Zu dieser Zeit war Robinson 75 Jahre alt und jahrelang die einflussreichste und mächtigste Ökonomin der Welt gewesen, das Zentrum des Zirkels einflussreicher Ökonomen in Cambridge.

Das Zitat zeigt, welchen Eigenschaften sie ihren Erfolg zuallererst verdankt: einer steten Skepsis gegenüber geltenden Dogmen und dem Mut, sie laut in Frage zu stellen. Nein, schüchtern war Joan Robinson, Tochter eines britischen Generals, nicht. Sie war vielmehr bekannt dafür, ihre Meinung rigoros zu vertreten, auf eine fast schon unerbittliche, militärisch schneidige Art. Eine Meinung über Menschen bildete sie sich schnell, völlig unabhängig von deren Bedeutung. So musste sich ein berühmter amerikanischer Ökonom nach einem Vortrag bei ihr anhören, seine Gedanken seien schlicht »nicht interessant«, woraufhin Robinson in der »Buttery« verschwand, der Cafeteria, wo sie sich lieber mit Studenten unterhielt. Einige ihrer mittlerweile berühmten Studenten nennen sie hingegen eine »brillante Lehrerin«, die viele Studenten förderte, für die sie sehr zugänglich war.

Geboren 1903, war es ungewöhnlich, dass Joan Robinson überhaupt studierte. Jahrzehnte, bevor Frauen vollen Zugang zur Universität erhielten, lernte sie Ökonomie an einem College nur für Frauen, dem Girton College in Cambridge. Sie wusste kaum etwas über das Fach, aber sie hoffte, etwas darüber zu lernen, wie Armut entsteht.

Schnell erkannte sie jedoch, dass die noch junge Wissenschaft der Ökonomie so, wie sie damals in Cambridge im Sinne des schon emeritierten Professors Alfred Marshall gelehrt wurde, kaum etwas bot, um diese Frage zu beantworten. Ja, sie hatte sogar wenig mit dem wirklichen Leben zu tun, fand Robinson. Die Vorstellung, dass die Wirtschaft stets in Richtung eines statischen Gleichgewichts steuert, erschien ihr absurd. Denn einen Zustand der Normalität und des Gleichgewichts konnte sie in der Realität nicht beobachten. »So etwas wie eine normale Zeit in der Geschichte gibt es nicht«, schrieb sie später. »Normalität ist eine Fiktion der Ökonomie-Lehrbücher.«

Nach ihrem Abschluss 1925 heiratete sie den Studienkollegen Austin Robinson, ging mit ihm für zwei Jahre nach Indien, um nach Cambridge zurückzukehren, als Austin dort eine Anstellung bekam. Das Ehepaar war sofort Teil der akademischen Gemeinschaft, die sich rund um den 20 Jahre älteren John Maynard Keynes bildete, der damals sein berühmtestes Werk aber noch nicht geschrieben hatte.

Aber Robinson hatte auch eigene Ambitionen. Obwohl sie jahrzehntelang als Frau keine Professorenstelle erlangte, wollte sie nicht weniger als die Ökonomie revolutionieren. Zur Frauenbewegung hielt sie Distanz. »Männer sind nicht so schlimm«, pflegte sie zu sagen. Die Schwierigkeiten, Beruf und Familie zu kombinieren, kannte sie hingegen bestens. Zunächst verschob sie Kinderpläne wegen eines geplanten Buchs nach hinten, dann bekam sie schnell hintereinander zwei Töchter. In den fünf Jahren rund um deren Geburten schrieb sie drei Bücher.

1933 veröffentlichte sie ihr erstes Buch: »The Economics of Imperfect Competition«, und wurde damit sofort bekannt. Denn es revolutionierte die Vorstellungen über Wettbewerb und Preisbildung. Ökonomen lehrten damals gerne die vollständige Konkurrenz als Normalfall. Das ist eine Situation, in der viele kleine Firmen hart miteinander konkurrieren, was dazu führt, dass sie einen geringen oder gar keinen Gewinn machen. Neben diesem Marktmodell spielte nur noch das Monopol eine Rolle. Robinson fand das absurd, da es die vollständige Konkurrenz ihrer Meinung nach in der Wirklichkeit gar nicht gab. Vielmehr bestimmten damals wie heute in vielen Branchen große oder mittelgroße Konzerne das Geschehen, die nicht unbedingt Monopolisten waren, aber noch viel weniger dem Bild des kleinen Unternehmens unter vollständiger Konkurrenz entsprachen. Sie betrieben nach Robinsons Meinung Ausbeutung, um ihren Gewinn zu steigern.

In ihrem Buch entwickelte Robinson eine Theorie der unvollständigen Konkurrenz. Darin stellte sie fest: je größer eine Firma, desto größer ihre Möglichkeit und die Wahrscheinlichkeit, dass sie ihren Gewinn auf zwei Arten erhöht: auf Kosten der eigenen Angestellten, denen sie weniger zahlt als unter vollständiger Konkurrenz, und auf Kosten der Konsumenten, denen sie höhere Preise abverlangt.

Robinsons politische Wertung dieses Verhaltens als Ausbeutung muss man nicht teilen. Aber man muss sich nur Konzerne wie Apple anschauen, um zu sehen, dass ihre Theorie die Wirklichkeit auch heute noch beschreibt. Dass Apple seine iPhones zu Billiglöhnen in China herstellen lassen kann, um sie im Westen zu sehr hohen Preisen zu verkaufen, verdankt der Konzern auch seiner Marktmacht und also der Abwesenheit von vollständiger Konkurrenz.

Obwohl Robinsons Werk eine Kritik an der herrschenden Theorie war, verwendete es doch die alten Analyseinstrumente, von denen die Autorin sich bald distanzierte. Sie betrachtete später andere Werke als ihre originären Schöpfungen. Keynes beeinflusste sie stark. Mit der Zeit erkannte sie allerdings auch Defizite. Vernachlässigt wurde auch von Keynes das wirkliche Leben, fand Robinson. Nämlich dass die Wirtschaft nicht statisch, sondern dynamisch ist. Deshalb erweiterte sie schließlich seine Theorie in die lange Frist.

Von den sechziger Jahren an – da war sie um die 60 Jahre alt – merkt man ihren Schriften allerdings an, dass sie grundsätzliche Zweifel bekam an ihrer Profession. Werden Ökonomen je das Leben erklären können? Sie glaubte nicht mehr daran. Zu wenig änderte sich, zu viele Dogmen blieben lebendig, zu mathematisch wurde es, was Robinson verachtete. »Weil ich nie Mathematik gelernt habe, musste ich denken«, sagte sie gerne.

Robinson führte den fehlenden Fortschritt auf intellektuelle Trägheit zurück. »In einem Fach, das sich nie auf ein Verfahren geeinigt hat, wie man Fehler beseitigt, haben alte Glaubenslehren ein langes Leben«, schrieb sie 1962. Ob Robinson begeistert davon gewesen wäre, dass die Welt im Zuge der Finanzkrise von 2008 ihren alten Lehrmeister Keynes wiederentdeckt hat? Vielleicht ein wenig. Doch sie forderte Neues – was diese Krise bislang nicht hervorgebracht hat.

Politisch rückte Robinson mit der Zeit immer weiter nach links. Sie schrieb ein Buch über Marx, bereiste die sozialistischen Länder. In ihren letzten Lebensjahren zu Zeiten des Kalten Krieges war sie fasziniert von Nordkorea und China. Viele sehen das als Grund dafür, wieso sie trotz ihres großen Einflusses den Nobelpreis für Wirtschaftswissenschaften nie erhielt.

Lisa Nienhaus

ADAM SMITH

Der Segen des Egoismus

// Adam Smith hat als Erster den Wert des Ego-Kapitalismus erkannt:
Der Eigenliebe des Bäckers ist es zu danken, dass wir satt werden.

Adam Smith gehört zu den Riesen der Volkswirtschaftslehre, auf
deren Schultern die heutigen Ökonomen als dankbare Zwerge stehen. Dabei beschäftigte er sich erst spät mit ökonomischen Fragestellungen. Nach einer wissenschaftlichen Karriere als Professor
für Logik und Moralphilosophie stellte er sein volkswirtschaftliches Opus Magnum »Der Wohlstand der Nationen – eine
Untersuchung seiner Natur und seiner Ursachen« erst im Alter
von 53 Jahren fertig.

Der Erfolg war schon damals groß, und er erwies sich als äußerst
nachhaltig. In den fünf Büchern des »Wohlstands der Nationen«
legt Smith die Basis für die Volkswirtschaftslehre als eigenständige
Wissenschaft. Er beschreibt die Prinzipien der Arbeitsteilung, der
Bestimmung von Löhnen und Preisen, Gewinnen und der Bodenrente. Er erklärt die Funktionen des Geldes und des Finanzsystems.
Kritisch setzt er sich mit den damals üblichen Handelsschranken
auseinander. Das fünfte Buch widmet sich den öffentlichen Einnahmen und Ausgaben sowie dem Problem der Staatsverschuldung.

Auch 237 Jahre nach seinem Erscheinen ist der »Wohlstand der
Nationen« ein gut zu lesendes und in einigen Punkten nach wie vor
hochaktuelles Buch. So setzt Smith sich intensiv mit der Angst vor
der Globalisierung der Märkte auseinander, die damals so verbreitet
war wie heute. Smith kommt dabei zu einem – zumindest für das
18. Jahrhundert – alles andere als selbstverständlichen Schluss: Der
ungehinderte Austausch von Waren über die Landesgrenzen hin-

weg ist keine Gefahr für den Wohlstand der Nationen, sondern vielmehr eine entscheidende Quelle des Wohlstands.

Adam Smith leitet dies aus der Arbeitsteilung ab, deren Ergebnisse ihn beeindruckten. »Ein Arbeiter, der noch niemals Stecknadeln gemacht hat und auch nicht dazu angelernt ist (erst die Arbeitsteilung hat daraus ein selbständiges Gewerbe gemacht), so dass er auch mit den dazu eingesetzten Maschinen nicht vertraut ist (auch zu deren Erfindung hat die Arbeitsteilung vermutlich Anlass gegeben), könnte, selbst wenn er fleißig ist, täglich höchstens eine, sicherlich aber keine zwanzig Nadeln herstellen.«

Durch die Aufteilung der Herstellung auf 18 unterschiedliche Arbeitsvorgänge komme es zu einem unglaublichen Produktivitätsgewinn: »Ich selbst habe eine kleine Manufaktur dieser Art gesehen, in der nur zehn Leute beschäftigt waren, so dass einige von ihnen zwei oder drei solcher Arbeiten übernehmen mussten. Obwohl sie nun sehr arm und nur recht und schlecht mit dem benötigten Werkzeug ausgerüstet waren, waren die zehn Arbeiter imstande, täglich etwa 48 000 Nadeln herzustellen.«

Wenn die Arbeitsteilung die entscheidende Grundlage für den Wohlstand der Nationen bildet, ist es für Smith naheliegend, das Potential hierfür durch offene Märkte so weit wie möglich zu nutzen. Die Angst vor der Globalisierung, die im vergangenen Jahrzehnt auch in Deutschland die Diskussion beherrschte, ist also ein schlechter Ratgeber. Denn bei allen Schattenseiten der Globalisierung ist Adam Smith zuzustimmen, dass dabei der Wohlstand fast aller Nationen gestiegen ist.

Große Aktualität besitzen auch die Gedanken von Adam Smith über den Egoismus in einem marktwirtschaftlichen System. Während manche Hobby-Ökonomen im Ego-Kapitalismus einen Kalten Krieg mit für alle Beteiligten nachteiligen Folgen sehen, kommt Adam Smith zu einem völlig anderen Befund: »Nicht vom Wohlwollen des Metzgers, Brauers und Bäckers erwarten wir das, was wir zum Essen brauchen, sondern davon, dass sie ihre eigenen Interessen wahrnehmen. Wir wenden uns nicht an ihre Menschen-, sondern an ihre Eigenliebe, und wir erwähnen nicht die eigenen Bedürfnisse, sondern sprechen von ihrem Vorteil.« Und genau dadurch, folgert Smith, ergibt sich eine für die Allgemeinheit vorteilhafte Entwicklung der Wirtschaft. Der von seinem Egoismus getriebene Unternehmer werde »von einer unsichtbaren Hand geleitet, um einen Zweck zu fördern, den zu erfüllen er in keiner Weise beabsichtigt hat.«

Wie kommt es zu dieser wundersamen Transformation? Versetzen wir uns in die Situation eines Bäckers in einer kleinen Stadt. Wenn er egoistisch ist und einen Gewinn erzielen möchte, bleibt ihm letztlich nichts anderes übrig, als dauerhaft gute und schmackhafte Backwaren herzustellen – sonst gehen die Kunden zur Konkurrenz. Es ist also gerade sein Egoismus, der ihn zwingt, so weit wie möglich die Wünsche seiner Kunden zufriedenzustellen. Nicht viel anders als dem Bäcker ergeht es allen Unternehmen, die dauerhaft erfolgreich sein wollen. Aus ihrem Eigeninteresse heraus müssen sie den Interessen ihrer Abnehmer gerecht werden.

Aber wieso kann es dann in einer Marktwirtschaft zu Fehlentwicklungen kommen, wie wir sie in den Jahren vor der Finanzkrise beobachten konnten? Adam Smith hielt es nicht für erforderlich, seine Leser darauf hinzuweisen, dass die wundersame Transformation durch die »unsichtbare Hand« nur dann funktioniert, wenn die Akteure einen langfristigen Zeithorizont haben. Bei Managern, die wie viele Investment-Banker nur auf das schnelle Geld aus sind, kann der Egoismus zum Desaster für alle führen. Die Herausforderung besteht also darin, in möglichst allen Bereichen des Wirtschaftslebens die Rahmenbedingungen so zu gestalten, dass die Akteure langfristig denken. Dann, so die Lehre von Adam Smith, ist es für die Wirtschaft letztlich zweitrangig, ob wir es mit Egoisten oder Altruisten zu tun haben.

Überraschend aktuell sind auch seine Ausführungen zur Einkommensverteilung. »Ganz sicher«, schreibt Smith, »kann keine

Nation blühen und gedeihen, deren Bevölkerung weithin in Armut und Elend lebt.« Reichlicher Unterhalt erhöhe den körperlichen Einsatz des Arbeiters. »Dort wo die Löhne hoch sind, finden wir daher die Arbeiter immer fleißiger, gewissenhafter und schneller bei der Hand als dort, wo sie niedrig sind.«

Die Bedeutung der Einkommensverteilung für das nachhaltige Wachstum von Volkswirtschaften hat in den vergangenen Jahren eine zunehmende wissenschaftliche Beachtung gefunden. So kommt eine neuere Studie des Internationalen Währungsfonds ähnlich wie Adam Smith zu dem Ergebnis, dass der Einkommensverteilung eine Rolle für ein nachhaltiges wirtschaftliches Wachstum zukommt. Und ganz im Sinne von Smith versucht Chinas Führung derzeit, über eine gerechtere Einkommensverteilung ein neues Wachstumsmodell zu finden.

Peter Bofinger

KOREKIYO TAKAHASHI

Der japanische Keynes

// Korekiyo Takahashi hat als Finanzminister in Japan keynesianische Politik betrieben. Und zwar lange vor Keynes. Das kostete ihn 1936 das Leben. Jetzt entdeckt die japanische Regierung ihn als Vorbild wieder.

In den frühen Morgenstunden des 26. Februar 1936 führten zwei junge Offiziere des Dritten Garderegiments der Kaiserlichen japanischen Armee einen Trupp Soldaten durch die stillen, verschneiten Gassen Tokios. Sie machten erst halt, als sie das Haus von Finanzminister Korekiyo Takahashi erreichten.

Die Soldaten brachen das Tor auf, stürmten ins Schlafzimmer des Ministers. Einer der Offiziere brüllte »Verräter« und feuerte mehrere Schüsse auf den in seinem Bett liegenden Takahashi ab. Dann zückten mehrere Soldaten ihre Schwerter, schrien »Strafe des Himmels« und zerhackten den Körper des 81-Jährigen.

Für viele japanische Wissenschaftler war Takahashi das »letzte Bollwerk gegen den Militarismus« in dem ostasiatischen Land. Nach seinem Tod führte der Weg Japans unaufhaltsam weiter in Richtung Militärdiktatur und Krieg. Vor allem aber ist der Politiker, der insgesamt siebenmal Finanzminister war, heute der geistige Vater der Wirtschafts- und Finanzpolitik, die nach dem Ministerpräsidenten Japans, Shinzo Abe, benannt und weltweit als »Abenomics« zu einem Begriff geworden ist. Takahashi war Finanzminister während der Weltwirtschaftskrise, sein letzter Posten vor seiner Ermordung.

Lange bevor John Maynard Keynes 1936 seine »Allgemeine Theorie der Beschäftigung, des Zinses und des Geldes« veröffentlichte, hat Takahashi als Finanzminister in Tokio keynesianische Politik praktiziert. In Japan hatte die Regierung wie in anderen Ländern auch nach dem Ausbruch der Weltwirtschaftskrise 1929 zuerst mit Sparpolitik reagiert. Der Yen wertete auf, das Handelsbilanzdefizit wuchs, vor allem in den ländlichen Regionen nahmen Armut und Arbeitslosigkeit zu. Als Takahashi in dieser Situation im Dezember 1931 zum fünften Mal an die Spitze des Finanzministeriums trat, riss er das Steuer herum. Als Erstes verließ Japan den Goldstandard. So entkam das Land dem deflationären Schock, dem andere Länder ausgesetzt waren.

Anschließend setzte Takahashi Schritt für Schritt genau die Politik um, die heute Keynesianer in aller Welt als Ausweg aus der aktuellen Finanzkrise empfehlen: Er machte Schulden, finanzierte

die Aufrüstung der japanischen Armee und schuf Beschäftigungs-
programme für die ländlichen Regionen. Als typischer Repräsen-
tant der japanischen Eliten, die bis heute stärker auf den Staat als
auf den Markt vertrauen, nutzte er den expansiven Staatshaushalt
zum Aufbau der Schwerindustrie.

Kern der Politik Takahashis war aber, dass er das alles finanzierte, indem er die Notenpresse anwarf. Von Ende 1932 finanzierte der Minister das stark wachsende Haushaltsdefizit durch die
Ausgabe von Staatsanleihen, die direkt von der japanischen Notenbank finanziert wurden. Das hielt die Zinsen niedrig. Sobald es
möglich war, versteigerte die Bank von Japan diese Anleihen dann
wieder an private Banken.

Erst kurz vor seinem Tod zeigten sich die Grenzen dieser
Politik. Spätestens als die Notenbank 1935 die Staatsanleihen am
Markt nicht mehr loswurde, wusste Takahashi, dass er umsteuern
musste. Er versuchte, die Forderungen des Militärs nach immer
mehr Geld zu bremsen. In der Armee wurden deswegen bereits ein
Jahr vor seinem Tod Rufe laut: »Beerdigt Takahashi.« Der Versuch, aus der aggressiven Geld- und Finanzpolitik auszusteigen,
kostete den Minister schließlich das Leben.

Takahashi war, wie sein amerikanischer Biograph Richard Smethurst schreibt, »keynesianischer als Keynes«. Tatsächlich kam
Japan schneller als andere Länder aus der Krise. Waren die Ausgaben des Staats von 1929 bis 1931 noch von 1,74 auf 1,48 Milliarden
Yen gekürzt worden, erhöhte Takahashi sie bis 1932 auf 2,25 Milliarden Yen.

Der Yen verlor gegenüber dem Dollar 40 Prozent an Wert, die
Exportindustrie profitierte, die Aktienkurse stiegen. Die Einkommen legten zwischen 1931 und 1936 um 60 Prozent zu, die Preise
dagegen nur um 18 Prozent.

Japan erholte sich in atemberaubendem Tempo. Auch deswegen orientiert sich die gegenwärtige japanische Regierung heute so
stark an seiner Politik. »Takahashi rettete Japan damals, indem er

genau das tat, was wir heute tun«, sagt Japans Finanzminister Taro Aso. Eigentlich müsste die sogenannte »Abenomics« deswegen auch »Takahashinomics« heißen.

Dabei war Takahashi kein studierter Ökonom. Er hat, glaubt man seiner Autobiographie, überhaupt keine richtige Schulausbildung. Der spätere Minister, Notenbankchef – einmal sogar Regierungschef – verdankt seinen Aufstieg dem radikalen Umbruch Japans Mitte des 19. Jahrhunderts.

Japan wurde noch von den Shogunen des Tokugawa-Clans beherrscht, als Takahashi am 27. Juli 1854 als uneheliches Kind geboren wurde. Sein Vater war Landschaftsmaler am Hof des Shoguns in Edo, wie Tokio damals hieß. Die Mutter, Tochter eines Fischhändlers, war 16 und als Haushaltshilfe beschäftigt. Takahashi wurde kurz nach seiner Geburt von einem Samurai, einem japanischen Soldaten, adoptiert.

Die Herrschaft der Tokugawas stand damals schon kurz vor dem Ende. Ihr Sturz und die Restauration der Herrschaft des Kaisers eröffneten jungen Männern wie Takahashi ungeahnte Möglichkeiten. Er lernte Englisch, sprach die fremde Sprache schon als Heranwachsender fließend. Das ebnete ihm den Weg in den Staatsdienst, nachdem die von den Tokugawas erzwungene hermetische Abriegelung des Landes beendet war. 1905, als Japan im Krieg mit Russland war, war es Takahashi, der in London die Kredite westlicher Anleger aushandelte, die Japans historischen Sieg gegen das Zarenreich erst ermöglichten.

Seinen Biographen Smethurst treibt die Frage bis heute um: Wie konnte der uneheliche Sohn eines Malers zu einem der kreativsten und bis heute einflussreichsten Finanzpolitiker werden? Smethursts Antwort ist einfach: »Er entwickelte die meisten seiner Ideen während der Arbeit, sozusagen als politische Lehre in den verschiedenen Staatsämtern, in denen er arbeitete.«

Carsten Germis

LUDWIG VON MISES

Der letzte liberale Ritter

// Der radikale Liberale Ludwig von Mises warnte vor billigem Geld. Hat er die Finanzkrise vorhergesehen?

»Wer seine Augen nicht absichtlich schließt, muss überall die Anzeichen einer nahen Katastrophe der Weltwirtschaft erkennen«, schrieb Ludwig von Mises 1927 in seinem Buch »Liberalismus«, zwei Jahre vor Ausbruch der großen Weltwirtschaftskrise 1929. In den Augen seiner Anhänger war der Wiener Ökonom ein verkannter Prophet, der unbeugsame letzte Ritter des Liberalismus, der sich der Flut aus Sozialismus, staatlichem Interventionismus und Dirigismus entgegenstemmte.

Die große Wirtschaftskrise, die vor fünf Jahren begann, hat kaum ein Mainstream-Ökonom vorausgesehen. Man hätte aber erkennen können, was sich zusammenbraute, sagen die Anhänger der österreichischen Geld- und Konjunkturtheorie, die Mises vor 100 Jahren begründet hat. Sein Argument: Wenn die Zinsen zu niedrig gedrückt werden und zu viel Geld über Kreditschöpfung in die Wirtschaft kommt, folgt daraus ein ungesunder Boom. Das billige Geld wird für Investitionen genutzt, die eigentlich unrentabel sind. Wie verrückt wird gebaut und investiert, zudem zieht der Konsum an. Schließlich überhitzt der Boom, steigende Zinsen lassen die Blase platzen. Viele Projekte entpuppen sich als unfinanzierbare Fehlinvestitionen. Es folgt eine Rezession.

Nach Mises ist es vor allem eine zu expansive Geldpolitik, die zu verhängnisvollen Boom-und-Bust-Zyklen führt. Die »Goldenen Zwanziger« sah er als Scheinblüte an. Ob die folgende Krise nach 1929 wirklich aus vorigen inflationären Übertreibungen resultierte, darüber streiten Wirtschaftshistoriker allerdings. Milton

Friedman, mit dem Mises gut bekannt war, war anderer Meinung. Dass die vor fünf Jahren geplatzte Immobilienblase in den Vereinigten Staaten und in der Euro-Peripherie aber mit einer zu expansiven Geldpolitik zu tun hat, wird heute wenig bezweifelt. Inzwischen wird als Fehler erkannt, dass die Makroökonomen sich kaum noch für Geldmengen interessierten. Strikte Mises-Anhänger propagieren aber eine radikale Lösung: Sie wollen das staatliche Papiergeldmonopol brechen. Dort liege der Kern vieler ökonomischer Fehlentwicklungen, die Quelle der Inflation.

Ludwig von Mises, 1881 im galizischen Lemberg als Sohn eines Beamten geboren und in Wien aufgewachsen, war der radikalste Wirtschaftsliberale des 20. Jahrhunderts. Unnachgiebig beharrte er darauf, dass der Staat sich aus der Wirtschaft heraushalten solle.

Berühmt wurde Mises durch den Sozialismus-Streit. Wie eine Bombe schlug 1920 sein Aufsatz ein, in dem er darlegte, warum eine »rationale Kostenrechnung« im Sozialismus nicht möglich sei. Weite Teile der linken Intelligenz waren von der bolschewistischen Revolution in Russland in freudig erregter Erwartung versetzt worden. Mises' Kritik zielte nun auf das Herzstück der sozialistischen Verheißung: dass die Wirtschaft nicht nur gerechter, sondern auch effizienter und rationaler geplant werden könne, wenn der »chaotische« Kapitalismus überwunden werde.

Frühere Sozialismus-Gegner hatten vor allem kritisiert, dass im Sozialismus Leistungs- und Arbeitsanreize fehlten, wenn man kein Privateigentum mehr erwerben dürfe. Mises brachte ein neues Argument: Ohne Privateigentum und marktwirtschaftlichen Tausch bilden sich keine Preise, welche die relative Knappheit von Gütern anzeigen. Ohne die Signalwirkung des Preissystems tappt der zentrale Planer aber im Dunkeln. Er kennt die relative Knappheit und Begehrtheit der Güter nicht.

Die Planwirtschaft kann mithin keine effiziente Ressourcenverwendung erzielen. Sie ist zu Stagnation, geringer Produktivität und Innovation verdammt. Vor Mises hatte noch kein Ökonom mit so messerscharfen Argumenten erklärt, dass der Sozialismus zum Scheitern verurteilt ist. Außerdem warnte er in seinem Buch »Die Gemeinwirtschaft«, dass der Sozialismus auch politisch gefährlich sei, weil er zu Autoritarismus, ja Diktatur führe. Sein Freund Friedrich August von Hayek hat diese Gedanken später aufgegriffen und fortgeführt. Nach Hayek basiert der Sozialismus auf einer »Anmaßung von Wissen«. Ohne den Wettbewerb als Entdeckungsverfahren muss die Wirtschaft in Stagnation und Verfall enden.

Mises' Attacke gegen die Planwirtschaft erschütterte eine ganze Generation junger Ökonomen. Wilhelm Röpke etwa bekannte später: »Ich wäre ein ganz anderer Typ Nationalökonom und Mensch geworden, wenn ich nicht zufällig auf das Buch ›Die Gemeinwirtschaft‹ gestoßen wäre.« Und Hayek, als junger Mann sozialistisch angehaucht, schrieb: »Für keinen von uns, der das Buch bei seiner Ersterscheinung las, konnte die Welt je wieder die gleiche sein wie vor der Lektüre.« Noch viele Jahre später versuchten sich sozialistische Ökonomen an einer Widerlegung von Mises' Argument – letztlich gab ihm die Geschichte recht.

Eine große akademische Karriere hat Mises nicht gemacht. 25 Jahre arbeitete er in der Wiener Handelskammer, nebenbei lehrte er an der Universität, aber er erhielt nur eine unbezahlte, außerordentliche Professur. Als strikt marktwirtschaftlicher Jude war er ein doppelter Außenseiter im »roten Wien« und an der Universität. 1934, als sich die Stimmung in Österreich politisch immer mehr aufheizte, ging er nach Genf an ein Universitätsinstitut. 1940 flüchtete er mit seiner Frau nach Amerika. Dort wurde er Gastprofessor an der New York University, doch sein Gehalt zahlte eine private Stiftung.

Mises, der kompromisslose, zuweilen schroffe, aber auch liebenswürdig höfliche Liberale, blieb am Rande des Wissenschaftsbetriebs. Selbst mit Freunden gab es Konflikte, wenn sie seiner Linie nicht folgten. Legendär ist die Szene, wie Mises bei einer Debatte über den Goldstandard im Kreis der liberalen Mont Pèlerin Society mit dem Ruf »Ihr seid doch alles Sozialisten« wutentbrannt aus dem Raum stürmte.

Mises sah auch die nichtsozialistischen Länder auf einer schiefen Ebene mit lauter Interventionsspiralen. Greift der Staat an einer Stelle in die Wirtschaft ein, setzt Preise oder Mengen fest, so ziehe dies unweigerlich den nächsten Eingriff nach sich. Auch in der Geldpolitik ist die Warnung vor einer Interventionsspirale berechtigt. Immer wieder werden Leitzinsen zu niedrig gesetzt, es bildeten sich Blasen. Doch statt eine schmerzhafte Bereinigung zuzulassen, versuchen die Zentralbanken wieder mittels ultraniedriger Zinsen gegenzusteuern. Nicht nur Mises-Anhänger sehen in der Billiggeldflut den Keim für die nächste Krise gelegt.

Philip Plickert

ROBERT LUCAS

Die Leute sind nicht verrückt

// Der Ökonom Robert Lucas glaubt, dass Menschen rational über ihre Zukunft nachdenken. Diese Idee kann vieles erklären – nur nicht die Finanzkrise.

Als Robert E. Lucas Jr. im Jahr 1998 gefragt wurde, ob Studenten der Makroökonomie immer noch die »General Theory« des berühmten Ökonomen John Maynard Keynes lesen sollten, antwortete er kurz und knapp: »Nein.«

Das tat er zu Recht. Robert Lucas ist der wichtigste Makroökonom des 20. Jahrhunderts. Das mag manche überraschen. Sollte die Ehre nicht John Maynard Keynes gehören? Oder Milton Friedman? Paul Krugman? Sicherlich haben diese Ökonomen enormen Einfluss gehabt. Man mag Keynes sogar zugestehen, dass es ohne ihn das Fach »Makroökonomie« gar nicht gäbe. Aber moderne Makroökonomie, so wie sie in den führenden Universitäten der Welt betrieben wird, ist ohne die bahnbrechenden Einsichten von Robert Lucas undenkbar.

Lucas hat den modernen Forscher gelehrt, wie über die Ökonomie als Ganzes nachgedacht werden kann. Und er hat zentrale Fragen und Paradigmen aufgestellt, die die Wissenschaft noch heute beschäftigen. Selbst die Wiedergeburt keynesianischer Themen in der neukeynesianischen Literatur baut zentral auf dem Gebäude auf, das Lucas errichtet hat. Etliche dieser Themen machen in dieser erneuerten Form überhaupt erst Sinn. Er ersetzte Konfusion durch Klarheit.

Der zentrale Einfluss von Robert Lucas ist mit dem Konzept der »rationalen Erwartungen« verbunden. Das Konzept hat er nicht entwickelt. Er ist auch nicht der Einzige, der dafür gekämpft hat. Lucas allerdings war ohne Frage der Anführer dieser Gemeinschaft. Und er hat damit Anfang der siebziger Jahre eine Revolution im makroökonomischen Denken ausgelöst, die trotz vielfältiger Kritik infolge der Finanzkrise bis heute anhält.

Worum geht es dabei? Das Konzept der »rationalen Erwartungen« ist eine Vorschrift an den Ökonomen, der sich ein Bild oder Modell von der Ökonomie als Ganzes machen möchte. Bei vielen ökonomischen Fragen geht es um die Einschätzung und Vorbereitung auf die Zukunft, die unsicher ist. Daher braucht der Ökonom Annahmen, wie die Akteure in seinem Modell mit diesen Unsicherheiten umgehen sollen. Das Konzept der »rationalen Erwartungen« verlangt nun, dass die Erwartungsbildung mit dem Geschehen insgesamt konsistent ist. Das bedeutet, dass sich die Akteure in dem Modell nicht systematisch täuschen. »Rationale Erwartungen« verlangen die Verwendung von Erwartungen, die sich anhand der Wahrscheinlichkeitsrechnung bilden, so wie sie die Mathematik definiert hat. Wer Würfel spielt, der mag zwar hoffen, jedes Mal eine Sechs zu würfeln, aber er weiß, dass jede Zahl statistisch in etwa gleich oft vorkommt. Was banal klingt, das hat für die Betrachtung der Wirtschaft radikale Auswirkungen. Ende der sechziger Jahre war »keynesianische Feinsteuerung« die Zauberformel, mit der Regierungen den lästigen Konjunkturbewegungen und der Arbeitslosigkeit Einhalt gebieten wollten. Zentral dabei war die sogenannte Phillips-Kurve – ein damals in den Daten beobachtbarer negativer Zusammenhang zwischen Arbeitslosigkeit und Inflation: Wenn die Inflation stieg, sank die Arbeitslosigkeit.

Die Erklärung für diesen Zusammenhang war einfach: Ist die Inflation hoch, so sind die schon vereinbarten Arbeitslöhne in Gütern ausgedrückt gering, weil man sich wenig für seinen Lohn kaufen kann. Da es den Firmen aber am Ende auf die realen Löhne ankommt, gibt es mehr Einstellungen, und die Arbeitslosigkeit sinkt. Das Rezept zur Bekämpfung der Arbeitslosigkeit schien daher einfach: Lieber 5 Prozent Inflation als 5 Prozent Arbeitslosigkeit.

In den siebziger Jahren allerdings wurde dieser Glaube erschüttert. Denn damals stieg die Inflation, aber die Arbeitslosigkeit sank nicht, im Gegenteil: Sie stieg sogar noch weiter. Wie konnte das sein?

Es war Lucas, der die Erklärung hatte. In seiner bahnbrechenden Arbeit »Econometric Policy Evaluations: A Critique« von 1976 verwendete er das Konzept rationaler Erwartungen, um das Problem zu lösen. Wenn nämlich Arbeitnehmer und Arbeitgeber sich auf Löhne einigen, die für einige Zeit fest bleiben sollen, so machen sie sich dabei Gedanken, wie viel man sich für diese Löhne in Zukunft kaufen kann. Sie brauchen dazu Erwartungen über die zukünftige Entwicklung der Preise, also der Inflation. Vor Überraschungen ist man dabei nicht gefeit: Sollte die Inflation gelegentlich höher ausfallen als erwartet, so tritt der beschriebene, die Arbeitslosigkeit dämpfende Effekt ein. Aber im statistischen Mittel werden sich die Verhandlungsführer nicht täuschen lassen. Und dann gibt es auch den Zusammenhang nicht, dass Inflation die Arbeitslosigkeit senkt.

Sollten die Regierung und die Zentralbank sich auf den Weg machen, in Zukunft im Schnitt 10 Prozent Inflation walten zu lassen, so wäre es eben nicht rational, beim Abschluss der Lohnverhandlungen auf 2 Prozent Lohnplus zu hoffen. Die zukünftigen 10 Prozent werden vernünftigerweise bei den Lohnverhandlungen im Blick behalten – und dann auch die Löhne entsprechend steigen.

Anders als ein Auto handeln Menschen vorausschauend. Der steuernde Einfluss der Politik ergibt sich nicht nur aus den gegenwärtigen Politikvariablen, sondern auch aus den Erwartungen über den zukünftigen Verlauf dieser Variablen. Lucas und seine Mitstreiter haben daher verlangt, dass makroökonomische Modelle die tiefen Verhaltensparameter der Akteure formulieren sollen. Und sie haben verlangt, dass man diese Akteure nicht systematisch täuschen kann, sondern dass man ihnen rationale Erwartungen zugesteht.

Es sind mehr als 35 Jahre seit der »Lucas-Kritik« vergangen. Seither hat sich natürlich in der makroökonomischen Forschung viel getan. Das Konzept der rationalen Erwartungsbildung wurde bereichert, indem man berücksichtigt, dass nicht jeder gleich viel weiß und sich so asymmetrische Information einstellt. Andere Konzepte der Erwartungsbildung wurden erfolgreich eingeführt. Sogar der Zusammenhang, den die Phillips-Kurve beschreibt, taucht in neuer Form in modernen Modellen wieder auf.

Doch in der Finanzkrise 2008 geschah etwas Unerwartetes: Die ganze moderne Makroökonomie kam in Verruf, weil sie nicht in der Lage gewesen war, die Krise vorherzuahnen. Das Konzept der rationalen Erwartungen stand besonders in der Kritik. Die Finanzkrise hat etliche neue Fragen aufgeworfen, neue Einsichten geliefert und auch schon zu neuen Ansätzen in der makroökonomischen Forschung geführt. Entsteht hier vielleicht gerade ein neues Paradigma in der Makroökonomie? Kommt es zu einer bahnbrechenden Überarbeitung fundamentaler Annahmen?

Dies ist eine spannende Zeit für Makroökonomen, es bewegt sich einiges in den Elfenbeintürmen, neues Denken ist gefragt. Wo ist der nächste Lucas, der die nächste Revolution in der Wissenschaft anführt? Noch aber ist es nicht so weit. Denn auch jetzt bauen die neuesten Arbeiten und Erkenntnisse weiterhin wesentlich auf den bahnbrechenden Arbeiten von Lucas auf und kombinieren sie nun erfolgreich mit wichtigen Lektionen der Finanzkrise 2008. Und für die Wirtschaftspolitik von heute liefert seine Arbeit eine wichtige Erkenntnis: dass es gefährlich ist, wirtschaftliche Probleme wieder mit Inflation zu bekämpfen.

Harald Uhlig

HERMANN HEINRICH GOSSEN

Immer mehr bringt immer weniger

// Der erste Schluck Wasser ist für Durstige lebenswichtig – jeder weitere wird weniger wertvoll. Daraus leitete Hermann Heinrich Gossen eine Regel ab, die erklärt, wie man Wohlstand verteilt. Erst nach seinem Tod wurde er berühmt.

Sein Vater war Steuereintreiber im rheinischen Düren, die Mutter eine strenggläubige Katholikin. Nichts deutete also darauf hin, dass der 1810 geborene Hermann Heinrich Gossen einmal zum

Begründer der Lehre von der Maximierung des Lebensgenusses werden würde.

Tatsächlich schlug er zunächst auf Wunsch des Vaters eine Beamtenlaufbahn ein, die ihm aber von Beginn an zuwider war. Auch der Versuch, sich mit einer Versicherung gegen Hagel und Großvieh-Sterblichkeit selbständig zu machen, scheiterte kläglich. Erst der frühe Tod des Vaters und die damit verbundene Erbschaft ermöglichten es Gossen, sich ganz seiner eigentlichen Passion zu widmen. Diese galt der ökonomischen Theorie, insbesondere der »Entwickelung der Gesetze des menschlichen Verkehrs und der daraus fließenden Regeln für menschliches Handeln«.

So lautete der Titel seines ersten und einzigen Werkes, das er 1854 veröffentlichte – auf eigene Kosten. Genauso sperrig wie der Titel war nämlich die Art der Darstellung Gossens. Er verzichtete auf jegliche Absätze und Zwischenüberschriften und zitierte auch kein einziges anderes Werk. Stattdessen wimmelte es von mathematischen Formeln, was in der damaligen Zeit eine in der Ökonomie völlig unübliche Methode war.

So war es kein Wunder, dass das Buch nicht nur keinen Verleger, sondern auch kaum Leser fand. Kurz bevor Gossen mit nur 47 Jahren an Lungentuberkulose starb, zog er es 1858 tief enttäuscht selbst aus dem Verkehr.

Nur zufällig wurde es 20 Jahre später von einem Kollegen des englischen Ökonomen Stanley Jevons wiederentdeckt. Jevons stritt sich damals mit seinem französischen Konkurrenten Leon Walras darüber, wer von ihnen die Prinzipien menschlichen Wahlverhaltens zuerst in mathematischer Form erklärt hatte. Nun mussten beide erkennen, dass der Ruhm in Wirklichkeit einem Dritten zukam. Seitdem sind die »Gossenschen Gesetze« zum zentralen Baustein der ökonomischen Theorie geworden.

Die Tragik Gossens liegt darin, dass er diesen Erfolg selbst nicht erlebt hat. Dabei war er sich seiner Leistung durchaus bewusst:

»Was einem Kopernikus zur Erklärung des Zusammenseins der Welten im Raum zu leisten gelang, das glaube ich für die Erklärung des Zusammenseins der Menschen auf der Erdoberfläche zu leisten«, so schrieb er im Vorwort seines Werkes. Er ging sogar so weit zu behaupten, den von Gott gewollten Lebenszweck der Menschen und dessen bestmögliche Verwirklichung entdeckt zu haben. Das scheint aus heutiger Sicht nur unwesentlich übertrieben.

Dabei ist ihr Grundgedanke, wie so oft, sehr einfach. Nach dem Ersten Gossenschen Gesetz ist der Nutzen eines Gutes oder Genusses keine konstante Größe, sondern relativ. Er hängt zum einen von den individuellen Präferenzen ab, und zum anderen nimmt er mit zunehmend verfügbarer Menge des betreffenden Gutes tendenziell ab. Der erste Schluck Wasser ist beispielsweise lebenswichtig, während weitere Wassereinheiten für uns immer weniger wertvoll sind und schließlich für so profane Dinge wie das Autowaschen verwendet werden. Dieses Gesetz vom abnehmenden Grenznutzen ist von beinahe universeller Gültigkeit und muss höchstens bei Suchtgütern wie Rauschgift oder Alkohol relativiert werden.

Das Zweite Gossensche Gesetz leitet daraus ab, dass wir unser begrenztes Einkommen im Allgemeinen auf verschiedene Güter aufteilen. Je teurer ein Gut ist, desto geringer wird dabei sein Anteil sein. Im Endeffekt führt das meist zu einer einigermaßen ausgewogenen, wenn auch individuell unterschiedlichen Konsumstruktur. So sieht man selten einen Porsche vor einer billigen Mietwohnung stehen, und ebenso selten fahren Eigentümer von teuren Villen billige Kleinwagen. Denn der Zusatznutzen einer luxuriöseren Wohnung oder eines schnelleren Sportwagens nimmt schnell ab, so dass man sein Geld sinnvollerweise erst einmal in andere, bisher fehlende Dinge investiert.

Von wenigen Ausnahmen abgesehen, machen wir alle entsprechende Kompromisse, wenn wir unser Einkommen ausgeben. Gossen konnte zeigen, dass dies auch sinnvoll ist. Denn das Ziel ist es ja nicht, den Nutzen eines einzelnen Gutes zu maximieren, sondern den »Lebensgenuss« insgesamt.

Obwohl diese Erkenntnis einem heutigen Ökonomen beinahe trivial erscheint, ist sie bei Politikern und Juristen noch immer weitgehend unbekannt. Hier dominiert vielmehr das Denken in festen Wertehierarchien, unabhängig von dem Umfang, in welchem die betreffenden Ziele schon verwirklicht worden sind.

So neigen Umweltschützer dazu, jede Beeinträchtigung der Natur vermeiden zu wollen, auch wenn dies noch so große Kosten und Nutzeneinbußen an anderer Stelle zur Folge hat. Ähnlich beharren Verkehrsjuristen oft darauf, dass die Sicherheit im Straßenverkehr unbedingten Vorrang vor dem Freiheits- und Mobilitätsbedürfnis der Menschen haben müsse. Gemäß dem Gossenschen Gesetz nimmt aber auch der Grenznutzen zusätzlicher Sicherheit tendenziell ab. Es gibt also einen Punkt, an dem den Menschen die weitere Verminderung des Risikos, einen Unfall zu erleiden, weniger wert ist als die damit verbundenen Kosten oder Freiheitseinbußen. Das Verhalten der Verkehrsteilnehmer im Alltag bestätigt dies. So hat kaum jemand einen Feuerlöscher im Auto, obwohl dieser Leben retten kann, und die meisten Fahrradfahrer fahren ohne Helm, sofern man sie nicht dazu zwingt.

Die Gossenschen Gesetze können auch erklären, warum weniger reiche Länder wie China oder Brasilien laschere Arbeits- und Umweltschutzgesetze haben als wohlhabende Länder wie Deutschland oder die Vereinigten Staaten. Da sie nämlich insgesamt weniger produktiv sind, konsumieren sie sowohl weniger materiellen Wohlstand als auch weniger Sicherheit beziehungsweise Umweltqualität. Würde man sie dazu zwingen, unsere Standards in diesen Bereichen einzuhalten, so wären die damit verbundenen materiellen Wohlstandseinbußen für die Menschen dort vermutlich höher als der Nutzen. Die Gossenschen Gesetze warnen uns deshalb auch davor, unsere Wertmaßstäbe einfach auf andere Menschen oder Länder mit abweichenden Bedingungen und Präferenzen zu übertragen.

Manchmal werden sie allerdings auch missbraucht. So rechtfertigen linke Politiker hohe Steuersätze für Besserverdiener manchmal damit, dass der Grenznutzen des Einkommens für den Armen höher sei als für den Reichen. Das aber lässt sich aus Gossens Theorie gerade nicht herauslesen. Denn diese erklärt nur die optimale Konsumwahl der Menschen bei gegebenem Einkommen, nicht die richtige Einkommensverteilung selbst. Dafür müsste man den Nutzen verschiedener Menschen untereinander vergleichen können, und das ist ohne starke Werturteile kaum möglich. Man mag darum zwar mehr Umverteilung befürworten, darf sich dabei aber nicht auf Gossen berufen.

Ulrich van Suntum

NIKOLAJ KONDRATJEW

Der Herr der Wellen

// Nikolaj Kondratjew entdeckte den Biorhythmus des Kapitalismus – und bezahlte mit seinem Leben dafür.

Wenn die Wirtschaft am Boden liegt und mit ihr die ökonomischen Denker der Vergangenheit, dann schlägt die Stunde der Wissenschaftler, die sich mit der Wirklichkeit befassen, die empirisch arbeiten. Das ist heute so nach der Finanzkrise. Und das war in den zwanziger und dreißiger Jahren des vergangenen Jahrhunderts genauso. Damals verunsicherte die Weltwirtschaftskrise eine ganze Generation von Ökonomen, was zu wahren Kreativitätsausbrüchen führte.

Ein Empiriker, der damals in Mode kam (und auch in dieser Krise wieder viele Bewunderer findet), war Nikolaj Kondratjew, Bauernsohn und Ökonom – ausgerechnet aus der Sowjetunion, die sich gerade per Revolution vom Kapitalismus verabschiedet hatte.

Kondratjew war jahrelang Revolutionär gewesen, kämpfte gegen die Zarenherrschaft für eine sozialistische Demokratie, war mit 25 Jahren sogar ein paar Tage lang stellvertretender Minister. Doch nach der Oktoberrevolution, in der die Bolschewiken an die Macht kamen, widmete er sich vorrangig seiner wissenschaftlichen Karriere.

Er leitete das Konjunkturinstitut in Moskau und stieß bei seiner Arbeit schon früh auf ein Phänomen, das ihn faszinierte: Die Konjunktur der kapitalistischen Ökonomie, also das Auf und Ab der Wirtschaft, konnte man nicht nur in den damals schon bekannten Zyklen von 7 bis 11 Jahren beobachten. Nein, wenn man in die Geschichte zurückschaute, gab es auch längere Zyklen, die 48 bis 60 Jahre umfassten und ganz ähnlich verliefen: 25 Jahre ging es bergauf, 25 Jahre ging es bergab. Die kürzeren Zyklen bewegten sich nur um diese langen Wellen herum.

Kondratjew hatte eine Vorliebe für Statistik und entdeckte die Wellen in diversen Gebieten: beim Zins, bei Löhnen und dem Außenhandel, bei der Produktion von Kohle und Stahl, in Amerika, Frankreich, Deutschland. Das Verblüffende daran: Sie stimmten in den Jahren in etwa überein. So entdeckte er insgesamt zweieinhalb lange Wellen – mehr Daten waren nicht verfügbar. Von Ende der 1780er Jahre bis etwa 1844 – 51. Von damals bis etwa 1890 – 96. Und von da an noch eine halbe Welle bis 1920. Ausgehend von dieser Beobachtung war er sicher, dass er auch eine Prognose wagen dürfte: Demnächst käme ein Wendepunkt, und es würde für eine längere Zeit bergab gehen.

Eine geglückte Prognose, wie man einige Jahre später feststellen konnte. Und solche sind in der Ökonomie nicht gerade der Regelfall. Doch diese Genugtuung erreichte Kondratjew in einer Zeit, da es ihm schlechter kaum gehen konnte. Er war in politischer Gefangenschaft, inhaftiert in einem ehemaligen Kloster in Susdal, 200 Kilometer von Moskau. Seinen Posten beim Konjunkturinstitut hatte er schon 1928 verloren, das Institut wurde kurz darauf geschlossen.

Eine andere Zeit war gekommen, die Kondratjews marktwirtschaftsfreundlichen Ideen für hochexplosives Gedankengut hielt. Die ganze Ideologie des Sowjet-Kommunismus beruhte darauf, dass der Kapitalismus dem Untergang geweiht sei. Kondratjews Theorie aber besagte, dass er sich lediglich in der harten Abschwungphase einer langen Welle befand – irgendwann würde es wieder bergauf gehen.

Für solche Gedanken war die stalinistische Sowjetunion nicht der richtige Ort. Kondratjew wurde angeklagt, einer Partei angehört zu haben, die es niemals gegeben hatte, die eine Fiktion war, um liberale Denker aus dem Weg zu schaffen – und kam nach Susdal. Er selbst jedoch zweifelte nicht daran, dass das, was er entdeckt hatte, die Wahrheit war. Und sah sich bald bestätigt. 1934 schrieb Kondratjew aus Susdal: »Ich versuche dem Verlauf der Weltwirtschaftsentwicklung zu folgen und ich denke, dass einige meiner Ideen und Vorhersagen erfolgreich getestet wurden und den Status anerkannter Fakten erreicht haben.«

Damals wusste er noch nicht, dass er kaum vier Jahre später tot sein würde, getötet von einem Erschießungskommando der zunehmend brutalen Stalinisten. Es dauerte bis ins Jahr 1987, bis er in der Sowjetunion rehabilitiert wurde. Seine Idee aber konnten die Stalinisten nicht ausrotten. Sie hatte ihren Weg in den Westen gefunden, als die Zeiten für den jungen Kondratjew noch gut aussahen, als er sogar noch die Erlaubnis erhielt, in den Westen zu reisen. Zwischen 1922 und 1928 veröffentlichte er die meisten seiner wichtigen Werke. 1926 erschien das erste davon im Ausland, in Deutschland. Der Titel: »Die langen Wellen der Konjunktur«.

Während Kondratjew daheim in Ungnade fiel, wurde er im Westen entdeckt. Sein Schicksal als politischer Gefangener mag dabei ein Verstärker gewesen sein. Vor allem war es aber seine empirische Entdeckung, die Ökonomen wie Joseph Schumpeter faszinierte – und verfolgte. Denn Kondratjew hatte zwar eine interessante Regelmäßigkeit entdeckt, er hatte aber eine Frage ziemlich offengelassen: Wieso nur traten diese langen Wellen auf?

Das kurzfristige Auf und Ab der Wirtschaft ist schon schwierig zu erklären. Das langfristige Auf und Ab ist noch mysteriöser. Kondratjew selbst äußerte sich nebulös dazu. »Die langen Wellen entstehen aus Gründen, die dem Wesen der kapitalistischen Ökonomie inhärent sind«, schrieb er etwa. Ihm schienen die Wellen offenbar eine Art Biorhythmus des Kapitalismus zu sein, ein natürlicher Zyklus, dessen Gründe vielfältig sind.

Eines allerdings stellte er fest: Jede dieser langen Wellen ging mit einer bahnbrechenden Innovation einher, die die Produktionstechnologie veränderte, etwa der Einsatz von Dampfmaschinen oder Strom. Heute interpretieren dies viele so, als sei die Erfindung dieser Technik der eigentliche Auslöser für die langen Wellen. Das sah Kondratjew jedoch anders. »Technische Erfindungen selbst sind nicht ausreichend, um einen wirklichen Wechsel in der Produktionstechnologie herbeizuführen«, schrieb er. »Sie bleiben so lange ineffektiv, wie die ökonomischen Bedingungen, die ihre Verwendung begünstigen, nicht vorhanden sind.« So habe es im 17. und 18. Jahrhundert viele Erfindungen gegeben, die erst im 18. Jahrhundert während der industriellen Revolution zur Anwendung kamen.

Damit hinterließ er den nachfolgenden Ökonomen ein Rätsel, das bis heute ungelöst ist. Kondratjews Anhänger sind mittlerweile pragmatisch und sehen die langen Wellen eher als eine Methode, die Wirtschaftsgeschichte zu verstehen. So gab es ihrer Ansicht nach zuletzt zwei Wellen: Eine ging einher mit der Verbreitung des

Automobils, die nächste mit der Informationstechnologie. Dort stehen wir nach Ansicht von Kondratjews Anhängern gerade am Wendepunkt, vom Kamm der Welle geht es nun bergab. Demnach wäre die Finanzkrise lediglich Ausdruck davon, dass das Geld nicht mehr weiß, wo es möglichst produktiv verwendet werden soll, weil die Informationstechnologie nicht mehr viel Innovationspotential hat und das nächste große Ding noch fehlt.

Das ist vielleicht gar nicht falsch, aber es ist auch ziemlich deprimierend, bedeutet es doch, dass es jetzt jahrelang eher bergab geht, wenn Kondratjew recht hat. Und wir können nur sitzen und abwarten. Das hat etwas Fatalistisches. Denn den Menschen bietet Kondratjews Entdeckung keinerlei praktische Anweisung, was jetzt zu tun ist. Da verwundert es nicht, dass der praktische Keynes damals wie heute weit populärer ist als Kondratjew.

Lisa Nienhaus

CARMEN REINHART UND KENNETH ROGOFF

Die Historiker der Krisen

// Dieses Mal ist alles anders – heißt es in jedem Boom kurz vor dem Absturz. Carmen Reinhart und Kenneth Rogoff erforschten 800 Jahre Wirtschaftsgeschichte und fanden heraus: Es gibt ein Muster der Krise.

Kenneth Rogoff und Carmen Reinhart gehören zu der Teildisziplin der Volkswirtschaftslehre, die sich nach dem Ausbruch der

Finanzkrise im Herbst 2008 harte Kritik anhören musste: der Makroökonomik. Den Makroökonomen wurde vorgeworfen, sie hätten sich mit weltfremden Modellen beschäftigt und deshalb die Krise nicht vorhergesehen. Doch Rogoff und Reinhart trifft dieser Vorwurf nicht. Sie haben früh darauf hingewiesen, dass Preis- und Kreditblasen Finanzkrisen mit gravierenden Folgen nach sich ziehen können. Carmen Reinhart hat schon im Jahr 2007 davor gewarnt, die Krise am amerikanischen Subprime-Markt könnte zu einem wirtschaftlichen Absturz führen.

Weltruhm erlangten Reinhart und Rogoff durch ein Buch über Finanzkrisen, das 2009 erschien: »Dieses Mal ist alles anders«. Der Titel spielt darauf an, dass in einer Spekulationsblase immer wieder behauptet wird, dass dieses Mal alles anders sei als zuvor: Die ökonomischen Bedingungen hätten sich geändert und ökonomische Bewertungsgesetze würden nicht mehr gelten, deshalb gebe es auch keinen Crash am Ende, sondern nur ein ewiges Auf. Ein Beispiel ist die Euphorie, die um das Jahr 2000 an der deutschen Hightechbörse »Neuer Markt« ausbrach. Aktien von Unternehmen, die noch nie einen Cent verdient hatten und auch nur vage Aussichten hatten, das jemals zu tun, erzielten astronomische Kurssteigerungen. In der Internetökonomie würden eben neue Regeln gelten, sagten damals viele Analysten. Seit dem Zusammenbruch des Neuen Marktes im Jahr 2001 behauptet das niemand mehr.

Das Buch von Reinhart und Rogoff hat nicht nur die Fachkollegen erreicht, es wurde zum internationalen Bestseller. In ihrem Buch haben Reinhart und Rogoff Informationen über Krisen und ihre Folgen in 800 Jahren Wirtschaftsgeschichte zusammengetragen. Die überraschende Einsicht: Obwohl Finanzkrisen in verschiedenen Ländern und Jahrhunderten unter sehr unterschiedlichen wirtschaftlichen und kulturellen Bedingungen stattgefunden haben, weisen ihre Verläufe erstaunliche Parallelen auf. Auf Phasen der wachsenden Verschuldung und der Blasenbildung bei Vermögensgütern folgt meistens ein plötzlicher Kollaps und eine schwere Krise. Die wirtschaftliche Erholung kommt irgendwann, aber sie dauert lange.

In ihrer Forschung haben Reinhart und Rogoff wichtige Einzelfragen untersucht, die im Kontext von Finanzkrisen relevant sind. Für Furore haben ihre Arbeiten über den Zusammenhang zwischen Staatsverschuldung und Wirtschaftswachstum gesorgt. In einer 2010 publizierten Studie kamen Reinhart und Rogoff zu dem Ergebnis, dass Volkswirtschaften, in denen die Staatsschulden 90 Prozent der Wirtschaftsleistung übersteigen, deutlich langsamer wachsen als Länder mit weniger Schulden. Die Autoren haben darauf hingewiesen, dass damit nichts über Kausalität gesagt ist – dass also unklar ist, ob hohe Schulden das Wachstum hemmen oder ob umgekehrt Länder, in denen das Wachstum niedrig ist, deshalb hohe Staatsschulden anhäufen. Die Ergebnisse haben große Aufmerksamkeit auf sich gezogen und wurden oft so interpretiert, als sei eine Schuldenquote von 90 Prozent eine kritische Grenze, bei deren Überschreitung Staatsverschuldung wirtschaftlichen Schaden anrichte.

In der Fachwelt hat die Studie zu einer kontroversen Debatte geführt, die im Sommer 2013 ihren kuriosen Höhepunkt erreichte: Thomas Herndan, ein Master-Student an der amerikanischen Universität Amherst, hatte die Aufgabe erhalten, die Ergebnisse von Reinhart und Rogoff zu reproduzieren. Obwohl er die gleichen statistischen Daten verwendete, kam er zu anderen Resultaten. Der Grund war einfach: Reinhart und Rogoff war ein Programmierfehler unterlaufen. Die korrigierten Berechnungen bestätigten zwar den negativen Zusammenhang zwischen Staatsschulden und Wirtschaftswachstum. Das Ergebnis, dass das Wachstum jenseits der 90-Prozent-Grenze besonders stark einbricht, erwies sich aber als falsch.

Kritiker warfen Reinhart und Rogoff vor, die Daten gezielt manipuliert zu haben, um Propaganda für Austeritätspolitik zu

betreiben. Den Rechenfehler haben die Autoren sofort eingeräumt, den Vorwurf der Manipulation aber zurückgewiesen. Fehler beim Programmieren von Computern, die Daten auswerten,
sind nicht selten und betreffen auch andere Disziplinen. Trotzdem hat der Fehler von Reinhart und Rogoff das Vertrauen in
ökonomische Studien sicherlich nicht gesteigert. Wenn man dem
Vorfall etwas Gutes abgewinnen will, dann den Effekt, die Öffentlichkeit daran zu erinnern, dass man aus dem negativen Zusammenhang von Staatsschulden und Wachstum allein noch nicht
schließen kann, dass Schulden das Wachstum senken.

Trotz dieses Fehlers gehören Carmen Reinhart und Kenneth
Rogoff zu den erfolgreichsten Ökonomen unserer Zeit. Beide sind
sehr begabt. Kenneth Rogoff war in seiner Jugend sogar Schach-
großmeister. Wichtig ist aber auch, dass beide sich nicht nur unter
Fachkollegen bewegt haben, sondern in Wirtschaftspraxis und
Politikberatung aktiv waren. Rogoff war zwischen 2001 und 2003
Chefökonom des IWF, Reinhart war in den achtziger Jahren bei
der Investmentbank Bear Stearns beschäftigt. Die beiden zeigen,
dass einflussreiche ökonomische Forschung akademische Brillanz
mit der Beobachtung der Realität kombiniert. Weder das eine
noch das andere darf fehlen. Und, ja, Fehler machen und daraus
lernen gehört auch dazu.

Clemens Fuest

FRIEDRICH AUGUST VON HAYEK

Wider die Anmaßung von Wissen

// Menschen überschätzen sich, wenn sie die Wirtschaft planen wollen. Friedrich August von Hayek setzte lieber auf den Markt als Ort, um Informationen zu verarbeiten.

In einem Buch unter dem Serientitel »Die Weltverbesserer« Platz zu finden, hätte Friedrich August von Hayek nicht notwendigerweise gefallen. Natürlich hoffte der Ökonom, der 1944 in seinem Bestseller »Der Weg zur Knechtschaft« die Unmöglichkeit der Planwirtschaft erklärt und seine Wahlheimat England vor dem Abgleiten in den Totalitarismus gewarnt hatte, mit seiner Arbeit zu einer günstigen Zukunft beizutragen.

Doch mit dem Titel »Weltverbesserer« hätte er eher unsympathische Leute verbunden, die sich Herrschaftswissen darüber anmaßten, wie die Welt geordnet sein sollte: Technokraten, die soziale Entwicklungsprozesse mit autoritärer Macht abkürzen oder beeinflussen wollen. Paternalisten, die Mitmenschen sagen, wie sie leben sollen. Nichts davon wollte Hayek sein.

Nicht nur persönlich, auch wissenschaftlich war die Haltung des Österreichers, der 1974 für seine Konjunkturtheorie und seine Sozialphilosophie mit dem Nobelpreis ausgezeichnet wurde, von tiefer Demut gekennzeichnet. Die Einsicht in die Fehlbarkeit des Einzelnen, in die Begrenztheit von Verstand und Voraussicht sowie in das fundamentale »Nicht-Wissen« der Menschheit als Ganzes machte Hayek zum überzeugten Liberalen: Wo kein Wissen umfassend und gesichert ist, muss man immer wieder neue Lösungen ausprobieren können, muss Raum für das Unvorhersehbare bleiben.

Hayek stellte das Wissen ins Zentrum seiner Überlegungen.

Für ihn war klar: Wissen ist keine abstrakte, sozial aufsummierbare Größe, sondern es bleibt immer an die Person, ihr Umfeld und ihre Zeit gebunden. Es ist beschränkt, lokal und verstreut. Mit dieser Einsicht war Hayek – neben Carl Menger, Eugen von Böhm-Bawerk und Ludwig von Mises einer der führenden Köpfe der österreichischen Schule – noch radikaler als sein britischer Zeitgenosse und späterer intellektueller Gegner John Maynard Keynes, der die ökonomische Bedeutung fundamentaler Unsicherheit betonte.

Die Aufgabe der Ökonomie beschrieb Hayek in der Folge ganz anders als seine Kollegen. Das Aufstellen von Relationen zwischen Zweck und Mitteln, die Ableitung optimaler Verteilungen, die »Erforschung menschlichen Verhaltens mit Blick auf knappe Ressourcen und unbegrenzte Bedürfnisse« (Lionel Robbins) – all das war ihm zu dürftig. Dafür bräuchte man bloß eine Rechenmaschine. Hayek formulierte die »zentrale Frage aller Sozialwissenschaften« vielmehr als ein Problem der Wissenskoordination.

Für ihn musste es auch in der Ökonomie darum gehen zu ergründen, wie das Wunder geschehen kann, dass sich die unterschiedlichen, zum Teil sogar widersprüchlichen Interessen unzähliger Menschen, die jeweils nur über begrenztes Wissen verfügen, unter einen Hut bringen lassen. So fragte er: »Wie kann das Zusammenwirken von Bruchstücken von Wissen, das in den verschiedenen Menschen existiert, Resultate hervorbringen, die, wenn sie bewusst vollbracht werden sollten, auf Seiten des lenkenden Verstandes ein Wissen erfordern würden, das kein einzelner Mensch besitzen kann?« Man kann diese Frage weiterdrehen: Wie muss eine Wirtschaftsordnung aussehen, die es erlaubt, das begrenzte, verstreute Wissen der Menschen bestmöglich zu nutzen?

Die Antwort lieferte Hayek mit einer neuen Interpretation der Preise und des Wettbewerbs. Flexible relative Preise sind das Scharnier, das die staunenswerte Koordination der individuellen

Pläne ermöglicht – ohne dass ein »Mastermind« den Prozess überwachen muss.

Es reicht aus, dass sich die Menschen frei, im Rahmen ihres Wissens und innerhalb ihres Umfeldes an sich ändernde ökonomische Umstände anpassen. In welcher Weise sie das tun sollten, können sie an der Veränderung der Preisrelationen ablesen. Ein Produzent beispielsweise braucht nicht zu wissen, wieso ein für ihn relevanter Rohstoff vom anderen Ende der Welt teurer wird. Es reicht, dass er die Tatsache zur Notiz nimmt und seine Nachfrage drosselt oder verschiebt – womit er unbeabsichtigt selbst Teil einer Wissen vermittelnden und schaffenden Kette wird. Wenn auf dem Markt Wettbewerb herrscht, steckt im relativen Preis gebündelt alle Information, die erforderlich ist. Im Umkehrschluss schmälert freilich alles, was den Wettbewerb hemmt und die Preisrelationen verzerrt, die Möglichkeit, das verstreute Wissen zu nutzen und zu mehren.

Dass der Preismechanismus fähig ist, eine spontane »Wissensteilung« analog zur Arbeitsteilung zustande zu bringen, war die große Entdeckung, auf die Hayek stets besonders stolz war. Auf den verschiedenen Etappen seines Karrierewegs, der diesen Grenzgänger zwischen den Disziplinen von Wien nach London, Chicago, Salzburg und Freiburg führte, variierte er dieses Thema der spontanen Koordination immer wieder neu.

Sein ganzes Werk ist vom Kernsatz der schottischen Aufklärung geprägt, dass es wichtige soziale Institutionen gibt, die zwar »Ergebnis menschlichen Handelns, nicht aber menschlichen Entwurfs« sind. Sie haben sich im Prozess der kulturellen Evolution als spontane Ordnung herausgebildet und tragen die Zivilisationsleistung unzähliger Generationen in sich. Die Marktwirtschaft ist eine von ihnen.

Karen Horn

DEIRDRE MCCLOSKEY

Die Poetin der Ökonomie

// Ökonomen erzählen Geschichten und schreiben Gedichte, sagt Deirdre McCloskey. Es ist nicht das Kapital, das die Marktwirtschaft zum Erfolg geführt hat, sondern es sind die Ideen – und die brauchen Prediger.

Für wissenschaftliche Revolutionen braucht es keine dicken Folianten. In der Regel reicht ein einziger Aufsatz, manchmal sogar ein einziger Satz. »Ökonomen erzählen Geschichten und schreiben Gedichte«, schreibt Deirdre McCloskey in ihrem Aufsatz »Storytelling in der Ökonomie«. Nur wer das zur Kenntnis nehme, könne verstehen, was Ökonomen wirklich trieben.

Bei der amerikanischen Wirtschaftshistorikerin Deirdre McCloskey ist es dieser Satz über das Geschichtenerzählen, der den Blick auf ihr Fach komplett verrückt. McCloskey weiß, dass sie provoziert, wenn sie die Wirtschaftswissenschaften wie Lyrik behandelt. Doch was ist es anderes als eine Metapher, wenn Ökonomen dem Markt eine »unsichtbare Hand« andichten? Klingt es nicht wie Dichtung, wenn die Wirtschaftsleute von »Lebensgeistern« – »animal spirits« – schwärmen, die uns mal ängstlich, mal übermütig sein lassen? »Romanciers bilden die Wirklichkeit nicht ab, sie erschaffen sie. Ökonomen machen es genauso«, schreibt McCloskey, die damit die Schule des »New Economic Criticism« mitbegründet hat. Kein Wunder, dass konkurrierende akademische Denkschulen solche Erzählungen strategisch einsetzen: Man müsse »die Pferde zur Tränke führen«, erzählen die Keynesianer zur Legitimation einer laxen Geld- und Finanzpolitik. Es könne nicht gutgehen, wenn Notenbanker »einen über den Durst« tränken, metaphorisieren die Gegner denselben Sachverhalt. »Storytelling erklärt, warum Ökonomen sich so oft widersprechen«, sagt McCloskey.

Ihre akademische Karriere begann die Forscherin nach einer Dissertation in Harvard in den späten sechziger Jahren an der Universität Chicago, wo damals Milton Friedman, Garry Becker und viele andere liberale Ökonomen lehrten. Dem Liberalismus hat McCloskey, die in ihrer Jugend eine glühende Marxistin war, bis heute nicht abgeschworen. Aber von dem in der herrschenden Wirtschaftswissenschaft gemeinhin vertretenen Positivismus hat sie sich verabschiedet. »Die Rhetorik der Ökonomie« ist der Titel des 1985 erschienenen Wendebuches zum Konstruktivismus, in dem die Wirtschaftswissenschaften in gut europäischer Tradition als Geisteswissenschaft begründet werden. Ökonomen sind Interpreten der Vergangenheit, aber nicht Propheten der Zukunft: »Wären sie in der Lage, die Zukunft vorherzusagen, müssten sie steinreich sein«, sagt McCloskey.

Als »Donald« McCloskey wurde die Wissenschaftlerin 1942 geboren. Bis 1995 war sie als Mann mit einer Frau verheiratet, dann ließ sie eine Geschlechtsumwandlung vornehmen. Das alles wäre ihre Privatsache, hätte sie nicht selbst ihre Geschichte im Jahr 1999 mit einem aufsehenerregenden Buch (»Crossing. A Memoir«) öffentlich gemacht und offensiv in den Zusammenhang ihrer Weltanschauung gestellt: »Es war für mich eine Entscheidung zu meiner Identität.« Ihr eigenes Geschlecht frei wählen zu können, hält sie für ein liberales Recht der Menschen. Sie hat in Kauf genommen, dass ihre beiden erwachsenen Söhne nach der Geschlechtsumwandlung den Kontakt zu ihr komplett abgebrochen haben.

Die Drehung der Ökonomie zur Geisteswissenschaft benutzt McCloskey, die mehr als 16 Bücher und über 400 wissenschaftliche Artikel verfasst hat, zu einem faszinierenden epischen Projekt über das bürgerliche Zeitalter und die Geburt des Kapitalismus. Von den geplanten vier Bänden sind bislang zwei über die bürgerlichen Tugenden und über die bürgerliche Würde erschienen (»The Bourgeois Virtue« 2006 und »The Bourgeois Dignity« 2010). Die zentrale Einsicht darin: Es ist weder das Kapital noch die Arbeit, welche die Marktwirtschaft zum Erfolg geführt haben – es sind die Ideen, die alles entscheiden.

Paradoxerweise ist der Kapitalismus also in Wirklichkeit ein Idealismus. McCloskeys Beweise sind schlagend: Hätte Deng Xiaoping 1987 nicht die Idee gehabt, in China die marktwirtschaftlichen Ideen Milton Friedmans zum Zuge kommen zu lassen, alles Kapital der Welt hätte nicht geholfen, die Armut in China zu überwinden und Wohlstand zu schaffen. Ähnliches gilt für die Reformen von Manmohan Sin in den achtziger Jahren in Indien. »Humanomics« nennt McCloskey ihre Lehre, sie benutzt den Begriff als Gegensatz zu »Economics«: Die Marktwirtschaft brauche Prediger, findet sie; ohne sie gäbe es weder Wachstum noch Wohlstand.

Wohlstand schaffende Ideenrevolutionen hält die Weltgeschichte eine ganze Reihe bereit: Besonders dramatisch ist die Zäsur im 14. und 15. Jahrhundert in den Städten Oberitaliens. Eine dramatische semantische Umwertung hat aus der christlichen Überzeugung, wonach Reichtum von Übel und der Zins als Preis für einen Kredit verboten sei, peu à peu eine friedliche Koexistenz zwischen erlaubtem Gewinnstreben und frommer Lebensführung werden lassen. Das war die Geburt des ehrbaren Kaufmanns, bei dem sich Moral und Jagd nach Reichtum nicht widersprechen – eine entscheidende Voraussetzung für den wachsenden Wohlstand der Nationen.

Marktwirtschaftliche Initialzündung ist ein Akt, den McCloskey den »bürgerlichen Deal« nennt: »Gebt mir die Freiheit zur Innovation«, sagt der Unternehmer zu seinen Mitmenschen. »Lasst mich ein Flugzeug erfinden, einen Internetshop eröffnen oder eine Currywurstbude aufmachen.« Und als Gegenleistung für die Lizenz zur kreativen Zerstörung verspricht er: »Langfristig werde ich euch reich machen.« Im Grunde ist McCloskeys Ansatz nichts anderes als die Aktualisierung der Einsicht von Adam Smith, wonach, wer seine eigenen Interessen verfolgt, im Interesse aller handelt.

Eine Marktgesellschaft indes ist auf Tugenden angewiesen, die sie voraussetzt, die sie aber zugleich auch schafft. Die Tugend des Marktes ist die Klugheit (»prudentia«), die aber eingebunden sein muss in andere Tugenden (Gerechtigkeit, Mut, Hoffnung, Liebe). Würden einzelne Tugenden isoliert, schlügen sie um in Laster, meint McCloskey: Aus Klugheit wird dann Gier, aus Liebe wird reine Lust, aus Mut wird Wut.

Dem akademischen Mainstream der Ökonomie klingt das alles viel zu poetisch. Macht nichts. Deirde McCloskey ist die große Außenseiterin der heutigen Wirtschaftswissenschaft: anregend, provokant und hinreißend gebildet.

Rainer Hank

WALTER EUCKEN

Der wahre Neoliberale

// Walter Euckens Botschaft lautet: Marktwirtschaft ist notwendig, aber nur mit einem Staat, der den Rahmen setzt – und ansonsten nicht viel tut.

Walter Eucken war ein Deutscher: Er lebte in einem Land, in dem der Staat zwar immer wieder auch einmal kritisch gesehen wird, der Staat als Institution aber insgesamt eher geschätzt als verdammt wird. Walter Eucken war ein Marktwirtschaftler: Die freie Preisbildung, das Prinzip der Haftung und des Wettbewerbs betrachtete er als Grundlagen sinnvollen Wirtschaftens. Walter Eucken war ein deutscher Marktwirtschaftler: Der Kern seines Werkes war nicht die Antithese von Markt und Staat, sondern gerade die Synthese von Markt und Staat als Bestandteile einer gedeihlichen politischen und wirtschaftlichen Ordnung, die nicht nur wirtschaftliche Effizienz, sondern auch Freiheit verspricht. Eucken war ein »Neoliberaler« im ursprünglichen Sinne des Wortes (nicht in dem heute oft völlig verdrehten Sinne) und bewusst kein Anhänger eines puristischen Laissez-faire.

Vieles im Werk Walter Euckens, der von 1891 bis 1950 lebte und viele Jahre als Professor in Freiburg lehrte, ist nur aus seinen Lebenserfahrungen erklärlich. Die Grundlagen seines Denkens sind aber immer noch von erheblicher Bedeutung, auch wenn Eucken und seine wahlweise als Ordnungsökonomie, Ordoliberalismus oder Freiburger Schule bekannte Lehre heute eher in Sonntagsreden als in wissenschaftlichen Fachzeitschriften Erwähnung findet. In ihrer Kritik der Europolitik der vergangenen Jahre beziehen sich heute so unterschiedliche Geister wie Hans-Werner Sinn und Sahra Wagenknecht auf Walter Eucken.

Der aus Jena stammende Ökonom half in seinen wirtschaftstheoretischen und wirtschaftspolitischen Schriften, eine Welt zu entwickeln, in der ein Staat einen festen und zuverlässigen Ordnungsrahmen für eine Marktwirtschaft schafft, innerhalb der sich Unternehmen und Konsumenten bewegen können, ohne um ihre Handlungsfreiheit fürchten zu müssen. Denn nichts verabscheute Eucken so sehr wie die Zusammenballung von wirtschaftlicher und politischer Macht. Abschreckende Beispiele erkannte Eucken nicht nur im damals real existierenden Sozialismus, sondern auch im deutschen Kaiserreich und im Nationalsozialismus. Kein die Menschen gängelndes politisches und wirtschaftliches Regime war das Ziel, sondern eine auf freier Preisbildung beruhende Wettbewerbsordnung, als deren Garant der Staat zu fungieren hatte.

Eucken definierte sieben konstituierende Prinzipien seiner Wettbewerbsordnung, auf deren Basis sich auch heute noch eine vernünftige Wirtschaftspolitik aufbauen ließe. Das erste Prinzip, auch als Grundprinzip bezeichnet, ist die Herstellung und Sicherung eines funktionsfähigen Systems freier Preise auf Märkten mit vielen Anbietern und Nachfragern (»vollkommene Konkurrenz«). Eucken war ein entschiedener Gegner wirtschaftlicher Macht auf Märkten mit nur einem Anbieter (Monopol) oder wenigen Anbietern (Oligopol). Nach Eucken bestand eine wichtige Aufgabe des Staates darin, die Bildung solcher wirtschaftlicher Macht durch zupackende Wettbewerbspolitik zu verhindern.

Das zweite Prinzip ist die Sicherung des Geldwertes. Hier besaß Eucken allerdings kein Vertrauen in eine unabhängige Zentralbank modernen Typs, weil er fürchtete, die Geldpolitiker könnten schwere Fehler begehen. Stattdessen trat Eucken dafür ein, den Geldwert auf der Basis von Warenpreisen automatisch zu bestimmen. Dieser Gedanke der sogenannten Warenreservewährung ist in den vergangenen Jahren wieder diskutiert worden, aber er zählt nicht viele Befürworter.

Euckens drittes Prinzip ist die Herstellung und Sicherung offener Märkte. Dies zielt nicht nur auf den internationalen Handel ab, den Eucken unter anderem durch »Einfuhrverbote, Prohibitivzölle oder Außenhandelsmonopole« gefährdet sah. Der Ökonom wandte sich auch gegen »lokale Schließungen des Angebotes« zum Beispiel durch Anbaubeschränkungen, die Behinderung der freien Berufswahl oder die Etablierung von Lizenzsystemen. Das vierte Prinzip ist die Gewährleistung des Privateigentums, eine Frage »von eminenter wirtschaftspolitischer Bedeutung, nicht nur, weil Kollektiveigentum an den wesentlichen Teilen des Produktionsapparates ein überaus wirksames Beherrschungsinstrument einer Führerschicht darstellt, sondern auch, weil es zwangsläufig mit zentraler Lenkung des Wirtschaftsprozesses verbunden ist und soziale Probleme auslöst, die nicht zu bewältigen sind«. Ebenso fundamental ist Euckens fünftes Prinzip, die Vertragsfreiheit: »offensichtlich eine Voraussetzung für das Zustandekommen der Konkurrenz«.

Das sechste Prinzip wird seit dem Ausbrechen der Finanzkrise besonders häufig erwähnt: das Haftungsprinzip. »Wer den Nutzen hat, muss auch den Schaden tragen«, schrieb Eucken. Ob es um Bankenrettungen in Amerika geht oder in den vergangenen Jahren um Rettungsmaßnahmen innerhalb des Euroraums, so bemängeln viele Kritiker nicht zuletzt die damit verbundene Verletzung des Haftungsprinzips. »Jede Beschränkung der Haftung löst eine Tendenz zur Zentralverwaltungswirtschaft aus«, merkte Eucken an.

Das siebte Prinzip beschreibt die Konstanz der Wirtschaftspolitik. Eucken sah in einer kurzfristig agierenden Wirtschaftspolitik eine Gefahr für das Wirtschaftswachstum, weil verunsicherte Unternehmen Investitionen zurückstellen könnten. Eine unstetige Wirtschaftspolitik würde nach seiner Ansicht kleine Unternehmen besonders stark benachteiligen und damit die Bildung von Konzernen und wirtschaftlicher Macht begünstigen.

Eucken war kein weltfremder Mann. Er wusste sehr wohl, dass die Einhaltung auch der besten Prinzipien alleine nicht genügen würde. Daher sah er auch die Notwendigkeit des Staates, gelegentlich mehr zu tun, als nur die Ordnung zu gewährleisten. Die Zerschlagung wirtschaftlicher Macht durch eine aktive Wettbewerbspolitik war nur ein Beispiel; Eucken erkannte durchaus auch eine gewisse Notwendigkeit, Sozialpolitik zu betreiben, auch wenn nach seiner Ansicht alleine die Sicherung einer leistungsfähigen Wirtschaftsordnung als eine Art Sozialpolitik zu betrachten war.

Eucken starb mit nicht einmal 60 Jahren unerwartet während einer Vortragsreise in London. Auch wenn es noch heute in Deutschland selbsternannte »Ordnungsökonomen« gibt, ist sein wissenschaftliches Erbe verwaist geblieben. Das ist ein Grund, warum es niemals gelungen ist, das Werk Euckens und anderer deutschsprachiger Ordnungsökonomen in den internationalen wissenschaftlichen Diskurs einzubringen. Hieraus erklären sich auch viele unterschiedliche ökonomische Interpretationen der aktuellen Krise durch traditionell denkende deutsche Ökonomen einerseits und amerikanische Mainstream-Ökonomen andererseits. Während die deutschen Traditionalisten oft Erkenntnisse zeitgenössischer internationaler Ökonomik wenig beachten, fehlt vielen amerikanischen Ökonomen der Zugang zu einem Denken in Ordnungen und Institutionen.

Die Lehren Euckens nicht als Gegenstand für Sonntagsreden und Heldenverehrung, sondern als Ausgangspunkt eines modernen Forschungsprojekts zu verstehen, könnte einen Beitrag zu einem transatlantischen Brückenschlag liefern. Denn so wichtig das Denken in Ordnungen und Euckens Prinzipien der Wirtschaftspolitik sein mögen: Mit ihnen endet nicht der Prozess wissenschaftlicher Erkenntnis. So fehlt in Euckens Werk eine Analyse des Staates. Euckens Staat ist stark als Garant von Ordnungen und Regeln, aber er verzichtet weitgehend auf Eingriffe in den Wirtschaftsprozess. So verhält sich kein Staat in der Praxis, und dafür gibt es nachvollziehbare Gründe. Außerdem ist Euckens Wirtschaftsmodell in seiner Ablehnung jeder starken Marktstellung eines Unternehmens statisch. Vorübergehende Macht ist oft Ausdruck wirtschaftlicher Dynamik.

Gerald Braunberger

PAUL KRUGMAN

Der Popstar unter den Ökonomen

// Auf Paul Krugman hört ganz Amerika: Sein Blog ist Kult. Und
seine Forschung belegt, wieso vom Welthandel alle profitieren.

Paul Krugman ist der Popstar unter den Ökonomen. Mehr als
1 Million Menschen folgen ihm auf Twitter. Sogar im Vergleich
mit Profis anderer Branchen ist das enorm – Boris Becker kommt
etwa nur auf ein Viertel dieser Menge. Was Krugman in seinem
Blog unter dem Dach der amerikanischen Zeitung »New York
Times« schreibt, findet Leser rund um den Globus. Das »Wall
Street Journal«, das dem bekennenden Demokraten politisch
nicht gerade nahesteht, zeichnete ihn 2013 als den einflussreichsten
Ökonomen überhaupt aus. Tatsächlich gibt es keine wirtschaftspolitische Debatte, vor allem innerhalb der Vereinigten Staaten,
aus der er sich heraushält.

   Bahnbrechend ist sein akademisches Werk: Paul Krugman erklärte den Außenhandel neu. Er konstruierte ein theoretisches
Modell, das darstellt, warum es auch und gerade für einander ähnliche Länder vorteilhaft ist, miteinander Handel zu treiben. Um
zu verstehen, warum das einer Revolution gleichkam, ist es wichtig, den Ausgangspunkt zu kennen. Bis zu Krugmans Arbeiten
drehte sich die Erklärung, warum Länder miteinander Handel
treiben, wesentlich um den Begriff des »komparativen Kostenvorteils«. Dahinter steckt der Gedanke, dass Handel mit anderen
Ländern vorteilhaft für alle Beteiligten ist, wenn sich jedes Land
auf das spezialisiert, was es vergleichsweise am besten kann.

   Die Leitfrage der traditionellen Handelstheorie lautete denn
auch: Welches Land exportiert welches Gut? Der britische Ökonom David Ricardo (1772 – 1823), der sie zuerst in eine Theorie

packte, basierte seine Analyse auf unterschiedlichen Produktionstechnologien der miteinander handelnden Länder. In der ersten Hälfte des 20. Jahrhunderts legte der schwedische Ökonom Bertil Ohlin nach und demonstrierte, dass Handel auch dann vorteilhaft ist, wenn die Länder auf demselben technologischen Stand sind, sich aber in ihrer Ausstattung mit den wichtigen Produktionsfaktoren (Arbeit und Kapital) unterscheiden. Für die beiden aufeinander aufbauenden Analysen gilt: Spezialisierung und Handel lohnen sich umso mehr, je verschiedener die Handelspartner sind.

Krugman fand nun zu Beginn seiner akademischen Laufbahn Ende der siebziger Jahre eine Welt vor, für die dieser Ansatz nicht taugte. Der Welthandel spielte sich vor allem zwischen Industrieländern ab. Zugleich handelten die Länder häufig die gleichen Güter miteinander, Deutschland bekam etwa Autos aus Frankreich und lieferte Autos dorthin.

Beide Phänomene passten nicht zur hergebrachten Theorie, nach der Handel vor allem zwischen stark unterschiedlichen Ländern hätte stattfinden müssen. Ein neues Erklärungsmodell musste her, Krugman baute es zusammen.

Warum er gerade diese Frage zu seiner machte, ist einer Serie historischer Zufälle zuzuschreiben. Internationale Wirtschaftszusammenhänge gerieten damals auch unter Studenten stärker in den Blickpunkt, nachdem sich der Charakter der Weltwirtschaft durch den Zusammenbruch des Bretton-Woods-Systems grundlegend geändert hatte und es viel Neues zu erforschen gab.

Ans MIT, wo Krugman studierte, kam 1975 mit Rüdiger Dornbusch eine Kapazität. In einem Aufsatz schreibt Krugman, dass ihn beeindruckt habe, wie sehr Regierungen und Banken bei Dornbusch Rat suchten. »Ich weiß nicht, ob die Möglichkeit eines solchen Bedeutungszuwachses neu war, auf jeden Fall war sie es für mich.« Ein Jahr später entsandte das MIT eine Gruppe Studenten, darunter Krugman, für ein Projekt zur portugiesischen Zentralbank. Das Land hatte eine Revolution und einen versuchten

Putsch hinter sich und befand sich in einem desolaten Zustand. Für Krugman eine wichtige Erfahrung: »Was ich dort lernte, war, wie mächtig einfache ökonomische Ideen sind und zugleich wie unnütz Theorien, die keinen praktischen Bezug haben.«

Im Rückblick liest sich dieser Satz wie eine Richtlinie für Krugmans Arbeiten. Schließlich hörte er im selben Jahr eine Vorlesung des späteren Nobelpreisträgers Robert Solow über Theorien unvollständigen Wettbewerbs, die eigentlich ein Nischendasein in der Wirtschaftstheorie fristeten. Sie sind das methodische Rüstzeug und zugleich der Ausgangspunkt für Krugmans Coup.

Die besagten Theorien unvollständigen Wettbewerbs unterstellen eine (sehr realistische) Welt, in der sich Unternehmen durch hohe Fixkosten auszeichnen. Unter diesen Umständen präferieren sie eine möglichst große Produktionsmenge, auf die sich die fixen Kosten verteilen, weil sie dann umso mehr verdienen. Produktvielfalt ist ihnen eher unwichtig. Aus Sicht der Konsumenten gilt das Umgekehrte: Sie wollen eine möglichst große Auswahl; viele verschiedene Produkte zu haben ist ihnen wichtiger als von einem einzigen Produkt eine große Menge.

Krugman zeigt nun: Handel entschärft genau diesen Konflikt. Die Unternehmen bekommen eine größere Kundschaft (im Ausland), für die sie produzieren können. Und die Konsumenten bekommen ein vielfältigeres Angebot (durch ausländische Anbieter), was sie besser finden. Vorteilhaft ist das für alle. Neu ist: Die Erklärung, warum sich Handel lohnt, fußt nicht auf dem klassischen Argument des komparativen Kostenvorteils. Sie passt vielmehr, um zu erklären, warum einander ähnliche Industrieländer miteinander handeln und warum sie dies auch und gerade innerhalb derselben Branchen tun.

Dass Krugmans erster wissenschaftlicher Aufsatz über diese theoretische Neuerung im Jahr 1979, da war er gerade 26 Jahre alt, gewaltiges Potential besaß, sah anfangs nicht jeder: Das »Quarterly Journal of Economics« lehnte die Publikation ab. Und der

Außenwirtschaftsexperte Jagdish Bhagwati druckte ihn als Herausgeber des »Journal of International Economics« gegen den Rat seiner beiden Gutachter. Mit zwei Folgewerken in den Jahren 1980 und 1981 baute Krugman seinen Ansatz aus und nahm Kritikern den Wind aus den Segeln. Er zeigte auch, warum in der Realität Länder gerade die Güter exportieren, für die der Heimatmarkt schon sehr groß ist (Deutschland zum Beispiel Autos).

Und er zeigte auch, warum die Angst unbegründet ist, dass durch Handel zwischen ähnlichen Ländern der eigene Industriestandort gefährdet sein könnte, eine weitverbreitete Angst. Für Krugman bedeuteten die drei Aufsätze den akademischen Durchbruch.

Dabei betonte er, auch in der Vorlesung anlässlich seines Nobelpreises im Jahr 2008, dass er weder der Erste noch der Einzige war, der steigende Skalenerträge als Handelsursache erwog. Er nennt etwa eine Analyse des gebürtigen Ungarn Béla Balassa aus dem Jahr 1966, in der dieser teils ähnliche Grundgedanken geäußert hatte. Krugman ist aber der erste Ökonom, dem es gelang, diese Idee in ein klares und für andere nachvollziehbares theoretisches Modell zu überführen.

In der Folgezeit forschte Krugman auch zu vielen anderen Themen. Nachdem er zu Beginn der achtziger Jahre vorübergehend dem Beraterstab von Präsident Ronald Reagan angehört hatte, beschäftigte er sich etwa mit der lateinamerikanischen Schuldenkrise, mit Japan, mit der Asien-Krise. Während dieser Zeit analysierte er auch die Frage, ob ein überschuldetes Land besser weiterfinanziert oder einem Schuldenschnitt unterzogen werden sollte. Er beschäftigte sich mit Wechselkursen und Währungskrisen, schrieb wirtschaftspolitische Bücher und Standardwerke für Wirtschaftsstudenten.

Das akademische Steckenpferd des 1953 geborenen Princeton-Professors ist allerdings der Handel geblieben. Mit ihm hat sich der Science-Fiction-Fan so weit wie möglich beschäftigt: Auch den Handel zwischen Sonnensystemen und das Problem des Transports nahe der Lichtgeschwindigkeit, das dabei auftritt, hat er mit einem Augenzwinkern in ökonomische Kategorien gepackt. Wie immer mit einem theoretischen Modell – nur dass in diesem Fall der praktische Bezug (noch) fehlt.

Alexander Armbruster

RICHARD MUSGRAVE

Des Guten zu wenig

// Müssten die Leute die Kosten der Schule selbst tragen, würden sie nicht in die Schule gehen. Deshalb muss der Staat ran, meinte Richard Musgrave.

Die Ökonomen sollen den Menschen bei der Befriedigung ihrer Wünsche helfen – was aber, wenn die Menschen nicht immer wissen, was sie sich wünschen? Mittlerweile gibt es viele Studien der modernen Verhaltensökonomik, die genau dies zu belegen glauben: Menschen täuschen sich bisweilen selbst darüber, was sie wollen und was gut für sie ist.

Lange bevor Verhaltensökonomen wie Daniel Kahneman oder der zum Pop-Psychologen avancierte Dan Ariely mit Studien aufwarteten, welche die Mängel des menschlichen Wünschens zeigen, hat der in Königstein im Taunus geborene Harvard-Ökonom Richard Abel Musgrave ähnlich gedacht. Er kürte die Idee von den fehlerhaften Wünschen der Menschen zum Bestandteil staatlicher

Politik und prägte den Begriff der Meritorik. Wenn wir die wahren Vorteile eines Gutes nicht erkennen, werden wir zu wenig davon konsumieren – diese Art von Gütern bezeichnete Musgrave als meritorische Güter. Es sind also Güter, von denen wir zu wenig konsumieren, wenn sie alleine über den Markt bereitgestellt werden. Das wäre ein Fall von Marktversagen. Zeit für den Staat einzugreifen.

Als klassisches Beispiel für meritorische Güter gilt Bildung: Wer von uns ist schon stets mit Begeisterung zur Schule gegangen? Doch die meisten von uns waren später froh darüber, dass sie es getan haben. Wir haben den Nutzen der Ausbildung im Moment des Konsums unterschätzt. Wenn wir also verkennen, wie sehr wir von einem Produkt profitieren werden, dann sollte der Staat uns auf die Beine helfen und den Konsum solcher meritorischen Güter fördern, beispielsweise über Subventionen. Spiegelbildlich definiert Musgrave demeritorische Güter, das sind jene Güter, von denen wir zu viel konsumieren, weil wir nicht sehen, wie schlecht dieser Konsum für uns ist. Paradebeispiele für demeritorische Güter sind Alkohol oder Tabak. Will man verhindern, dass Menschen sich durch den Genuss dieser Güter schaden, so muss man sie besteuern.

Die jüngsten Forschungen der Verhaltensökonomen haben die Idee eines staatlichen Eingriffes, um die Vorlieben seiner Bürger in deren eigenem Interesse zu korrigieren, neu aufgegriffen und erweitert, indem sie die Palette der Politikmaßnahmen um psychologisch motivierte Ideen und Tricks bereichern. Mittlerweile plädieren einige Verhaltensökonomen sogar für sogenannte Sündensteuern – Steuern auf gesundheitsschädliches Verhalten wie Rauchen und Trinken. Damit sind die modernen Verhaltensökonomen intellektuelle Erben des 2007 verstorbenen Musgrave.

So harmlos das klingt, so gefährlich ist es. Denn der Begriff der Meritorik wird zur Universalwaffe, mit dessen Hilfe man alles rechtfertigen kann: subventionierte Opernkarten (der Kultur wegen), öffentlich-rechtlicher Rundfunk (des Erziehungsauftrages wegen), Tabaksteuern (der Gesundheit wegen) oder Sparförderung (um die Kurzsichtigkeit der Menschen zu bekämpfen) – fast keine Politik, die sich nicht damit rechtfertigen ließe, dass die Menschen nicht wissen, was gut für sie ist.

Genau hier liegt auch das Problem dieser Idee: Wenn man mit Hilfe der Meritorik alles begründen kann, dann werden Politiker das auch tun. Musgraves Idee mutiert zur Allzweckrechtfertigung für jeglichen politischen Irrsinn. Und wann immer sich der Bürger über höhere Steuern, Einschränkungen seiner Freiheit oder staatliche Mittelverschleuderung aufregt, muss er sich sagen lassen, dass dies ja alles zu seinem Wohl geschehe – auch wenn er es selbst nicht so sehe. Pessimistisch betrachtet, sind das harmlos klingende Wort Meritorik und die Ergebnisse der Verhaltensökonomen nur eine Verkleidung für eine Moral- und Geschmacksdiktatur. Helfer auf dem Weg in die Knechtschaft.

Wenn man also etwas von Musgraves Idee der meritorischen Güter lernen kann, dann Anständigkeit im politischen Betrieb: Es spricht nichts dagegen, dass Politiker Tabak besteuern oder Kultur subventionieren wollen. Wenn die Mehrheit der Wähler hinter dieser Idee steht, dann nennt man das Demokratie. Wenig demokratiefreundlich allerdings ist es, wenn Politiker ihre eigenen Wertvorstellungen und Wünsche als wissenschaftlich abgesicherte Wahrheiten ausgeben und unter diesem Deckmantel ihr eigenes Süppchen kochen. Das nennt man Manipulation.

Musgrave selbst hat die Gefahr, die von seinem Konzept ausgeht, durchaus gesehen – kaum eine Schrift über meritorische Güter, in der er nicht davor warnte, dass der leichtfertige Gebrauch dieses Begriffes unbeabsichtigte paternalistische Eingriffe des Staates zur Folge haben könnte. Vielleicht ist die Freiheit des Einzelnen auch ein meritorisches Gut, das es zu schützen gilt.

Hanno Beck

LORENZ VON STEIN

Der Mann, der den Sozialstaat erfand

// Lorenz von Stein rief im Jahr 1850 nach einem »Königtum der sozialen Reform«. Das Risiko von Krankheit und Alter sollte der Staat versichern. Eine Idee, die bis heute gilt.

In Frankreich bekam es Lorenz Stein mit der Angst vor der Revolution zu tun. Der junge Jurist aus dem damals dänischen Eckernförde hatte gerade an der Kieler Universität seine Doktorarbeit eingereicht, als er im Jahr 1841 mit einem Stipendium des Kopenhagener Königs nach Paris aufbrach. Mit nicht ganz 26 Jahren traf er in der damaligen Weltmetropole ein, anderthalb Jahre sollte er bleiben. Er schloss Bekanntschaft mit französischen Frühsozialisten, las die Schriften ihrer verstorbenen Gesinnungsgenossen.

Eher theoretisch als aus eigener Anschauung studierte er das Elend der Arbeiterklasse, auch wenn er dabei an seine eigene schwere Jugend gedacht haben mag, die er nach dem frühen Tod des Vaters zeitweise in einem Armenpflegeheim verbrachte. Er entdeckte die Armut als »unvermeidliche Begleiterin und perennierendes Übel« der heraufziehenden Industriegesellschaft. Die politische Revolution von 1789, so analysierte er, habe zwar die alten Vorrechte beseitigt und der Erwerbsgesellschaft den Weg gebahnt, gerade dadurch aber neue Unfreiheit begünstigt.

»Wer kein Kapital hat, kann zu keinem gelangen«, stellte er fest. »So wird aus der besitzenden und nichtbesitzenden Klasse ein besitzender und nichtbesitzender Stand.« Und wer materiell von anderen abhänge, der sei eben nicht frei. Es war die Zeit des »Bürgerkönigs« Louis Philippe, dessen politisches Programm im Wesentlichen aus der Aufforderung an seine Untertanen bestand: »Bereichern Sie sich!« Der Gast aus Norddeutschland befand, dass das nicht lange gutgehen könne – und dass diejenigen, die dabei leer ausgingen, irgendwann aufbegehren würden.

Diese Ideen formulierte er noch von Paris aus in seiner Frühschrift »Der Socialismus und Communismus des heutigen Frankreichs«. Als sich Stein 1848 durch den Ausbruch der Revolution in seinen Prognosen bestätigt sah, erweiterte er seine Thesen zum dreibändigen Hauptwerk »Die Geschichte der sozialen Bewegung in Frankreich von 1789 bis auf unsere Tage«, das 1850 erschien.

Die rund 1500 Seiten mit dem etwas sperrigen Titel haben es in sich. Stein schrieb nicht nur als erster Autor in Deutschland die Geschichte einer ganzen Gesellschaft, anstatt sich nur mit Königen und Kriegen, mit Haupt- und Staatsaktionen zu befassen. Er lieferte die Lösung der Probleme gleich mit.

Um die Konflikte der bürgerlichen Gesellschaft zu überwinden und einen blutigen Zusammenstoß wie in Frankreich zu vermeiden, so glaubte er, bedürfe es einer neutralen, über den Interessen schwebenden Instanz. Niemand anderes als die preußische Monarchie sollte demnach in Deutschland die Aufgabe übernehmen, sich um des eigenen Überlebens willen in ein »Königtum der sozialen Reform« zu verwandeln. Das war keine Utopie aus dem luftleeren Raum.

Dem Autor stand vielmehr ein konkretes historisches Vorbild vor Augen: die preußische Reformbürokratie, die ein halbes Jahrhundert zuvor unter dem großen Staatskanzler Karl August von Hardenberg die moderne Erwerbsgesellschaft gegen die alten Privilegien durchgesetzt hatte – und damit den gewaltsamen Zusammenstoß mit dem Bürgertum wie in Frankreich vermied. Warum sollte der Berliner Verwaltung jetzt nicht auch der zweite, in Steins Augen logische Schritt gelingen: die Errichtung eines Sozialstaates, der allen gesellschaftlichen Schichten den Erwerb von Besitz und damit praktisch erlebbare Freiheit möglich machte?

Es war deshalb nur folgerichtig, dass sich Stein in seinen späten Jahren der Verwaltungswissenschaft zuwandte. Seine Kieler Juraprofessur verlor er 1850 nach dem gescheiterten Aufstand gegen die dänische Herrschaft. Fünf Jahre später ereilte ihn der rettende Ruf aus Wien, diesmal auf einen Lehrstuhl für Staatswissenschaft und Nationalökonomie. Dort schrieb er Lehrbücher über Volkswirtschaftslehre, Finanzwissenschaft und Verwaltungslehre, die zu Standardwerken wurden.

Bis nach Japan war sein Rat gefragt, und Kaiser Franz Joseph erhob ihn 1868 für seine Verdienste in den erblichen Adelsstand. Die größte Ehrung erfuhr Lorenz von Stein, wie er nun hieß, allerdings erst in den 1880er Jahren. Rund 30 Jahre nach Steins bahnbrechendem Buch begann der deutsche Reichskanzler Otto von Bismarck, die Idee eines konservativen Sozialstaates in die Tat umzusetzen. Stark beeinflusst war er dabei von zwei Anhängern Steins: von Theodor Lohmann, der im Reichsamt des Innern für die Ausarbeitung der Gesetze zuständig war, und vom konservativen Politiker und Publizisten Hermann Wagener.

Damit begründete Lorenz von Stein weit über seinen Tod im Jahr 1890 hinaus eine spezifisch deutsche Tradition des Sozialstaates. »Früher und schärfer als die meisten Liberalen« habe der Mann aus Eckernförde die Bedeutung der sozialen Frage erkannt, rühmt der Berliner Historiker Heinrich August Winkler. Zugleich stehe er jedoch mit seinem Appell an die Monarchie am Beginn einer unseligen Tradition, »die es leicht machte, soziale Sicherheit gegen politische Freiheit auszuspielen«. So wurde der Sozialstaat in Deutschland zu einem konservativen Projekt, das den aufstrebenden Schichten ihre politische Emanzipation abkaufte und sie zu »Staatsrentnern« machte, wie Bismarck sich ausdrückte.

Die Sozialdemokratie bekämpfte die Kranken-, Unfall- und Rentenversicherung anfangs scharf. Sie tat das nicht nur, weil Bismarck die Partei gleichzeitig mit dem Sozialistengesetz bedrohte, sondern auch, weil sie damals staatsferne Modelle der Selbstorganisation bevorzugte.

Angela Merkel hat diese Zusammenhänge erst spät begriffen. Mit den Plänen zu einem Umbau des Sozialstaates, die sie 2003 auf dem Leipziger Parteitag präsentierte, hatte sie sich weit von den Traditionen des deutschen Konservatismus entfernt. Jetzt helfen ihr ausgerechnet die Sozialdemokraten, wieder in die Nachfolge eines Otto von Bismarck oder Konrad Adenauer einzuschwenken.

Ralph Bollmann

KARL MARX

Die Entzauberung des Kapitalismus

// Karl Marx ist der Vater des Sozialismus. Erforscht hat er aber vor allem den Kapitalismus. Und erklärt, wieso er langfristig untergehen wird.

Karl Marx (1818 – 1883) kennen vermutlich mehr Menschen als Adam Smith oder John Maynard Keynes – dem Namen nach jedenfalls. Aber wer hat schon seine Werke gelesen? Viele glauben trotzdem über seine Wirkung Bescheid zu wissen: Marx war der geistige Wegbereiter des Sozialismus, des Bolschewismus und der Zentralverwaltungswirtschaft. Tatsächlich aber hat Marx über die ihm vorschwebende Alternative zum Kapitalismus kaum etwas zu Papier gebracht – über den Kapitalismus dafür umso mehr.

Marx war ein eminent politischer Mensch. Wie die Marx-

Engels-Gesamtausgabe zeigt, war er zuallererst ein Wissenschaftler. Er entwickelt seine eigene Analyse in den drei Bänden des »Kapitals« (1867, 1885, 1894) in Auseinandersetzung mit der verfügbaren ökonomischen Literatur und verfasst eine der ersten Geschichten des ökonomischen Denkens: die Theorien über den Mehrwert. Wie bei Adam Smith, und beeinflusst von Charles Darwin, geht es um die Enthüllung des »Bewegungsgesetzes« der kapitalistischen Wirtschaft. Diese unterscheidet sich von früheren Produktionsweisen durch eine außergewöhnliche wirtschaftliche und gesellschaftliche Dynamik. Letztere entspringt dem System selbst und revolutioniert unaufhörlich die geltenden Verhältnisse. Der Kapitalismus sei kein »fester Kristall«, sondern »ein umwandlungsfähiger und beständig im Prozess der Umwandlung begriffener Organismus«.

Der »Lokomotor« der Entwicklung ist die Konkurrenz. Sie bedeutet Rivalität und zwingt die Akteure – »bei Strafe ihres Untergangs« – neue, die Kosten senkende Produktionsverfahren und neue Produkte einzuführen. Nur wem dies gelingt, überlebt im Konkurrenzkampf. Die Koordination der arbeitsteilig produzierenden Unternehmungen erfolgt über interdependente Märkte und Preise. Wegen des anarchischen Charakters des Systems kommt es periodisch zu Krisen; die Entwicklung verläuft zyklisch. Aber: »Permanente Krisen gibt es nicht.«

Was macht die Dynamik des Systems aus? Zur Beantwortung entwickelt Marx im posthum von Friedrich Engels 1885 veröffentlichten zweiten Band des »Kapitals« seine »Schemata der einfachen und erweiterten Reproduktion«. Hierbei handelt es sich um Modelle mit mehreren miteinander verflochtenen Wirtschaftssektoren. Die Schemata sind eine Weiterentwicklung des physiokratischen Tableau Économique François Quesnays (1694–1774) und ebnen der Input-Output-Analyse des in den Vereinigten Staaten lehrenden Wassily Leontief (1905–1999) den Weg.

Im einfachsten Fall fasst Marx die Gesamtwirtschaft zu nur zwei großen »Abteilungen« zusammen. In der ersten werden Konsum- und in der zweiten Produktionsmittel erzeugt. Zum Unterhalt seiner Arbeitskräfte benötigt eine jede Abteilung Konsumgüter und darüber hinaus Produktionsmittel. Marx beschreibt die gleichgewichtigen Lieferbeziehungen zwischen den Sektoren stofflich, preislich und auch monetär über die den Güterströmen entgegenlaufenden Geldströme. In Abhängigkeit von der Höhe der Reallöhne ist für gegebene technische Bedingungen der Produktion das »Mehrprodukt« mehr oder weniger groß. Es geht in der Form von Profit an die Kapitaleigner.

Im Fall einfacher Reproduktion wird das gesamte Mehrprodukt konsumiert – es wird weder gespart noch investiert. Gleichgewicht verlangt: Der Wert der vom ersten Sektor an den zweiten gelieferten Konsumgüter ist gleich dem Wert der vom zweiten an den ersten Sektor gelieferten Produktionsmittel, um den Verschleiß wettzumachen.

Im Fall der erweiterten Reproduktion investieren die Kapitaleigner Teile der erzielten Profite und dehnen die Produktionskapazität aus – die Wirtschaft wächst. Marx nennt die Bedingungen für eine Expansion beider Sektoren im Gleichschritt und formuliert so das erste Wachstumsmodell mit mehreren Sektoren in der Geschichte der Politischen Ökonomie. Er tut dies auch für Modelle mit mehr als zwei Sektoren und zeigt, wie die sektorale Struktur der Wirtschaft von der Höhe der Wachstumsrate des Systems abhängt.

Das ist indes nur das Vorspiel zu einer Erörterung intensiven Wachstums, des einzig realistischen Falls. In ihm ändern sich die technischen Verhältnisse laufend, und Kapitalintensität und Arbeitsproduktivität steigen. Marx nennt folgende Einfallstore für Krisen: ungleichgewichtige Entwicklung der Sektoren, Nachhinken der Konsumnachfrage wegen einer zu geringen Kaufkraft der Arbeiterschaft und Einbruch der Nachfrage, wenn in Zeiten großer Unsicherheit Geld gehortet statt ausgegeben wird.

Die wichtigste Ursache ist indes eine fallende allgemeine Profitrate – langfristig beschwört sie gar das Ende des Kapitalismus herauf. Die Konkurrenz, so das Argument, führt unter kapitalistischen Bedingungen zu einer fortschreitenden Ersetzung menschlicher Arbeits- durch Maschinenkraft: Es steigt die in Kapitalgütern angehäufte »tote« Arbeit im Verhältnis zur diese in Bewegung setzenden »lebendigen« Arbeit. Nur Letztere ist Quelle des Profits, und diese versiegt allmählich.

Die Profitrate aber ist »Stachel wie Treiber der Kapitalakkumulation«. Sinkt sie, so erlahmt die Investitionstätigkeit, der Wirtschaftskreislauf stockt. Erst wenn die Krise sich bereinigt hat und Kapitalien und Arbeitsplätze vernichtet wurden, kommt es zur Erholung und zum neuerlichen Aufschwung. Doch langfristig schwindet wegen der weiter fallenden Profitrate die Lebenskraft des Kapitalismus. Gleich allen früheren Produktionsweisen ist auch er eine bloß historische, vorübergehende: Er trägt den Keim des eigenen Untergangs in sich.

Marx' Hoffnung gilt dem Sozialismus. Er soll die Ausbeutung des Menschen durch den Menschen ein für allemal überwinden. Aber welchen Planeten hinterlässt der auf kurzfristige Profiterzielung ausgerichtete Kapitalismus? In seinen geologischen Studien begreift Marx Erde und Menschheit als zwei lebende Organismen, die aufeinander wirken, und fragt: Werden sie dauerhaft miteinander auskommen, oder wird die Erde die Menschheit schließlich abschütteln?

Heinz D. Kurz

DOUGLASS NORTH

Es lebe die Kleinstaaterei

// In einer Welt der Unsicherheit muss man viele Dinge ausprobieren,
damit einige wenige funktionieren, sagt der Ökonom Douglass
North. Eine Regel, die nicht nur in der Wirtschaft gilt.

Sein großes Ziel sei immer gewesen, die Gesellschaft »besser zu
machen«, schrieb Douglass C. North, und dieses Ziel habe er nie
aus den Augen verloren. Doch dafür müsse man zuerst verstehen,
wie die Wirtschaft funktioniert. Und so hat sich der 1920 geborene Ökonom North praktisch 70 Jahre lang mit Variationen einer
einzigen Frage beschäftigt: Warum werden die einen Länder reich
und bleiben die anderen arm?

North kam wegen des Berufs seines Vaters, eines erfolgreichen
Managers, schon früh weit herum. Er wuchs in Connecticut,
Ottawa und New York City auf. Dazwischen ging er ein Jahr in
Lausanne in die Schule, weil seine Eltern, beide keine Intellektuel-
len, an den Wert breiter Bildung glaubten.

Wie viele große liberale Denker war auch North in seiner
Jugend Marxist. An der Berkeley University, die er statt Harvard
wählte, weil der Vater nach San Francisco versetzt worden war,
engagierte er sich während des Zweiten Weltkriegs in linken Stu-
dentenkreisen.

Allerdings kam es zum Bruch mit seinen Freunden, als diese
nach Hitlers Angriff auf Russland im Juni 1941 für den Krieg ein-
traten, während er als Pazifist dagegen war. Nach dem dreifachen
Bachelor in Politologie, Philosophie und Ökonomie ging er kon-
sequenterweise zur Handelsmarine, weil er »niemanden töten«
wollte. Dort hatte er Zeit für Lektüre; das gab den Ausschlag, dass
er sich für ein vertieftes Studium der Ökonomie entschied und

seine Idee, Fotograf zu werden, aufgab. Fotografie blieb aber zeitlebens ein Hobby, neben Wandern, Fischen und Jagen, gutem Essen und Trinken sowie der Musik.

Seine im eigenen Urteil »bestenfalls mittelmäßigen Noten« im Grundstudium und seine Doktorarbeit (1952) über die Geschichte der Lebensversicherungen in den Vereinigten Staaten – der Vater war in dieser Branche tätig – ließen noch kaum den Nobelpreisträger von 1993 (zusammen mit Robert W. Fogel) erkennen.

So richtig scheint North die Begeisterung erst an der University of Washington in Seattle gepackt zu haben, der er 33 Jahre treu bleiben sollte. Er hatte dort seine erste akademische Stelle erhalten, und beim täglichen Schachspiel brachte ihm ein junger Kollege das tiefere Verständnis der ökonomischen Theorie bei und lehrte ihn vor allem, »wie ein Wirtschaftswissenschaftler zu denken«.

Über verschiedene Umwege entwickelte sich North danach zu jenem Pionier der »Neuen Wirtschaftsgeschichte«, den die Schwedische Reichsbank mit ihrem Nobel-Gedächtnispreis ehrte. Diese auch »Cliometrie« genannte Schule zeichnet sich durch die Anwendung der ökonomischen Theorie und von quantitativen Methoden auf die Geschichte aus. Sein erstes großes Buch »The Economic Growth of the United States from 1790 to 1860« fällt in diese Periode.

Aber das, wofür Douglass North hauptsächlich steht, nämlich seine Theorie des institutionellen Wandels, entwickelte sich erst später, beginnend mit einem einjährigen Studienaufenthalt in Genf (1966/67) und einer Verlagerung des Interesses von der amerikanischen auf die europäische Wirtschaftsgeschichte.

Dieser späteren Entwicklung von North verdanken wir, erstens, die Einsicht, dass Institutionen den entscheidenden Unterschied zwischen wirtschaftlich erfolgreichen und erfolglosen Ländern ausmachen. Alle erfolgreichen Länder zeichnen sich durch »gute« Institutionen wie klare und durchsetzbare Eigentumsrechte oder einen Rechtsstaat, in dem Vertragsverletzungen geahndet werden, aus. In Verbindung damit steht, zweitens, die Abkehr vom neo-klassischen Rationalitätsparadigma.

Ähnlich wie Friedrich von Hayek betont auch North die Be-deutung von Ideen, Ideologien und Vorurteilen für das Treffen von Entscheidungen. Daher versucht er zu verstehen, wie Men-schen unter Unsicherheit entscheiden, warum sie irrational han-deln, warum sie Ideologien wie dem Kommunismus oder dem Islamismus anhängen und wie unser Verstand und das Gehirn funktionieren. Dieser Ausflug Richtung Hirnforschung ist gemäß North genauso eine Voraussetzung für das Verständnis des Wan-dels wie die Abkehr von einer rein ökonomischen Perspektive. Deshalb ist North, drittens, die Integration aller Sozialwissen-schaften ein Anliegen. Er kritisiert in diesem Zusammenhang die Praxisferne vieler Kollegen, die übertriebene Mathematisierung sowie die Missachtung der großen Zusammenhänge, und warnt, auch darin Hayek verwandt, vor der Anmaßung von Wissen.

North' überragende These ist schließlich, viertens, dass der Wettbewerb nicht nur zwischen Unternehmen, sondern auch zwi-schen politischen Einheiten, Staaten und Gliedstaaten der ent-scheidende Motor von Wandel und Fortschritt ist. Für ihn hat der Erfolg Westeuropas und der Vereinigten Staaten mit Kleinstaate-rei und Föderalismus zu tun, die im Gegensatz zum Zentralismus Russlands oder Chinas Versuch und Irrtum in kleinen Einheiten zulassen und damit offen sind für Kreativität ebenso wie für das Lernen durch Nachahmung.

In einer Welt ständigen und rasanten Wandels ist für North Dezentralisierung die beste Methode, um zukunftsoffen zu blei-ben, zu experimentieren, statt zu erstarren und mittels Wettbe-werb den Ansporn aufrechtzuerhalten, ständig nach noch besse-ren Lösungen zu suchen.

Eigentlich ist es eine fast banale Erkenntnis: Diversifikation ist die beste Absicherung gegen Risiken. Auf den Finanzmärkten ist das längst Allgemeingut. Dass es auch in der Welt der Politik und der

Institutionen gilt, hat Douglass North in die Wissenschaft eingebracht. In der praktischen Politik ist es allerdings, wenn man an die
heutige Europäische Union denkt, leider noch kaum angekommen.

Gerhard Schwarz

ANNE KRUEGER

Die »Grand Old Lady« der Ökonomie

// Anne Krueger untersuchte, wie eine Klüngelwirtschaft Städte und
ganze Länder verarmen lässt. Damit setzte sie sich in einer Männerdomäne durch.

Die Frau an der Spitze des Internationalen Währungsfonds machte
einmal einen Vorschlag, der als Paukenschlag galt: Sie forderte ein
Insolvenzverfahren für Staaten. Die Idee war nicht neu, doch sie
kam von wichtiger Stelle – und zu einer Zeit, in der es drängender
denn je erschien, geordnete Bahnen für Staatspleiten zu schaffen.

Diese Frau war nicht etwa die aktuelle IWF-Chefin Christine
Lagarde, und es ging dabei auch nicht um Griechenland, Portugal
oder Zypern. Es war Anne Osborn Krueger, die ehemalige Vize-
präsidentin des IWF, die beim jährlichen Dinner der Mitglieder
des National Economists Club ein solches Insolvenzverfahren
ähnlich dem amerikanischen Chapter 11 für Unternehmenspleiten
ten forderte. Und zwar schon im November 2001, kurz vor dem
Staatsbankrott in Argentinien. Auch andere Schwellenländer, allen
voran Brasilien und die Türkei, steckten damals in der Krise.

Hätte jemand auf Krueger gehört, wäre in der Euro-Krise womöglich vieles leichter gewesen. Doch die Umsetzung scheiterte am Widerstand der Amerikaner. Es war das einzige Mal, dass Krueger, geboren 1934 in Endicott, New York, je wirklich für Aufregung sorgte. Denn die »Grand Old Lady«, die große alte Dame unter den amerikanischen Volkswirten, gilt zwar als brillante Ökonomin. Sie lehrte an verschiedenen Universitäten (aktuell an der Johns-Hopkins-Universität in Washington), war von 1982 bis 1986 Chefökonomin der Weltbank und schaffte es 2001 als erste Frau ins Topmanagement des IWF. Bis heute gehört sie zu den wenigen Frauen, deren Name für den Nobelpreis für Wirtschaftswissenschaften ins Spiel gebracht wird – noch immer eine Männerdomäne. Doch große Auftritte mag sie nicht: Die Frau mit dem Kurzhaarschnitt und der immer gleichen randlosen Brille wirkt stets unaufgeregt, geradezu nüchtern.

Bekannt wurde Krueger im Wesentlichen durch einen Aufsatz, der als bahnbrechend gilt: »The Political Economy of the Rent-Seeking Society«, erschienen 1974 in der wissenschaftlichen Zeitschrift »American Economic Review«. Darin analysierte sie ein Phänomen, das vor ihr schon Gordon Tullock skizziert hatte. Doch Krueger prägte den Begriff, mit dem man dieses Phänomen bis heute verbindet: »rent seeking«.

Unter »rent seeking« versteht man, dass Interessengruppen aus der Wirtschaft Druck auf die Regierung ausüben, um sich spezielle Vorteile und Privilegien zu verschaffen. Das können Steuervergünstigungen, Subventionen oder günstige Kredite sein, aber auch Importzölle, die ein Unternehmen vor der Konkurrenz aus dem Ausland schützen sollen. »Rent seeking« kann auf legale Weise erfolgen (durch Lobbyismus) oder auf illegale Weise (durch Bestechung).

Was ist das Problem daran? Ressourcen, die für die Rentensuche eingesetzt werden – vor allem Zeit und Geld für die Informationssuche, Kontaktaufnahme und Interessenorganisation –

stehen für eine produktive Verwendung nicht mehr zur Verfügung. Sie werden nicht genutzt, um Autos oder Computer herzustellen, sondern dienen nur der Umverteilung. Anders gesagt: Statt den Kuchen größer zu machen, versucht man nur, selbst einen größeren Teil davon zu bekommen.

Während »rent seeking« für ein einzelnes Unternehmen durchaus sinnvoll sein kann, schadet es der Wirtschaft als Ganzes. Hierin liegt das Besondere an Kruegers Erkenntnis: Sie konnte zeigen, dass die Wohlfahrtsverluste durch staatliche Interventionen – in ihrem Beispiel die Vergabe einer begrenzten Anzahl an Importlizenzen, wie sie in den sechziger Jahren in der Türkei und Indien üblich waren – wegen des daraus entstehenden Wettbewerbs um Renten größer sind als in der neoklassischen Ökonomie bis dato angenommen.

Krueger nannte keine genauen Zahlen, aber sie gab einen Anhaltspunkt: den Wert der zu verteilenden Renten. Krueger, die als politische Beraterin regelmäßig in Entwicklungsländer reiste und sich von diesen Reisen auch in ihrer wissenschaftlichen Arbeit beeinflussen ließ, ging davon aus, dass die Renten in Indien 1964 einen Wert in Höhe von 7,3 Prozent des Bruttonationaleinkommens ausmachten. Für die Türkei schätzte sie alleine die Renten durch Importlizenzen auf 15 Prozent des Bruttonationaleinkommens. Wie viele Ressourcen werden also etwa im Falle der Türkei im Wettbewerb um diese Renten verwendet? Schätzungsweise wohl bis zu 15 Prozent des Nationaleinkommens.

Kruegers Erkenntnisse zur Rentensuche sind heute Standardlehrstoff in der Volkswirtschaftslehre. Seit der Veröffentlichung gehört sie zu den Top-Ökonomen. Krueger, die ursprünglich Recht studieren wollte, forschte vor allem zu Handels- und Entwicklungsfragen: Sie zeigte, dass Protektionismus schädlich ist, und belegte das an zahlreichen Studien zu verschiedenen Entwicklungsländern. Doch dann bot ihr die Weltbank den Posten als Chefökonomin an. »Ich konnte nicht widerstehen«, sagt Krueger heute. Fortan wechselte sie mehrfach zwischen den Welten. Nach fünf Jahren bei der Weltbank kehrte sie in die Wissenschaft zurück, doch dann lockte der IWF, »und wieder konnte ich nicht widerstehen«. Für kurze Zeit stand sie sogar ganz an der Spitze des Fonds, als ihr Chef Horst Köhler Bundespräsident wurde. Doch weil der Chefposten beim IWF traditionell von einem Europäer besetzt wird, konnte Krueger nie mehr werden als dessen Vizechefin. 2006 ging sie zurück in die Wissenschaft.

Dort gilt Kruegers wichtigster Aufsatz, obwohl von 1974, heute als aktueller denn je. Schließlich zeigt der Fall Griechenland, wie schädlich »rent seeking« für die Wirtschaft eines Landes sein kann. Über Jahrzehnte tauschten griechische Politiker Arbeitsplätze im öffentlichen Sektor gegen Stimmen, zahlten Löhne, die weit über dem lagen, was durch die Produktivität des Landes gerechtfertigt gewesen wäre, vergaben Subventionen an Reeder und Landwirte und garantierten gut organisierten Gruppen im Privatsektor zahlreiche Privilegien. Die Folgen: ein aufgeblasener Staatsapparat und ein Schuldenberg, der das Land an den Abgrund brachte. In der wissenschaftlichen Literatur werden die griechischen Interessengruppen heute gar als Wikinger beschrieben, die sich alles nehmen, was sie kriegen können.

Der Fall Griechenland zeigt auch, wie schwer es ist, sich von einem solchen System wieder abzukehren, ist es erst einmal etabliert. Als die griechische Regierung auf Druck der Troika aus IWF, EZB und Eurogruppe Reformen ankündigte, gingen Tausende Staatsbedienstete auf die Straße, um gegen Gehaltskürzungen und Entlassungen zu demonstrieren. Einmal erworbene Privilegien, das zeigten die Proteste, werden nicht gerne wieder aufgegeben. Nur wie man Politiker davor bewahrt, sich auf die Verlockungen der Unternehmer einzulassen und ihnen diese Privilegien zu gewähren, das konnte auch Krueger nicht erklären.

Britta Beeger

REINHARD SELTEN

Der Spieler

// Reinhard Selten hat im Labor untersucht, wie Menschen wirklich
ticken. Den egoistischen Homo oeconomicus fand er nicht.

Auf die Meinung der Masse hat Reinhard Selten noch nie etwas
gegeben. Der Sohn eines jüdischen Vaters, der 1930 in Breslau
zur Welt kam, gehörte in seiner Heimat von Geburt an zu einer
Minderheit. Von klein auf habe er lernen müssen, seinen eigenen
Urteilen mehr zu vertrauen als politischer Propaganda und der
öffentlichen Meinung. »Das hatte starken Einfluss auf meine intellektuelle Entwicklung«, formulierte Selten rückblickend.

Sein gesamtes Forscherleben begleitete ihn diese Geisteshal-
tung. »Selten ist ein kompromissloser Denker. Ihn kümmert
nicht, was der Mainstream denkt oder was publizierbar ist«, beschreibt ihn der Kölner Experimentalökonom Axel Ockenfels.
Ohne diese geistige Unabhängigkeit wäre Seltens Pionierleistung
undenkbar gewesen. Der Ökonom hat das über Jahrzehnte unan-
gefochtene und bis heute im ökonomischen Denken verankerte
Menschenbild des Homo oeconomicus ins Wanken gebracht.

In Laborversuchen, für die er anfangs belächelt und später gefeiert wurde, hat er gezeigt, dass der Mensch aus Fleisch und Blut
alles andere als eine streng rationale Optimierungsmaschine ist. Er
nimmt Rücksicht, er lernt aus Erfahrungen, und er baut Vertrauen
auf. Der Homo oeconomicus kann all das nicht erklären. Seltens
Kritik ist deshalb grundsätzlich. Anders als andere skeptische
Ökonomen fügt er dem kühl kalkulierenden Modellmenschen
nicht einfach soziale Charaktereigenschaften wie Altruismus oder
Fairness hinzu. »Von diesem neoklassischen Reparaturbetrieb halte
ich gar nichts«, sagt Selten. Stattdessen entwickelt er alternative

Modelle, die ohne Nutzenmaximierung und Optimierungsabsolutismus auskommen.

Trotz seiner früh verinnerlichten Skepsis gegen den Mainstream ist es verblüffend, dass ausgerechnet Seltens Arbeiten dem Homo oeconomicus derart zu Leibe rücken. Denn Ruhm und Ehre wurden dem Forscher, der in den fünfziger Jahren in Frankfurt Mathematik studiert hat, für seine Arbeiten zur Spieltheorie zuteil. 1994 wurde dem Mann, dem die öffentliche Aufmerksamkeit immer eher suspekt war, als erstem und bislang einzigem deutschen Wirtschaftswissenschaftler gemeinsam mit den Spieltheoretikern John Harsanyi und John Nash der Wirtschaftsnobelpreis verliehen. Nash hatte in Spielen mit rationalen Akteuren stabile Zustände identifiziert, in denen es sich für keinen Beteiligten lohnt, sein Verhalten zu ändern, obwohl durch Kooperation alle besser dastehen könnten. Selten verfeinerte diese Arbeit und stieß darauf, dass längst nicht alle diese »Nash-Gleichgewichte« auch plausibel sind. Die Homo-oeconomicus-Annahme ist in der Spieltheorie aber fest verankert.

»Dennoch«, sagt Selten, »war mir von Anfang an vollkommen klar, dass der Homo oeconomicus deskriptiv keinerlei Bedeutung hat.« Als »methodischer Dualist« habe ihn die Spieltheorie als normative Theorie fasziniert, die beschreibt, wie sich Individuen verhalten würden, wären sie zu vollkommener Rationalität in der Lage. Heute hat der Mann, der am liebsten auf Wanderungen über komplexe Probleme nachdenkt, auch diese Option verworfen. »Wir mussten den Homo oeconomicus erst intensiv erforschen, um zu zeigen, wie falsch er ist«, sagt Selten. Jetzt müsse es darum gehen, ganz neue, umfassendere Theorien zu entwickeln.

Großen Einfluss auf seine Pionierarbeit jenseits des Homo oeconomicus hatten die Gedanken des amerikanischen Sozialwissenschaftlers Herbert A. Simon. Selten, der in Bonn eines der wichtigsten Labore für experimentelle Ökonomie aufgebaut hat, griff den von Simon geprägten Begriff der »eingeschränkten

Rationalität« auf und entwickelte ihn weiter. Ökonomische Entscheidungen sind demnach geprägt von mannigfaltigen Motivationen, Lernprozessen und unbewussten Urteilen. Der Mensch verfolgt verschiedene Ziele, die er nicht gegeneinander aufrechnet. Das steht im krassen Widerspruch zum Maximierungsautomatismus des Homo oeconomicus. Eines der Beispiele für Seltens alternative Theorien, die daraus entsprungen sind, ist die Anspruchsanpassungstheorie. Vereinfacht gesagt, wird darin angenommen, dass der Mensch seine Entscheidungen an seinen Ansprüchen ausrichtet. Er definiert sie aus seinen Erfahrungen und Erwartungen heraus und passt sie mit der Zeit nach oben oder unten an.

Die Forschung des Forschers ist für den Alltag höchst relevant. Sie gibt neue Einsichten, sei es für den Ablauf von Klimaschutzverhandlungen, Auktionen oder sogar für gesellschaftliche und kriegerische Auseinandersetzungen. Was die Klimaschutzverhandlungen angeht, ist Selten pessimistisch. »Mit schnellen Fortschritten ist nicht zu rechnen«, fürchtet er. Die kulturellen Unterschiede zwischen den Verhandlungspartnern verhindern, dass das notwendige Vertrauen aufgebaut werden kann, zeigten seine Laborstudien.

Obwohl die Kritik am Homo oeconomicus heute zum Allgemeingut der Mikroökonomie gehört, sieht sich Selten noch lange nicht am Ziel. Es gebe noch viele Ideen, die er weiterverfolgen müsse, sagt der Mann, der 2015 85 Jahre alt wird. Denn trotz aller Zweifel und Alternativmodelle hält sich der Homo oeconomicus in vielen Forschungsbereichen hartnäckig. Ein durchgängig überlegenes Paradigma, das ihn ein für alle Mal ablösen könnte, hat sich, auch mehr als ein halbes Jahrhundert, nachdem Selten mit seiner Forschung begonnen hat, nicht herausgebildet.

Selten hofft jedoch, dass seine Arbeiten hierfür das Fundament sein werden. Die Chancen dafür stehen nicht schlecht, ist der Kölner Forscher Ockenfels überzeugt. Er glaubt, dass sich Studierende in ein paar Dekaden fragen werden, ob es wirklich einmal eine Zeit gab, in der praktisch alle Ökonomen stets »optimale Entscheidungen« unterstellt haben. »Die Antwort wird dann sein: ja – nur Selten war seiner Zeit voraus.«

Johannes Pennekamp

JAMES TOBIN

Herr Tobin und seine Steuer

// James Tobin erfand eine Spekulationssteuer, die Wechselkursschwankungen eindämmen sollte. Was aus seiner Idee wurde, gefiel ihm gar nicht: Die heute intensiv diskutierte Finanztransaktionssteuer.

Die einflussreichsten Ideen von Volkswirten sind nicht notwendigerweise ihre besten. Ob das auch für James Tobin gilt, ist umstritten. Unter seinen Arbeiten hat sein Vorschlag, eine Steuer auf Devisenmarkttransaktionen einzuführen, die Tobin-Steuer, zweifellos den höchsten Bekanntheitsgrad. Tobin sah darin ein Instrument, exzessive, durch Spekulation ausgelöste Wechselkursschwankungen einzudämmen.

»Tobin war ein Genie, aber die Tobin-Steuer war wohl eine dämliche Idee, die er hatte«, so urteilt Willem Buiter, einer seiner Schüler und selbst ein renommierter Ökonom. Ganz anders sehen das die zahlreichen Anhänger der heute intensiv diskutierten Steuer auf Finanzmarkttransaktionen. Sie berufen sich gerne auf den Nobelpreisträger, obwohl er nur Devisenmärkte besteuern wollte, nicht alle Finanzmarktumsätze.

Tobin selbst hat mit Unbehagen verfolgt, wie sein Steuerkonzept und damit auch er selbst zunehmend von markt- und globalisierungskritischen Gruppen vereinnahmt wurde. Er selbst war ein Anhänger des Freihandels und sah in der Globalisierung mehr Chancen als Risiken. In seinem Artikel zur Tobin-Steuer hat er die positiven Wirkungen der Kapitalmobilität und des Freihandels sehr betont.

Kritisch sah er die Asymmetrie zwischen der Globalisierung und Beschleunigung der Finanzmärkte einerseits und der weniger weit entwickelten Integration anderer Märkte, aber auch der Wirtschaftspolitik andererseits. Eine Vertiefung der Globalisierung von Wirtschaft und Politik war für ihn die beste Lösung. Mit seiner Steuer »Sand ins Getriebe der internationalen Kapitalmärkte zu streuen« war für ihn nur eine »zweitbeste« Strategie.

James Tobins wissenschaftlicher Ruhm beruht nicht auf der Tobin-Steuer. Sein wichtigstes Arbeitsgebiet war die Makroökonomik. Er hat vor allem die keynesianische Wirtschaftstheorie fortentwickelt und untersucht, wie das Verhalten einzelner Unternehmen oder Haushalte sich auf die gesamtwirtschaftliche Entwicklung auswirkt.

Verschiedene ökonomische Denkansätze tragen heute seinen Namen, darunter die These, dass Investitionen dann zunehmen, wenn der Marktwert der existierenden Produktionsanlagen höher ist als die Kosten der Errichtung neuer Anlagen. Den Nobelpreis erhielt er im Jahr 1981 für seine Analyse der Finanzmärkte und ihrer Beziehungen zur Entwicklung wichtiger makroökonomischer Größen wie etwa Investitionen, Konsum, Beschäftigung und Produktion.

Die in Wissenschaft und Politik lange dominierenden keynesianischen Konzepte mit ihrer Betonung der Steuerbarkeit von Konjunktur und Wachstum gerieten in den siebziger Jahren des letzten Jahrhunderts zunehmend in Misskredit. Tobin gehörte damals zu den eloquenten Verteidigern des Keynesianismus.

Diese Jahre waren geprägt von der Erfahrung, dass es der Wirtschaftspolitik in den Industriestaaten nicht gelang, die von der Ölkrise und der Lösung der Goldbindung des Dollar ausgehenden Schockwellen abzufedern. Das Versprechen, Wirtschaftskrisen zu verhindern, indem Geld- und Fiskalpolitik geschickt die gesamtwirtschaftliche Nachfrage stabilisieren, war nicht einzulösen.

»Wie tot ist Keynes?« lautet der Titel eines Aufsatzes, den Tobin 1977 publizierte. Dort wirft er den Gegnern keynesianischer Wirtschaftspolitik vor, aus den wirtschaftlichen Turbulenzen dieser Zeit die falschen Schlüsse zu ziehen. Er setzt sich dort mit dem Problem der Lohn-Preis-Spirale auseinander. Wenn Arbeitnehmer und Gewerkschaften zunehmende Inflation befürchten und deshalb hohe Lohnsteigerungen durchsetzen, kann das die Bekämpfung der Inflation erschweren.

Wenn eine restriktive Geldpolitik die Inflation senkt, steigen die realen Lohnkosten, so dass die Unternehmen Arbeitskräfte abbauen müssen und die Arbeitslosigkeit wächst. Während die Gegner keynesianischer Wirtschaftspolitik darauf setzten, dass die Notenbank sich möglichst glaubwürdig auf einen Kurs der Inflationsbekämpfung festlegt, wollte Tobin durch steuerliche Instrumente exzessive Lohnsteigerungen verhindern und so die Lohn-Preis-Spirale anhalten.

Umgesetzt wurden seine Forderungen nicht. Dass der von ihm vertretene Keynesianismus totgesagt wurde, hat Tobin im Übrigen mit Humor genommen – er hat geschrieben: Wenn Keynes wie Mark Twains Romanfigur Tom Sawyer seiner eigenen Beerdigung zuschauen könnte, hätte er nicht wie Tom geweint, sondern vermutlich gelacht.

James Tobin war überzeugt, dass wirtschaftspolitische Interventionen sehr nützlich sein können. Ein naiver Befürworter staatlicher Konjunkturpolitik war er dennoch nicht. In seiner Nobelpreisrede warnte er, dass Marktversagen zwar potentiell durch staatliches Handeln korrigiert werden könnte. Das bedeute aber nicht, dass die tatsächliche Politik dafür geeignet sei.

Tobin wusste, wovon er redete. Er war nicht nur Wissenschaftler, sondern auch ein gefragter Politikberater. Unter anderem arbeitete er für John F. Kennedy. Als Beispiel für die gelungene Umsetzung keynesianischer Rezepte betrachtete er den Wirtschaftsbericht des Präsidenten, den er im Jahr 1962 für die Kennedy-Administration verfasst hatte. Das Gegenstück sah er in dem von der Reagan-Administration vorgelegten Bericht des Jahres 1982, der angebotsorientierte Wirtschaftspolitik betonte. Es sei interessant, die beiden zu vergleichen, sagte er später. Er habe dabei nichts zu befürchten.

Clemens Fuest

JÁNOS KORNAI

Der Verräter des Sozialismus

// János Kornai war der erste Ökonom im Osten, der die Planwirtschaft kritisierte. Dafür wurde er von den Kommunisten gehasst – und hat doch ihr Denken tief beeinflusst.

Für viele linke Intellektuelle im Westen war es ein Schock, als die Staaten und Volkswirtschaften des Ostblocks 1989/90 kollabierten. Insgeheim hatten sie geglaubt (manche bis heute), dass der Sozialismus irgendwie ein überlegenes, zumindest humaneres Wirtschaftssystem sei – verglichen mit dem ausbeuterischen Kapitalismus. Für János Kornai kam der Zusammenbruch nicht überraschend. Der ungarische Ökonom hatte schon früh die Schwächen, Widersprüche und letztlich die Unmöglichkeit des sozialistischen Plansystems erkannt.

Als grundlegende Fehler erkannte Kornai die Tendenz zur »Überzentralisierung« sowie etwas, das er »weiche Budgetbeschränkungen« nannte. Kornais Kritik ist immer noch aktuell, weil es bis heute in einigen Bereichen diese sogenannten »weichen Budgetbeschränkungen« gibt, die zu Fehlentwicklungen führen. Selbst die Finanzkrise ist zum Teil damit erklärbar.

Was hat Kornai mit »weichen Budgetbeschränkungen« gemeint? In einer funktionierenden Marktwirtschaft müssen Unternehmen, die dauerhaft Verluste machen, aus dem Markt ausscheiden. Es gibt eine harte Budgetbeschränkung. Diese ist ein Selektionsmechanismus: Ineffiziente Unternehmen verschwinden. Im Sozialismus hingegen erhalten defizitäre Staatsunternehmen Zuschüsse und Subventionen, die Fehlbeträge ausgleichen.

Zwar experimentierten reformsozialistische Länder mit Anreizsystemen. Doch keines war so stark wie die marktwirtschaftliche Disziplin, die zu mehr Leistung und Innovationen antreibt. Dem Sozialismus fehlt es an Fortschrittsdynamik, die Planung bleibt wirr und ineffizient. Kornais Buch »The Economics of Shortage« (1980) über die chronische Mangelwirtschaft im Sozialismus verbreitete sich im Ostblock. Junge russische Ökonomen bezeichneten es bald als ihre »Bibel«. Jegor Gajdar, in der späten Sowjetzeit Wirtschaftsressortleiter der »Prawda« und in der Reformära Anfang der neunziger Jahre russischer Ministerpräsident, sagte über Kornai: »Der einzige lebende Ökonom, der für sich in Anspruch nehmen darf, die Anschauungen einer ganzen Generation im Kommunismus beeinflusst zu haben, ist Kornai. Er hat das System der Zentralplanung peinlich genau seziert und seine Irrationalität und selbstzerstörerische Kraft demonstriert.«

János Kornai war anfangs kein Sozialismus-Kritiker – ganz im Gegenteil. Der 1928 in Budapest geborene Sohn eines angesehenen jüdischen Rechtsanwalts, der 1944 in Auschwitz ermordet wurde, begrüßte die Rote Armee als Befreier. Er studierte Marx' »Kapital« und wurde Kommunist. Der begabte junge Mann machte rasch Karriere bei »Szabad Nép« (Freies Volk), dem Zentralorgan der ungarischen KP, wurde Leiter der Wirtschaftsredaktion. Er schrieb Industriereportagen, Propagandaartikel und übernahm die schöngefärbten offiziellen Statistiken über wirtschaftliche Erfolge. Mitte der fünfziger Jahre wuchsen aber seine Zweifel. Er brach mit dem Marxismus, mit der Partei und schließlich mit dem Kommunismus, als ihm Freunde von 40 000 politischen Gefangenen in Ungarn erzählten. Kornai verließ die Zeitung und nahm eine schlecht bezahlte Stelle als Doktorand an.

»Überzentralisierung« betitelte er seine Dissertation, die er im Sommer 1956, kurz vor dem ungarischen Volksaufstand, fertigstellte. Die Analyse beruhte auf Gesprächen mit Betriebsleitern und empirischen Beobachtungen. Kornai beschrieb schonungslos alle Probleme der sozialistischen Praxis: die Fixierung auf große Ausstoßmengen (Tonnenideologie), die keine Rücksicht auf Kosten und Qualität nahm, das »Planfeilschen«, die Schwankungen und Stockungen in der Produktion wegen Versorgungsmängeln. Zudem erkannte Kornai, dass das sozialistische System untrennbar mit Repression verbunden war. »Je weniger das System auf materielle Anreize vertraut (und je weniger es auf die Begeisterung der Menschen rechnen kann), desto mehr muss es Zwangsmethoden anwenden«, schrieb er, glaubte allerdings noch an eine Reformierbarkeit des Systems.

Die kritische, »revisionistische« Tendenz des Buches brachte Kornai aber nach dem Volksaufstand ins Visier der Partei. Er habe »die Konterrevolution intellektuell vorbereitet«, hieß es. Für den »Verräter« begann eine bittere Zeit. Freunde kamen nach dem Volksaufstand ins Gefängnis, immer wieder wurde Kornai selbst von der Polizei verhört, am Institut für Ökonomie war er von Spitzeln umzingelt, schließlich warf man ihn raus. Er kam auf einen Abstellposten in einem Ministerium und betrieb private Ökonomiestudien.

Gleichzeitig wurden westliche Ökonomen auf ihn aufmerksam. »Nirgendwo in der kommunistischen Welt ist eine vergleichbare Studie erschienen«, schrieb die Londoner Zeitschrift »Economica« über die englische Übersetzung der Dissertation. Über die Jahre wurde Kornai ein hochangesehener, in Ungarn zumindest geduldeter Ökonom, dem man Konferenzbesuche und Forschungsaufenthalte in Cambridge, London, Stockholm und Amerika erlaubte. 1984 erhielt er eine Professur in Harvard, wo er fast zwei Jahrzehnte lehrte. Auch gegenüber der westlichen Ökonomie blieb Kornai kritisch, er lehnte die dominanten Gleichgewichtsmodelle ab. Nach dem Zusammenbruch des Sozialismus mischte er sich mit Ideen für den Übergang von der Plan- zur Marktwirtschaft ein, war aber enttäuscht über die Fehler, die bei der Privatisierung gemacht wurden.

Kornais Thesen sind heute noch interessant. »Weiche Budgetbeschränkungen« gibt es in vielen Bereichen, etwa im Gesundheits- oder Bildungssystem. Ganze dauerhaft defizitäre Länder werden durch Entwicklungshilfe – oder jüngst die Euro-Rettungspakete – subventioniert, ineffiziente Systeme können sich so halten. Und die »Too big to fail«-Banken, die in die Finanzkrise führten, genossen eine »weiche Budgetbeschränkung«, weil sie bei Verlusten gerettet wurden. Die implizite Staatsgarantie hat ihre Verantwortungslosigkeit begünstigt. Es gibt mehr Sozialismus, als viele denken.

Philip Plickert

ROBERT SHILLER

Der Prophet von Gier und Panik

// Nobelpreisträger Robert Shiller zeigt, was die Börsenkurse treibt: periodisch wiederkehrender Wahnsinn. Seine Ideen sorgten für eine psychologische Revolution an den Kapitalmärkten.

Kapitalmärkte, so hat es der Wirtschaftshistoriker John Kenneth Galbraith beschrieben, sind Orte periodisch wiederkehrenden Wahnsinns. So sehr diese Beschreibung unseren Erfahrungen entspricht, so heftig ist der Widerspruch, den sie bei vielen Kapitalmarktforschern und -theoretikern auslöst: In ihrer Welt regieren gut informierte, kühl rechnende Investoren, die jede Kursschwankung zu ihrem Vorteil nutzen und sich nicht von Emotionen oder Denkfehlern leiten lassen. Und wenn diese kühlen Rechner an den Märkten die Oberhand haben, gibt es wenig Anlass, daran zu zweifeln, dass der Wahnsinn hier keine Heimat hat.

Das Wort »Wahnsinn« wäre Robert Shiller, der in diesem Jahr den Nobelpreis für seine Kapitalmarktforschungen erhielt, vielleicht zu kraftvoll, auch wenn eines seiner bekanntesten und erfolgreichsten Bücher »Irrationaler Überschwang« heißt – vielleicht eine Vorstufe zum Wahnsinn. In diesem Buch warnte Shiller vor dem Platzen der Internetblase – nur wenige Monate, bevor diese tatsächlich platzte, was ihm einen Status als Börsenguru sicherte, zumal er auch vor der folgenden amerikanischen Immobilienkrise frühzeitig warnte.

Nun hat man einen Ruf als Börsenguru schnell, das sagt aber wenig darüber, wie man zu seinen Prognosen kommt. Mancher Börsenguru ist es durch Beharrlichkeit oder Glück geworden. Doch Shillers Ideen fußen auf theoretisch soliden Modellen und empirisch dokumentierten Fakten. Ausgangspunkt seiner Forschungen war die Beobachtung, dass die Kursschwankungen an den Aktienmärkten gemessen an der Vorstellung rationaler Akteure zu hoch sind. Wenn auf Kapitalmärkten die nackte, kalte Mathematik der Erwartungswerte und Renditen herrschte, dann dürften diese Märkte nicht die großen Kursschwankungen aufweisen, die er in der Realität beobachtete.

Diese Beobachtung hat Folgen: Wenn Kapitalmärkte stärker schwanken, als es die Theorie vorhersagt, bedeutet das, dass die Kurse, gemessen am fundamentalen Wert der Aktien, zeitweise zu hoch oder zu niedrig sind – was wiederum bedeutet, dass diese Über- oder Unterbewertungen mittel- bis langfristig wieder korrigiert werden müssen. Soll heißen: Gibt es Phänomene wie Über- oder Unterbewertung, dann kann man etwas über die zukünftige Richtung der Kurse aussagen – überbewertete Aktien werden billiger, unterbewertete Aktien teurer. Das bedeutet, dass sich Aktienkurse langfristig bis zu einem gewissen Grad prognostizieren lassen. Man kann also – das hat Shiller gezeigt – aus bestimmten Bewertungsrelationen schließen, ob eine Aktie sich zu weit von ihrem fundamentalen Wert entfernt, und daraus Kapitalmarktprognosen ableiten. Die Tatsache, dass Shiller zwei Krisen mit dieser Methode vorhergesagt hat, spricht für seine Ideen.

Für die klassische Theorie vom kühl rechnenden Investor ist das ein Schlag ins Gesicht: Wenn Aktienkurse prognostizierbar sind, warum machen sich das Rechengenies nicht zunutze und platzieren ihre Wetten? Würden sie das tun, würde automatisch die Möglichkeit verschwinden, Kurse zu prognostizieren: Wenn rationale Investoren erkennen, dass eine Aktie unterbewertet ist, kaufen sie diese – und beseitigen damit die Unterbewertung. In der Welt der perfekten Kapitalmärkte sind Aktienkurse nicht prognostizierbar. Auf kurze Frist stimmt diese Idee auch, das hat Shillers Kollege Eugene Fama, mit dem sich Shiller den Nobelpreis teilte, gezeigt. Doch auf lange Sicht funktionieren Shillers Ideen. Die Frage ist, warum: Warum lassen sich Kapitalmärkte auf lange Sicht prognostizieren, und warum ruft das nicht die kühl rechnenden Händler auf den Plan, sich diese Prognosemöglichkeit zunutze zu machen?

Das von Shiller aufgeworfene Rätsel war die Initialzündung für viel Forschung, die einen Beitrag zur Lösung dieses Rätsels leistete. Eine Idee stellt darauf ab, dass die Händler durchaus erkennen, ob und wo sich Fehlbewertungen aufbauen, ihnen aber die Mittel und Möglichkeiten fehlen, davon zu profitieren. Gründe dafür gibt es viele: Es fehlen die entsprechenden Kapitalmarktinstrumente, um von Fehlbewertungen zu profitieren, oder aber die Fehlbewertung dauert länger, als man gegen sie spekulieren kann. Eine andere Idee wäre, dass die Profis an den Kapitalmärkten Fehlbewertungen durchaus erkennen, ihre Kunden aber anderer Meinung sind. Klassisch dafür die Erfahrungen vieler Fondsmanager in der Internetblase der Jahrtausendwende: Sie sahen zwar, dass hier etwas aus dem Ruder lief, aber ihre Kunden wollten ein Investment in Internetaktien. Also mussten die Fondsmanager wider besseres Wissen mit der Meute rennen.

Aber warum lagen die Kunden der Fondsmanager so daneben? Hier kommt Shillers eigener Beitrag zum Zuge: die psychologische Revolution an den Kapitalmärkten. Da der wahre Wert einer Aktie nicht bekannt ist und da es so viele Meinungen über Aktien wie Investoren gibt, sind Aktienpreise anfällig für psychologische Mechanismen. Die Meinung eines Investors über eine Aktie beeinflusst die Meinungen anderer Investoren, und auf diesem Weg kann es zu Ansteckung kommen; Börsenkurse verhalten sich wie Modewellen. Das Resultat: Herdeneffekte, Boom und Crash, eine Herde aufgescheuchter Investoren rennt gemeinsam zum Ausgang. Shillers Ideen einer psychologisch motivierten Kapitalmarktforschung haben sich längst zu einem eigenen Forschungszweig entwickelt, in dem psychologisch motivierte Handlungsmuster und deren Einfluss auf die Kapitalmärkte untersucht werden. Überoptimismus, Unterreaktion, Verlustängste oder Fehler in der Informationsverarbeitung – die Palette der Ideen, wie die Psyche die Börsenkurse beeinflusst, wird von Tag zu Tag länger.

Der Nutzwert dieser Veranstaltung lässt sich für Banken und Fonds in barer Münze messen – längst nutzen sie die Ideen Shillers und seiner Kollegen, um Marktbewegungen zu prognostizieren und damit Geld zu verdienen. Aber auch für die Politik dürfte diese Forschung hilfreich sein: Je besser man erkennt, wie Kapitalmärkte ticken, umso eher kann man Crashs oder Überhitzungen vorbeugen. Und den periodisch wiederkehrenden Wahnsinn zumindest eindämmen.

Hanno Beck

BEN BERNANKE

Der Mann für die Geldschwemme

// Ben Bernanke hat die Große Depression genau studiert. Und als Chef der amerikanischen Notenbank daraus Schlüsse gezogen. Ob es am Ende gutgeht, weiß man nicht.

Als Amerikas Notenbankchef Alan Greenspan im Jahr 2005 auf seinen Ruhestand zuging, war die Unruhe an den Börsen groß. Wer würde ihm nachfolgen, dem »Magier der Märkte«? Dann kam die Entscheidung für Ben Bernanke. Und sie bekam viel Lob. Denn Bernanke war kein Politiker, sondern ein echter Experte für den Umgang mit dem Geld einer Volkswirtschaft: Jahrelang hatte er erforscht, warum die Wirtschaftskrise der dreißiger

Jahre so schlimm wurde und was die Notenbank falsch gemacht hatte.

Drei Jahre nach Bernankes Berufung ging 2008 die Investmentbank Lehman Brothers pleite, die Finanzkrise brach offen aus – und dann wuchs der Notenbankchef aus dem Schatten seines Vorgängers heraus. Er wusste schließlich, wie man eine Finanzkrise bekämpft. Als er aber Ende Januar 2014 die Spitze der Notenbank verlassen hat, glänzte sein Bild nicht mehr ganz so strahlend.

Sicher: Sein Ruf als großer Ökonom und Finanzkrisen-Versteher ist ungebrochen. Was Bernanke in langen Jahren an der Princeton-Universität über die Weltwirtschaftskrise herausgefunden hat, birgt zwei wichtige Lehren: wie schädlich es sein kann, Geld mit Gold zu garantieren; und wie wichtig es in einer Finanzkrise ist, dass die Banken arbeiten. Beides zusammen brachte in der Weltwirtschaftskrise der zwanziger Jahre die eine große Schwierigkeit, die Amerikas Wirtschaft in den Abgrund führte: Geldmangel für die Unternehmen.

Bernankes wichtigste Erkenntnis war, wie wichtig die Banken sind. In der Weltwirtschaftskrise verliehen sie weniger Geld an Unternehmen. Den Firmen blieb dann weniger Geld, das sie investieren konnten – und die Wirtschaft geriet noch tiefer in die Krise. Dank Bernanke wussten also die Notenbanker in aller Welt in der Finanzkrise 2009, was die Gefahr war: die sogenannte »Kreditklemme«.

In so einer Situation will die Notenbank etwas gegen die Krise unternehmen. Bernanke hat eines der großen Probleme dabei analysiert: den Goldstandard. Der war in der Weltwirtschaftskrise fatal. Eigentlich könnte die Notenbank nämlich die Kreditklemme mildern, indem sie selbst zusätzliches Geld bereitstellt. Das aber geht nicht, wenn sie sich an einen Goldstandard gebunden hat. Länder, die den Goldstandard aufgaben, kamen deutlich besser durch die Krise.

Kreditklemmen verhindern und Geld bereitstellen: Es waren

diese beiden Ideen, mit denen Notenbanken rund um die Welt die Finanzkrise von 2008 an bekämpften – und zwar nicht nur, weil Ben Bernanke Chef der amerikanischen Notenbank war. Sondern weil er mit seiner Forschung die Kollegen schon Jahre zuvor überzeugt hatte.

Es ist der Sieg des Glaubens daran, dass Geld die Wirtschaft tatsächlich beeinflusst. Lange hatten Ökonomen darüber gestritten, ob das Geld einen eigenen Einfluss auf die Konjunktur hat oder nur eine Recheneinheit ist. Auch deshalb sieht sich Bernanke in der Tradition von Milton Friedman, dem großen Monetaristen. Sogar Bernankes Spitzname »Helikopter Ben« stammt aus einer Idee von Milton Friedman, die Bernanke wieder aufgriff: Wenn man das Geld nicht anders in die Wirtschaft bringt, dann muss man es eben aus einem Hubschrauber abwerfen. In einer berühmten Rede aus dem Jahr 2002 hat Bernanke das in die Praxis übersetzt: Der Staat könnte die Steuern senken, auch wenn er dafür Schulden machen muss. Die Notenbank erleichtert das, indem sie Staatsanleihen kauft und so die Kreditzinsen drückt.

Es war eine zentrale Rede Bernankes – sein nächster großer Beitrag zur Krisenbekämpfung. Als er die Probleme in den Wirtschaftskrisen analysiert hatte, wurde ihm klar: Notenbanken können an das Ende ihrer Möglichkeiten kommen, so dass das Geld einfach nicht in die Wirtschaft strömt. Wenn die Zinsen erst mal bei null stehen und es trotzdem keine neuen Kredite mehr gibt, wird es für sie schwer. Wenn dann auch noch die Inflation immer weiter zurückgeht und die Preise irgendwann sinken, wenn also eine sogenannte »Deflation« entsteht, dann kann die Notenbank ihre Zinsen nicht weiter senken. Die Angst vor so einer Situation treibt Bernanke immer wieder um. Und zwar nicht nur in Wirtschaftskrisen. Zusätzlich diagnostizierte er in der Weltwirtschaft eine »Ersparnis-Schwemme«, weil alternde Bevölkerungen ihr Geld für die Rente ansparen und Schwellenländer ihre Kassen füllen wollen. Auch diese Schwemme drückt die Zinsen. In seiner

Rede aus dem Jahr 2002 suchte Bernanke nach Ideen, mit denen die Notenbank in Zeiten niedriger Zinsen die Kontrolle behalten kann. Sie kann zum Beispiel Staatsanleihen kaufen, um deren Zinsen zu drücken – auch eine Idee, die in der Finanzkrise wieder aufgegriffen wurde.

Doch vielleicht ließ genau diese Angst Bernanke auch übers Ziel hinausschießen. Der Respekt, den er für die Finanzkrisenforschung von Milton Friedman und dessen Kollegin Anna Schwartz hegte, wurde jedenfalls nicht erwidert. Anna Schwartz kritisierte Bernankes Krisenbekämpfung und forderte schon im Jahr 2009, seine Amtszeit an der Notenbank-Spitze nicht zu verlängern.

Mancher Ökonom macht Bernanke sogar mitverantwortlich dafür, dass es die Finanzkrise überhaupt gab. Denn einer der vielen Gründe für die Finanzkrise war, dass die amerikanische Notenbank in den Jahren 2002 und 2003 mit dem Geld zu locker umging. Das viele Geld trieb Amerikas Immobilienpreise in die Höhe und half so, die Blase aufzublähen, die hinterher mit einem großen Knall platzte.

Bernankes Vorgänger Alan Greenspan hat diesen Fehler schon eingeräumt – aber zu seiner Verteidigung auch darauf verwiesen, dass die Lage damals unsicher war und die Entscheidungsträger in der Notenbank mit der lockeren Politik einer noch schlimmeren Situation vorbeugen wollten. Sie hatten Angst vor einer Deflation, in der sie die Zinsen nicht weit genug senken könnten. Es war genau die Horrorvision von Ben Bernanke. Und der war just im Frühjahr 2002 in das Direktorium der Notenbank berufen worden.

Patrick Bernau

JOHN STUART MILL

Das Glück im Kapitalismus

// John Stuart Mill meinte, der Kapitalismus kann glücklich machen. Damit das funktioniert, forderte er Bildung, Gleichberechtigung und Erbschaftssteuern.

Es gibt Leute, denen wird das Weltverbesserer-Dasein in die Wiege gelegt. John Stuart Mill gehört dazu. Der englische Philosoph, Ökonom und Politiker kommt 1806 als ältestes von neun Kindern in London zur Welt. Der beste Freund seines Vaters James Mill, selbst ein Vordenker des Liberalismus, ist der Ökonom David Ricardo, dessen Erkenntnisse bis heute die theoretische Rechtfertigung für den Freihandel sind. Der radikale Reformer Jeremy Bentham, bekannt für seine Schriften zur Philosophie des Utilitarismus, geht bei den Mills ein und aus. Alle kämpfen sie für die individuelle Freiheit, freie Märkte, eine nach rationalen Prinzipien ausgerichtete Gesellschaftsstruktur und die mehr oder weniger ungezügelte Verfolgung persönlicher Interessen und Gelüste. Ihre Gegner sind gesellschaftliche Konventionen, überholte Moralvorstellungen und die Kirche.

An dem jungen John Stuart probiert James Mill seine Theorien aus. Der Sohn soll der ideale Bewohner der neuen Gesellschaft werden: hoch gebildet, aufgeklärt, von der Vernunft geleitet. Als Dreijähriger lernt Mill Griechisch, mit sieben liest er Platon und mit 13 Ricardos Prinzipien der politischen Ökonomie. Als er Anfang 20 ist, erleidet er den ersten von mehreren depressiven Zusammenbrüchen und erkennt: Der Vater und seine Freunde haben in ihren rationalen Theorien einen entscheidenden Punkt vergessen – das Glück des Einzelnen.

Fortan beschäftigt sich Mill damit, welche sozialen und ökonomischen Bedingungen eine Gesellschaft erfüllen muss, um es möglichst vielen ihrer Mitglieder zu ermöglichen, ihre Persönlichkeit frei von äußeren Zwängen zu entfalten. Berühmt geworden ist sein Freiheitsbegriff. Danach gibt es nur eine einzige Rechtfertigung für Staat und Gesellschaft, die Freiheit des Einzelnen einzuschränken: wenn damit Schaden von anderen abgewendet wird. Maßgeblich beeinflusst von seiner Freundin und späteren Ehefrau Harriet Taylor, lag Mill auch die Selbstbestimmung der Frau am Herzen: Die Freiheitsrechte sollten für alle gelten, unabhängig vom Geschlecht.

Auch Mills ökonomische Theorie ist von seinem Glauben an das Ideal der Selbstverwirklichung geprägt. Obgleich er wie sein Vater ein Anhänger der klassischen ökonomischen Theorie Ricardos war, störte er sich daran, wie ungleich Reichtum und Lebenschancen im kapitalistischen System seiner Zeit verteilt waren. Anders als einige seiner Zeitgenossen sah er diese Zustände nicht als naturgegeben. Die vorherrschenden Institutionen und Theorien, war Mill überzeugt, hatten die Menschen derart in ihrem Egoismus und Gewinnstreben bestärkt, dass sie vergessen hatten, sich höhere moralische Ziele zu suchen: »Sowohl die unkultivierte Herde, die heute die arbeitende Klasse stellt, als auch der Großteil ihrer Arbeitgeber« mussten Mills Einschätzung nach erst einmal ihren Charakter umkrempeln, bevor die Gesellschaftsordnung, die ihm vorschwebte, eine Chance hatte.

Die kapitalistische Produktionsweise, wie sie zu seiner Zeit üblich war, konnte nach Mills Ansicht zwar für eine begrenzte Zeit wachsenden Wohlstand bescheren, würde langfristig aber nicht nur Unglück, sondern auch Verarmung hervorbringen: Übermäßige Geburtenzahlen und ein ruinöser Wettbewerb der Arbeiter und Kapitalisten untereinander würden dafür sorgen, dass die Löhne der Arbeiter nur noch gerade eben zum Leben reichten und die Kapitalisten minimale Profite machten. Nur die Eigentümer bestimmter Rohstoffquellen könnten dank ihrer Monopolstellung noch nennenswerte Gewinne erwarten.

Zwar hatte Mill Hoffnung, dass etwa technische Fortschritte diesen Prozess verlangsamen könnten, doch tendenziell sah er jede entwickelte kapitalistische Gesellschaft in Gefahr, auf diese Art zu enden. Abschaffen wollte er den Kapitalismus jedoch nicht. Tiefgreifende gesellschaftliche Reformen und eine Abkehr vom reinen Eigennutz sollten das System retten. Mit den richtigen Prioritäten, fand Mill, könne das kapitalistische Wirtschaftssystem so gestaltet werden, dass alle davon profitierten.

Um das zu erreichen, forderte er vor allem, die Idee des Privateigentums endlich ernst zu nehmen. Darunter verstand Mill das Recht jedes Einzelnen auf die Früchte seiner Arbeit oder Sparsamkeit.

Aus dieser Definition leitete er eine Reihe politischer Empfehlungen ab. Nicht selbst erarbeiteter Wohlstand, wie etwa Erbschaften oder die Kontrolle über Rohstoffe, die jemand zufällig auf seinem Land fand, fiel zum Beispiel nicht unter dieses Recht – diese Erträge sollte der Staat stark besteuern und zum Wohle der Allgemeinheit einsetzen. Eine staatliche Geburtenkontrolle sollte ein Überangebot an Arbeitern verhindern, damit der Wohlstand für alle reichte. Außerdem war Mill der Ansicht, dass Profite gleichmäßiger unter Arbeitern und Kapitalisten aufgeteilt werden sollten, etwa durch die Beteiligung der Arbeiter am Unternehmen. An den Aktienoptionen der Google-Masseusen hätte er wohl seine helle Freude gehabt.

Doch mit Umverteilung allein war die Gesellschaft noch nicht zum Besseren zu verändern. Die Leute sollten den Wohlstand, den ihnen die Reformen bescheren würden, auch richtig einsetzen: im Sinne einer Bildung nach aufklärerischen Idealen. In dieser Hinsicht war Mill sehr elitär. Eigentlich überzeugter Demokrat, plädierte er dennoch dafür, Gebildeten und Vermögenden (von deren höherer Bildung er ausging) zusätzliche Stimmen bei Wahlen zu geben. Für Bürger, die sich dem Auftrag zur Bildung und Selbstverwirklichung entzogen und etwa ihre Kinder nicht zur Schule schickten, forderte er harte Strafen. Er arbeitete jahrzehntelang für die East India Company und verteidigte den britischen Kolonialismus zeitlebens als »zivilisierend«.

Mill schwebte eine Gesellschaft vor, in der »viel mehr Menschen als heute ausreichend Zeit und Mittel haben, um sich den schönen, wertvollen Dingen des Lebens zu widmen«. Dafür kämpfte er bis zuletzt. Noch in seinen letzten Lebensjahren zog er ins Parlament ein. Wenig später flog er wieder hinaus: Seine Ideen waren den viktorianischen Abgeordneten einfach zu radikal.

Lena Schipper

HARRIET TAYLOR MILL

Die Kämpferin für die Freiheit der Frauen

// Harriet Taylor Mill stritt für die Unabhängigkeit der Frau vom Mann. Der Schlüssel dazu: Bildung und Arbeit für alle. Ihren prominenten Mann John Stuart Mill überzeugte sie als Erstes.

Ihr Andenken verdankt sich vor allem den pathetischen Worten John Stuart Mills (1806 – 1873). Der englische Philosoph hat seiner langjährigen Gefährtin und späteren Gattin Harriet Taylor Mill (1807 – 1858) mehrfach in solchem Überschwang die Reverenz erwiesen, dass es fast betreten macht. Auf ihre Grabplatte aus weißem Marmor auf dem Cimetière Saint-Véran im südfranzösischen Avignon ließ Mill eine lange, schmerzgetränkte Widmung meißeln: »Ihr großes und liebendes Herz, ihre noble Seele, ihr klarer, kraftvoller, origineller und umfassender Intellekt machten sie zum Leitstern und zum Unterstützer, zum Lehrmeister in Weisheit und zum Vorbild an Güte. Ihr Einfluss ist in vielen der größten Fortschritte dieser Zeit spürbar und wird es auch in den kommenden sein. Gäbe es nur einige wenige Herzen und Köpfe wie sie, dann wäre die Erde schon der erhoffte Himmel.« In den Augen ihres Angetrauten war Harriet Mill eine so engelsgleiche wie erfolgreiche Weltverbesserin.

Aus ihrem Elternhaus – der Vater war Chirurg – hatte die politisch interessierte Harriet eine gute Allgemeinbildung mitgebracht; eine höhere Ausbildung stand Frauen damals nicht offen. Mit 18 Jahren heiratete sie den deutlich älteren Pharma-Grossisten John Taylor; die beiden bekamen drei Kinder. 1830 lernte sie dann Mill kennen, erkannte in ihm den besseren, kongenialen Partner und fand mit ihrem Gatten eine erstaunlich konziliante Lösung: Sie zog aus dem Haus ihrer Familie aus, traf sich täglich mit Mill, wahrte aber nach außen den Schein einer guten Ehe. Erst nach Taylors Tod und der gebotenen Trauerzeit heiratete sie Mill im Jahr 1851.

War diese Frau, die von Mill derart vergöttert wurde, dass der befreundete Philosoph Alexander Bain spottete, er sei ihr hörig, tatsächlich so bewunderungswürdig? Wie originell war ihr Denken? Die Antwort ist schwierig im Fall einer Intellektuellen des 19. Jahrhunderts, die ihren Geist dem Werk des Mannes angedeihen ließ. Es gibt kaum Schriften unter ihrem eigenen Namen. Sogar der ihr zugerechnete Essay »The Enfranchisement of Women« (in etwa: Die Befreiung der Frauen) erschien einst unter John Stuart Mills Namen. In seinen »Principles of Political Economy« ist wohl das Kapitel über die Zukunft der Arbeiterklasse vollständig von Harriet verfasst. Und die von Friedrich August von Hayek herausgegebene Korrespondenz der beiden zeigt, dass Harriet ihrem Partner über fast 30 Jahre Anregungen gegeben und alle seine Texte kritisch überarbeitet hat. Dazu passt, dass Mill im Vorwort zu »On Liberty« (Die Freiheit) ihre Mitwirkung offen anerkannt hat: »Wie alles, was ich über viele Jahre geschrieben habe, so gehört auch dies ihr und mir zugleich.«

Umso mehr beißen sich die Ideengeschichtler an Harriet Mill die Zähne aus. Was genau war ihr Beitrag? Wo spricht er, wo sie? An steilen Thesen dazu, in denen Lebensumstände und Theorie bunt vermengt werden, mangelt es nicht: Dass sich Mill in den »Principles« mit Verteilungsfragen befasst und mit dem Sozialismus flirtet – das muss doch auf den illiberalen Einfluss dieser Revoluzzerin zurückgehen. Dass er in »On Liberty« staatlichen Zwang auf dieselbe Stufe stellt wie sozialen Druck – das muss wohl mit der harten Missbilligung zu tun haben, die seine Liaison im viktorianischen England hervorrief. Oder? Wie auch immer, Zurechnung und Beurteilung bleiben schwierig.

Nachweislich trieben Harriet Mill vor allem drei Themen um, die sie sehr wohl als liberale Anliegen begriff: die Emanzipation der Frau, die Eindämmung der Überbevölkerung und der Aufstieg der Arbeiterklasse. Zur Lösung aller drei Probleme setzte sie auf Bildung: Wer mehr weiß, ist produktiver, findet leichter Arbeit, plant seine Familie verantwortlicher, ist ein freierer Mensch. Sicherlich durch die eigene Lage befördert, war dieser frühen Frauenrechtlerin auch die gesetzlich zementierte wirtschaftliche Abhängigkeit der Frauen von ihren Ehemännern ein Dorn im Auge. Sie verlangte freien Zugang zu Bildung und zum Arbeitsmarkt, gleiche Löhne und Eigentumsrechte.

Die Männer brauchten sich nicht zu fürchten, denn von dem intensivierten Wettbewerb auf dem Arbeitsmarkt werde die gesamte Gesellschaft profitieren, tröstete sie ökonomisch hellsichtig: »Die Welt wird so in den Genuss der besten Fähigkeiten aller ihrer Einwohner kommen.« Im Übrigen sei es schlicht »Tyrannei, die Hälfte der Wettbewerber auszuschließen«. Den Einwand, die Sorge für Haushalt und Nachwuchs sei mit einer Berufstätigkeit von Frauen unvereinbar, konterte sie lakonisch, dann werde sich das Thema auch ohne restriktive Ehegesetze von selbst erledigen.

Die diskriminierenden Gesetze, gegen die Harriet Mill mit ihren bescheidenen Mitteln kämpfte, gibt es heute in der zivilisierten Welt so nicht mehr. Übriggeblieben sind naturgegebene Sachzwänge, vor denen sie selbst die Augen nicht verschloss; hinzugekommen sind politisch verursachte Fehlanreize. Dass der Staat zudem heute mit Instrumenten wie einer Frauenquote abermals zu diskriminierender Regulierung greift, ist eine Pervertierung der Ideen der liberalen Weltverbesserin Harriet Mill.

Karen Horn

KASPAR KLOCK

Der Vater der guten Staatsfinanzen

// Kaspar Klock hat in lateinischer Sprache die deutsche Steuerlehre begründet. Er plädierte für gerechte Steuern – und deren sparsame Verwendung.

Er wird oft als wichtigster Begründer der deutschen Steuerlehre benannt. Sie legte die Grundlage für die Finanzwissenschaft des Adam Smith. Kaspar Klock, 1583 in Soest geboren und 1653 in Braunschweig gestorben, war ein im praktischen Leben sehr erfolgreicher Jurist und als Berater vom Kaiser in den Grafenstand erhoben. Er war nacheinander Kanzler dreier Fürstentümer und schließlich der vielgelesene Autor immer umfänglicherer lateinischer Werke über öffentliche Finanzen.

Sie begannen mit einer knappen Dissertation, verteidigt in

Basel 1608, und endeten mit dem riesenhaften De Aerario, einem »Tractatus juridico-politico-polemico-historicus«. Diesen verfasste er unter unendlichen Mühen, umgeben von den Schrecken des Dreißigjährigen Krieges, deren Beschreibungen immer wieder einfließen. Er trägt eine erschlagende Fülle an Material zusammen.

Wie alle namhaften Kameralisten suchte er nach einer gerechten, auf Leistung beruhenden, ohne großen Verwaltungsaufwand zu überwachenden Form der Besteuerung. Er musste, da es dafür scharfe Begriffe noch nicht gab, das Ziel mit Hilfsvorstellungen beschreiben wie der geometrischen Proportion (Beispiel: Wie die Leistung, so die Besteuerung) oder der Sorge der Mutter für ihre Kinder (Beispiel: Dem Größeren gebührt mehr Nahrung, aber er soll auch mehr arbeiten).

So näherte er sich progressiver Besteuerung und Leistungsgerechtigkeit und warnte vor indirekten Steuern, also vor Steuern, die von jemand anderem bezahlt werden als von dem, der sie wirtschaftlich trägt: ein Beispiel sind Umsatzsteuern. Solche indirekten Steuern belasteten vor allem die Armen und gefährdeten das Existenzminimum, befand Klock. Und zeigte, dass die Besteuerung dem Entwicklungsstand angepasst werden muss; in den reichen Niederlanden waren indirekte Steuern eher akzeptabel, weil die Löhne unter geregelten Verhältnissen das Existenzminimum garantierten, die indirekte Steuer also letztlich auf die Arbeitgeber fiel, was im Elend des kriegszerstörten Deutschlands nicht der Fall war: Da hatte eine Überlast der Steuern Hunger zur Folge.

Aber es ging ebenso um die sinnvolle Verwendung der Finanzen, nicht für fürstliche Verschwendung, sondern zur Förderung des Gemeinwohls.

Klock setzte seinem Werk die Krone auf, indem er der systematischen Erörterung wirtschaftlicher Produktion und der Steuerquellen im zweiten Buch ein erstes über alle Länder der Welt mit ihren Steuersystemen gegenüberstellte, um zu zeigen, dass sich im

Wesen der staatlichen Finanzen Geschichte und Kultur ausdrückten. Oder, wie er schrieb, die Volksnatur, die Lebensbedingungen des Volkes, die klimatischen und geographischen Gegebenheiten, die Sitten.

Die Beschreibung »aller« Länder der Welt war wörtlich gemeint. Er begann beim vorbildlichen Rom unter Augustus, verglich als in Marburg erzogener Protestant das Rom des Papstes mit schlechtestem Essig, aus bestem Wein gemacht, und wandte sich dem Reich zu, dessen Elend er auf den Verlust der italienischen Provinzen unter Karl IV. letztlich zurückführte. Nun musste er sich doch mit dessen katholischen Institutionen zurechtfinden und fragen, wie es der von Frankreich vorgelebten nationalen Einigkeit und Macht näher kommen könne. Er beschrieb das damals sehr protektionistische England, die verhältnismäßig demokratischen Verhältnisse in der schwedischen Monarchie, die gefährliche Machtlosigkeit der polnischen Adelsrepublik, die Sklaverei der Türken und den rücksichtslosen und egoistischen Staatshandel des »Magnus Dux« von Moskau.

An jedem Land wurde ein anderes historisches Prinzip anschaulich erklärt. China galt ihm als das politischste Reich der Erde, wo die Steuern zum Zentrum flossen, aber vom Kaiser auch wieder ausgegeben werden mussten: So erklärte er den Kreislauf. Seine Beschreibungen reichten auch nach Afrika. Das Reich der Äthiopier war altehrwürdig, aber unterentwickelt. Sie hatten Hanf, aber machten kein Tuch daraus, bei ihnen wuchs Zuckerrohr, aber sie wussten nicht, es zu Zucker weiterzuverarbeiten. Ein ganzes Kapitel gilt einem weithin vergessenen Königreich Kongo.

So war Klock nicht nur der Pionier der Finanzwissenschaft, als der er in Lehrbüchern genannt wird, sondern, mit seinem barocken Überschwang, seinen üppigen Zitaten aus den Gedichten der Alten und eigenen Versen, auch ein Vollender des Programms der Historischen Schule, bevor diese entstand. Denn es gelang ihm, den Zusammenhang von wirtschaftlichem Denken und allgemeiner

Kultur für die entstehende Welt des modernen Kapitalismus anschaulich zu beschreiben. Er umriss sein Vorgehen mit knappen Begriffen programmatisch, die denen der Wirtschaftsstilanalyse von Sombart, Weber, Spiethoff, Müller-Armack und Salin gleichen.

Man staunt, ja, man erschrickt, wie sehr seine Charakterisierungen von Ländern, wirtschaftlichem und politischem Verhalten heute noch zutreffen, und man ahnt, dass keine Verfassung Europas die Integration vollenden kann, die diese Tradition nicht kennt und ihre Vielfalt nicht angemessen berücksichtigt.

Bertram Schefold

THOMAS MALTHUS

Der traurige Pastor

// Thomas Malthus war der Erste, der vor Überbevölkerung gewarnt hat. Seine Denkschule wirkt bis heute. Leider – denn auch staatliche Geburtenkontrollen wie in China werden auf seine Gedankenwelt zurückgeführt.

Der britische Nationalökonom, Mathematiker und Pastor Thomas Robert Malthus schrieb seine berühmteste Abhandlung über das Prinzip des Bevölkerungswachstums im Jahr 1798. Er glaubte herausgefunden zu haben, dass die Menschheit sich zwangsläufig ins Elend fortpflanze. Dieses Denken lebt fort, die sogenannte Überbevölkerung gilt vielen auch heute noch als großes Menschheitsproblem.

Malthus argumentierte, dass nach seiner Beobachtung die Produktion an Lebensmitteln nie mit dem Bevölkerungswachstum mithalten könne. Die Menschheit enteile quasi ihrer eigenen Lebensgrundlagen. Die Bevölkerung wächst Malthus zufolge in einer ersten Phase wie eine geometrische Reihe: 1, 2, 4, 8, 16 und so weiter. Die Lebensmittelproduktion folge in ihrem Wachstum dagegen einer arithmetischen Reihe: 1, 2, 3, 4 und so fort.

Diese Entwicklungshypothesen folgten allerdings weniger aus empirischer Beobachtung, sie dienten dem Mathematiker vielmehr der Illustration eines Missverhältnisses zwischen Anzahl der Menschen und der bereitstehenden Nahrung. Dieses führt geradezu zwangsläufig zu Hungerkatastrophen, Slumbildung, sozialen Unruhen, Seuchen und Kriegen um Nahrung. Damit dezimierte sich die Bevölkerung von selbst, um dann wieder in den Teufelskreis einzutreten.

Nicht ganz klar wird aus seinen Schriften, ob er Möglichkeiten sah, diesen Teufelskreis zu durchbrechen, oder ob er eher eine Naturgesetzlichkeit unterstellte, die man nicht ändern, sondern höchstens abmildern könnte. Zumindest schlug Malthus eine Senkung der Geburtenrate durch sexuelle Enthaltsamkeit und späte Heirat vor. Konsistenz in Wort und Tat kann man dem Mann zumindest nicht absprechen. Er heiratete erst, nachdem er ein festes Gehalt von der englischen Kirche erhalten hatte und 1804 auf den vom globalen Handelskonzern Ostindien-Kompanie gesponserten Lehrstuhl für Politische Ökonomie berufen worden war.

Da war er immerhin schon 38 Jahre alt. Er hatte drei Kinder. Sein Vater dagegen hatte mit 22 Jahren geheiratet und sieben Kinder in die Welt gesetzt. Das dürfte ihn nicht unbeeindruckt gelassen haben. Ohnehin formulierte er seine Ideen in einer Phase rasenden Bevölkerungswachstums, das ihm offenbar gehörig Angst machte. Wenn sich die Unterschicht weiterhin so schnell vermehrt, so fragte er, was wird dann aus dem hohen englischen Wohlstand?

Der 1798 erstmals veröffentlichte Essay war schnell vergriffen, und Malthus erntete schnell Ruhm und Kritik. Der inhumane Grundgedanke des Werkes, dass der Mensch selbst das Problem der Menschheit sei, begann schnell zu wirken. Autoren, welche Malthus' Ideen übernahmen, empfahlen bald systematische Abtreibungen, vor allem in der Unterschicht. Staatliche Geburtenkontrollen wie heute in China werden auf die Gedankenwelt Malthus' zurückgeführt. Seine Vision war »einfach, düster und verheerend«, schreibt der britische Autor Fred Pearce, und sie hatte katastrophale Auswirkungen auf die Armen weltweit.

Pearce zufolge lehrte Malthus »die künftigen Verwalter des British Empire die Schrecken der Überbevölkerung und die Sinnlosigkeit der Mildtätigkeit«. Mit praktischer Wirkung, wie Pearce insinuiert: Zwischen 1845 und 1852 ereignete sich die in die Geschichte eingegangene Große Hungersnot in Irland, in deren Folge 1 Million Iren starben und 2 Millionen zur Auswanderung bewogen wurden. Historiker geben heute Großbritanniens zögerlicher Hilfe eine große Schuld an der Katastrophe. Der Gedanke liegt nahe, dass sich die britische Regierung durch Malthus' Schriften legitimiert sah.

Vielleicht tut man dem braven Mann aber Unrecht. Es gibt Zitate, die zeigen, dass er einen schärferen Blick für die Nöte der Armen hatte als viele seiner Zeitgenossen. So forderte er dazu auf, die Armen zu bilden. Das war faszinierend modern. Malthus blieb in der Grundausrichtung gleichwohl ein ziemlicher Pessimist, der vor allem den Menschen selbst und seinen Erfindergeist unterschätzte. Die Geschwindigkeit des technischen Fortschritts, die vor allem in der Landwirtschaft die Produktivität erheblich erhöhte und damit die Ernten vergrößerte, nahm der Mann nicht in den Blick.

Genauso wenig sah er, dass gerade die industrielle Revolution die Menschen zu mehr Wohlstand brachte, der wiederum das Bevölkerungswachstum vor allem in Industrieländern abschwächte.

Seit Malthus seinen Essay veröffentlichte, hat sich die Lebenserwartung der Menschen verdoppelt und die Weltbevölkerung versiebenfacht. 6 Milliarden Menschen davon leiden keinen Hunger. Ein solches Wunder hätte Malthus nie geglaubt.

Die Ansichten von Malthus verleiteten Thomas Carlyle, einen Historiker und Philosophen des 19. Jahrhunderts, dazu, die Wirtschaftswissenschaften als eine »trostlose Wissenschaft« zu bezeichnen. Zum Glück erwiesen sich die Vorhersagen von Malthus als vollkommen falsch. Die Nahrungsmittelproduktion überholte das Bevölkerungswachstum um ein Vielfaches, und der Hungertod ist heutzutage, zum Glück, eher die Ausnahme als die Regel. Dort, wo es Hungersnöte gibt, beruhen sie vornehmlich auf sozialer Ungerechtigkeit und nicht auf dem Unvermögen, ausreichend Nahrungsmittel zu produzieren.

Winand von Petersdorff

WILHELM RÖPKE

Der Markt braucht Moral

// Wilhelm Röpke ist ein Wegbereiter der Sozialen Marktwirtschaft in Deutschland. Sein Credo: Ohne Moral verrottet der Markt.

»Wer die Lebensgeschichte wie auch den beruflichen Werdegang Wilhelm Röpkes kennt, kann sich nur in Ehrfurcht und Bewunderung vor ihm neigen.« Kein Geringerer als Ludwig Erhard sprach diese Worte auf der akademischen Gedenkfeier für Röpke in Marburg im Jahr 1967. In der Tat wurde Röpke schon zu Lebzeiten verehrt: Er war ein Shootingstar der deutschen Nationalökonomie in den zwanziger und frühen dreißiger Jahren; ein unbeirrbarer Liberaler, der sich früh gegen die Nationalsozialisten stellte; ein vehementer Gegner jeglicher Form des Kollektivismus. Schließlich ein Konservativer, dessen Kulturpessimismus heute befremdlich wirkt.

Im Jahr 1899 in Schwarmstedt bei Hannover geboren, schloss er 1921 mit nur 22 Jahren sein Studium in Marburg mit der Promotion ab. Schon ein Jahr später habilitierte er sich dort mit einer konjunkturtheoretischen Arbeit, nahm aber seine Tätigkeit als Privatdozent erst auf, nachdem er im Auswärtigen Amt als Spezialist für Reparaturfragen gewirkt hatte. Von 1924 bis 1928 war er außerordentlicher Professor an der Universität Jena und kehrte 1929 nach einem Jahr in Graz als ordentlicher Professor für Politische Ökonomie an die Universität Marburg zurück. Mit Marburg verband ihn nicht nur Berufliches; er lernte dort auch seine Frau Eva kennen.

Röpke war ein streitbarer Liberaler. Wenige Tage vor den Wahlen vom 14. September 1930 wetterte er gegen die Nationalsozialisten. Die Bürger sollten so wählen, dass sie sich nicht mitschuldig fühlen müssten an dem Unheil, das durch diese über Deutschland hereinbreche. Als er sich in seiner Gedenkrede für den Liberalen Ernst Troeltsch im Februar 1933 ähnlich kritisch äußerte, blieb ihm keine andere Wahl: Er musste Marburg verlassen und nach Istanbul emigrieren. Im Jahr 1937 nahm er einen Ruf an das Institut Universitaire de Hautes Etudes Internationales in Genf an, wo er bis zu seinem Tod am 12. Februar 1966 blieb.

Seine Marburger Zeit war vor allem von der Forschung geprägt. Er verfasste von 1922 bis 1933 sieben Bücher, vor allem zu außenwirtschaftlichen Themen, zudem zur Finanzwissenschaft und zur Wirtschaftspolitik allgemein. Insbesondere trieb ihn die Konjunktur um. Hauptursache für Konjunkturschwankungen waren gemäß Röpke übermäßige Kreditbewegungen. Eine monetär getriebene Kreditexpansion führt demnach zu einem Boom mit inflationären Tendenzen, in welchem der Weg in die Krise schon vorgezeichnet ist. Man fühlt sich bei diesen Ausführungen an Vermögenspreisblasen auf den Immobilien- und Finanzmärkten als Ursache der Finanzkrise erinnert. Sehr klar erkannte Röpke die Gefahr deflationärer Risiken in solchen Krisen. Wenn die Unternehmen nicht investieren oder die Banken sich durch Bilanzkürzung sanieren wollen, verharrt die Wirtschaft in der Depression. Ein »lähmender Pessimismus« mache sich dann breit. Röpke nahm damit vier Jahre vor Keynes das Konzept der Liquiditätsfalle vorweg.

Röpke befürwortet in einer solchen Situation eine Kreditausweitung, obwohl zusätzliche Kredite wirkungslos sein können, wenn die Banken die zusätzliche Liquidität horten. Durch öffentliche Investitionsprogramme sollte daher dafür gesorgt werden, dass der zusätzliche Kredit in zusätzliche Produktion fließt. Durch eine solche Initialzündung könne der Pessimismus der Investoren überwunden werden. Eine antizyklische Finanzpolitik bewirke eine Konjunkturglättung aufgrund der erforderlichen Kreditbewegungen. Im Unterschied zur keynesianischen Theorie, welche die gesamtwirtschaftliche Nachfrage in den Mittelpunkt rückt, sah Röpke die Funktionsweise des Bankensystems als wesentlich für Konjunkturschwankungen an. Dies korrespondiert mit seiner Ablehnung einer Vollbeschäftigungspolitik à la Keynes, die lediglich in Inflation und Staatsverschuldung münden müsse.

In den Jahren 1942 bis 1945 entwarf Röpke in seiner Trilogie »Die Gesellschaftskrisis der Gegenwart«, »Civitas Humana« und »Die Internationale Ordnung« eine (Welt-)Wirtschaftsordnung, welche die Fehler des Liberalismus vermeidet und nicht in Kollektivismus mündet. Dieses Werk ließ ihn, den Wahl-Genfer, zu einem der einflussreichsten Ordnungsökonomen der jungen Bundesrepublik werden. Obwohl er in intensivem Briefkontakt mit Erhard stand, bezeichnete dieser später jedoch das Bild als falsch, Röpke und er hätten die Währungs- und Wirtschaftsreform in Deutschland wie ein Verschwörerpaar ausgeheckt.

Mit seiner scharfen Kritik am Gemeinsamen Markt der Europäischen Wirtschaftsgemeinschaft (EWG) ging er Erhard eher zu weit. Röpke verteidigte sich damit, er könne nicht in die Rolle des Chors der antiken Tragödie verfallen, wenn die »Ökonomokraten« Europa nach ihren kollektivistischen Idealen zu formen drohten. Ihm schwebte ein Europa der Subsidiarität vor, das erst langsam von unten nach oben zusammenwachsen sollte.

In »Jenseits von Angebot und Nachfrage« (1958) wurden die konservativen Grundlinien seines Denkens deutlich. Die Gesellschaft als Ganzes könne nicht auf dem Gesetz von Angebot und Nachfrage aufgebaut werden, die Marktwirtschaft sei nicht alles. Sie müsse in eine Ordnung eingebettet sein, in der die Menschen durch moralische Bande verbunden seien. Die Fundamente der Anständigkeit würden nicht im Markt gelegt.

Röpke kritisierte den Materialismus der Gesellschaft scharf und befürchtete eine Zersetzung der abendländischen Kultur. Ihm schwebte eine gesellschaftliche Organisation in kleinen dezentralisierten Lebensformen auf Basis christlicher Werte vor. Durch sie würde eine höhere, quasi naturrechtlich vorgegebene Ordnung als Rahmen für die Marktwirtschaft geschaffen. Obwohl Röpke aus heutiger Sicht als Pionier der kulturellen Ökonomik verstanden werden kann, ist seine Marktkritik letztlich antiliberal, tief im Konservatismus verwurzelt und in der Forderung nach einer »Nobilitas naturalis« demokratieskeptisch.

Lars Feld

HYMAN MINSKY

Der Krisenprophet

// Hyman Minsky musste jahrelang mit seiner Finanzkrisentheorie hausieren gehen. Dann zeigte sich, dass er recht hatte – zwölf Jahre nach seinem Tod.

Ich erlebte Minsky, wie man sich den alttestamentarischen Propheten vorstellt: eine mächtige Gestalt, eine Löwenmähne von weißem Haar, eine Unglück verheißende Rede, verbunden mit dem Versprechen möglichen Heils. Die Frankfurter Kollegen, zu denen ich ihn eingeladen hatte, blieben skeptisch. Eine Finanzkrise mochte vor 30 Jahren keiner erwarten.

Wenig später war ich Heuss-Professor in New York und traf Minsky in der Stadt, die er »Capital of the World« nannte, weil der Macht, die von diesem Finanzzentrum ausging, nichts gleichkam. Der Mehrheit der Ökonomen, die den Wirtschaftsgang von Gesetzen der Realwirtschaft bestimmt sahen, gestand er zu, dass es die Unternehmer sind, welche die Entstehung des gesellschaftlichen Mehrprodukts durchsetzen. Aber die Höhe des realisierten Gewinns hing von der Nachfrage ab und diese von den mit den Finanzierungsmöglichkeiten beschwingten oder gedämpften »Lebensgeistern« der vom Finanzsektor abhängigen Investoren.

Minsky traf die berühmt gewordene Unterscheidung von Hedge Finance, spekulativer Finanzierung und Ponzi-Spielen. Bei der ersten, soliden Art der Finanzierung reichen die erwarteten Erlöse aus einer kreditfinanzierten Investition, den Kredit über seine Laufzeit hinweg vollständig zu amortisieren. Von spekulativer Finanzierung sprach er, wenn die Erlöse die Zinskosten deckten, von Ponzi-Spielen, wenn auch darauf nicht gehofft wurde, so dass zunehmend neue Kredite aufgenommen werden mussten, um alte abzulösen.

Es war seine Kernthese, dass sich in der modernen Wirtschaft die sich in den Finanzen spiegelnde Struktur der Verschuldung im Aufschwung von sicherer Finanzierung über spekulative bis hin zu Ponzi-Spielen verschiebt und dadurch spontane Finanzkrisen ausgelöst werden, selbst wenn sich die reale Wirtschaft gleichmäßig entwickelt.

Die Mehrheit der Konjunkturtheoretiker war seit dem frühen 19. Jahrhundert mit der Analyse der in Wirtschaftskrisen auftretenden Überspannung der Geld- und Kapitalmärkte beschäftigt. Sie hielten, was man früher die »Kreditpanik« nannte, nur für die Verschärfung eines durch reale Faktoren wie eine Überproduktion ausgelösten Einbruchs eines regelmäßigen Laufs der Wirtschaft. Minsky wird heute mit den großen Klassikern der Nationalökonomie in einem Atemzug genannt, weil er die These von der Autonomie der Finanzkrise sorgfältig und überzeugend begründete.

Er hatte, 1919 in eine nach Amerika eingewanderte Arbeiterfamilie geboren, als Kind die Weltwirtschaftskrise erlebt und erreichte es doch, in Harvard bei Schumpeter studieren zu können. Dieser habe ihm gegenüber, als er die ostjüdische Abkunft erriet, geprahlt: »Two things I liked to ride in my time, Arabian horses and Jewish women.« Der junge Minsky musste es schlucken. Sein Bild der Wirtschaft wurde von Schumpeters Vision des von unternehmerischer Initiative vorangetriebenen Kapitalismus geprägt, aber die schärferen theoretischen Argumente lieh er sich von Keynes. Den Keynesianismus der Nachkriegszeit hielt er nur für begrenzt tauglich.

Er erkannte an, dass mit dem Wachsen der Infrastruktur, mit den wohlfahrtsstaatlichen Transfers und, vor allem im Falle Amerikas, der Aufrüstung, die Wirtschaft stabilisiert wurde und dass die Größe der Regierungsapparate in den westlichen Ländern ausreichte, um im Falle von Rezessionen eine tiefgehende wirtschaftliche Depression zu verhindern. Diese automatischen Stabilisatoren haben auch in der jüngsten Wirtschaftskrise verhindert, dass sich die Katastrophe der großen Depression wiederholt, obwohl der Finanzsektor relativ zum Rest der Wirtschaft gewaltig gewachsen und durch die Bankenkrise schwer erschüttert worden ist. Diese Transformation des Systems hat Minsky sorgfältig beobachtet und beschrieben, obwohl die beiden gefährlichsten Finanzkrisen 1996, als er starb, noch in der Zukunft lagen – die Dotcom- und die Subprime-Krise.

Zu den Gründen für die zunehmenden Risiken gehörte das Wachstum der Geldsubstitute, das sich einer Kontrolle durch die Zentralbank weitgehend entzieht. Wiederum erinnere ich mich, wie er bei einer Sommerschule in Triest den damals neu erscheinenden Mechanismus der Verbriefung erklärte und sofort die Bedeutung begriff, indem er vorhersah, dass etwa die Verbriefungen amerikanischer Hypotheken in Europa verkauft werden könnten und so effektiv die internationale Liquidität erhöhten.

Wir, seine Kollegen im Publikum, wandten ein, dass gerade nach seiner Theorie damit neue Risiken im System entstünden, doch er überraschte uns, indem er mit leuchtenden Augen die Verbriefung als Fortschritt verteidigte. Er war kein Gegner des Kapitalismus und seiner Innovationen, sondern ein Bewunderer; er wollte nur die Risiken der Entwicklung mindern und trat dabei für eine schärfere Regulierung des Finanzsektors, für genäherte Vollbeschäftigung und mehr Chancengleichheit ein.

Die Maßnahmen, die er in seinem Hauptwerk (»Stabilising an Unstable Economy«, 1986) vorschlug, sind teils eigentümlich konservativ. Wie andere Postkeynesianer unterschied er zwischen dem Preisniveau produzierter Güter, bestimmt durch die Herstellungskosten, und den Preisen von Vermögensobjekten, die von diskontierten künftigen Erträgen und damit vom Zinssatz abhängen. Er sah, dass die Geldschöpfung bei niedrigen Zinsen zu Blasen bei Immobilien und an der Börse führen konnte, und trotz der offenkundigen Schwierigkeit, dafür Maßstäbe zu gewinnen, hielt er Maßnahmen der Zentralbank gegen die Blasenbildung für unabdingbar.

In der Fiskalpolitik sollten langfristig die Überschüsse Defizite ausgleichen, die nur vorübergehend nötig waren, um in Krisen die Gewinne so weit zu halten, dass die Schuldendeflation vermieden wurde. Er bevorzugte eine aktive Beschäftigungspolitik gegenüber unproduktiven staatlichen Transfers. Er wünschte die Förderung kleiner und mittlerer Unternehmen und kleiner regionaler Banken. Seine wirtschaftspolitischen Vorstellungen kamen in einzelnen Punkten denen des Ordoliberalismus nahe, obwohl seine theoretischen Ideen mit seiner keynesianischen Betonung der Unsicherheit der Zukunft und der makroökonomische Ungleichgewichte hervorrufenden Tendenzen im Finanzsektor sich von denen der Neoklassik grundsätzlich unterschieden. Hier eine Synthese zu finden könnte man als die aus der jüngsten Wirtschaftskrise hervorgegangene große wissenschaftliche Aufgabe für die gegenwärtige Generation bezeichnen.

Bertram Schefold

ELINOR OSTROM

Vom Segen des Teilens

// Im Meer fischen viele Fischer. Wie verhindert man, dass sie es leer-
fischen? Elinor Ostrom – die erste Frau, die den Nobelpreis für
Wirtschaft erhielt – hat das erforscht.

»Der Fisch gehört nicht den Fischern«, sagt Maria Damanaki,
die EU-Fischereikommissarin, und hat aus dieser Einsicht Konsequenzen gezogen: Zukünftig werden die Fangquoten für die europäischen Fischer weniger von der Politik, sondern von Meeresbio-
logen festgelegt, um eine Überfischung zu verhindern. Was das
Vorhaben der EU, die Überfischung der Meere zu verhindern, so
schwierig macht, ist der Umstand, dass die Kontrolle dieser Fischereigründe ebenso wie der Ausschluss einzelner Fischer nahezu unmöglich sind. Doch jeder zusätzliche Fischer schmälert den Fang
der anderen Fischer und trägt zur Überfischung bei.

Dieses Problem hat einen Namen: Fischereigründe sind – ähnlich wie Weiden oder Waldstücke – oft eine besondere Spielart
von Gütern, sogenannte Allmende-Güter, die sich durch zwei
Eigenschaften auszeichnen: Erstens kann man niemanden von
deren Nutzung ausschließen, und zweitens beeinträchtigt die
Nutzung dieser Allmende durch einen Nutzer den Nutzen aller
anderen. Jeder Fang, den ein Fischer macht, ist ein Fang, den sein
Konkurrent nicht mehr machen kann.

Für Ökonomen enden solche Güter in einer Tragödie: Wenn
man weiß, dass man umso weniger Fische fängt, je mehr Fische der
Nachbar fängt, wird man versuchen, möglichst viele Fische zu fan-
gen, bevor es die anderen tun. Leider denken die anderen genauso,
die Folge: überfischte Gewässer und abgegraste Weiden.

Fast 50 Prozent der Arten im Atlantik seien überfischt, sagt

Frau Damanaki – ein typisches Allmende-Problem. Wenn alle Fischer sich darauf verständigen könnten, weniger zu fischen, würde es allen besser gehen. Dieses Dilemma wird als »Die Tragödie der Allmende« bezeichnet, und Ökonomen sehen nur zwei Lösungen: Verstaatlichung oder Privatisierung. Wenn der Staat den Fischern Fangquoten vorschreibt oder der Fischgrund jemandem gehört, kann man in beiden Fällen die Überfischung des Fanggrundes verhindern – durch Gesetze und Verbote.

In der klassischen Ökonomie war damit der Fall klar. Doch Elinor Ostrom, die erste weibliche Trägerin des Nobel-Gedächtnispreises für Wirtschaftswissenschaften, untersuchte reale Allmende-Tragödien: in den Hochgebirgsweiden und -wäldern im Alpenraum, in türkischen Fischgründen, bei Bewässerungsprojekten auf Sri Lanka oder in Grundwasserbecken in Kalifornien – und fand heraus, dass die betroffenen Bauern, Anwohner oder Fischer das Allmende-Problem häufig lösten, ohne Staat oder Privatbesitz. Die jeweiligen Nutzer der Allmende setzten sich zusammen und fanden Wege und Regelungen, miteinander zu kooperieren. So konnten sie die Tragödie verhindern. Ostroms Forschungsprogramm zeigt auf, wann und unter welchen Umständen dieser dritte Weg beschritten werden kann.

Einige der Voraussetzungen für eine solche lokale Kooperation sind wenig überraschend: Es braucht klare Regeln, wer welche Rechte hat, ebenso wie klare Konfliktlösungsmechanismen, ein angemessenes Verhältnis von Rechten und Pflichten sowie eine Überwachung durch die Betroffenen oder durch Personen, die den Betroffenen Rechenschaft schuldig sind.

Weiterhin zeigt sich, dass Sanktionen am wirkungsvollsten sind, wenn man sie abstuft – beim ersten Verstoß gibt es eine milde Strafe, weitere Verstöße werden zunehmend härter geahndet. Neu war die Erkenntnis Ostroms, dass der Staat sich am besten heraushält. Versucht er, die oft in Jahren organisch gewachsenen Strukturen durch Gesetzgebung zu beeinflussen, kann der Schuss rasch nach hinten losgehen. Weiter zeigte Ostrom, dass eine solche Selbstorganisation sich schrittweise von unten nach oben ausweiten kann. Hat sich eine kleine Gruppe organisiert, so kann diese sich mit anderen Gruppen auf einer nächsthöheren Ebene der Kooperation zusammenschließen.

Dieser letzte Punkt ist wichtig, wenn man von der Tragödie der Allmende lernen will: Ist eine Selbstorganisation sozialer Systeme auch auf höherer Ebene, mit sehr vielen Betroffenen, möglich? Beispielsweise bei den Fischgründen der Europäischen Union?

Ostroms Feldstudien zeigten, dass die Regeln der Kooperation auch in Fällen funktionierten, in denen Tausende von Menschen involviert waren. Produkte wie Open-Source-Software oder Wikipedia belegen diese Idee – vorausgesetzt, man beachtet die Prinzipien der erfolgreichen Kooperation, die Ostrom aufgedeckt hat.

Allerdings ist fraglich, ob eine solche Kooperation auch bei globalen Allmende-Gütern wie Ozeanen oder der Ozonschicht möglich ist. Doch selbst in diesen Fällen helfen Ostroms Forschungen weiter, sie zeigen, inwieweit diese Prinzipien auch bei privater Nutzung oder staatlichem Eigentum hilfreich sein können. So würde sie vermutlich der Europäischen Union empfehlen, statt auf Fangquoten auf kalendarische Beschränkungen – also eine Fangsaison – zu setzen, diese Regeln haben sich als effektiver erwiesen.

»Es sind die gewöhnlichen Menschen und Bürger, welche die Institutionen des täglichen Lebens gestalten und aufrechterhalten«, schreibt Ostrom. Auch das mag eine Lehre für den Staat sein: Bisweilen kann der Bürger auch ohne ihn.

Hanno Beck

PLATON

Griechenlands bester Ökonom

// Schon der große Philosoph warnte vor Gier und Korruption. Nur der Kluge wird bescheiden glücklich.

Als Theoretiker für einen so alltäglichen Gegenstand wie die Wirtschaft können wir uns den griechischen Philosophen Platon, diesen »Idealisten« und Spross der Athener Hocharistokratie, kaum vorstellen. Tatsächlich fehlt in dessen geradezu enzyklopädischer Philosophie die Wirtschaft aber nicht. Sogar die Ideenlehre spielt dafür eine indirekte Rolle: Um die mathematischen Modelle, mit denen die moderne Wirtschaftstheorie arbeitet, braucht es nach Platon etwas so Außergewöhnliches wie eine Idee, nämlich etwas, das nicht mittels Wahrnehmung erkannt, sondern lediglich gedacht wird.

Den näheren Beitrag zur Wirtschaftstheorie finden wir in Platons Hauptwerk, der »Politeia« (deutsch: »Der Staat«). Dieser Dialog, ein kommunikativer Denkprozess, entfaltet in vier Stufen die Genese eines Gemeinwesens, in Griechenland Polis genannt. Die ersten drei Stufen enthalten die Bausteine einer sowohl grundlegenden als auch umfassenden, überdies wahrhaft politischen Ökonomie.

Die erste Polis-Stufe gründet auf der deskriptiven Seite in einer ökonomischen Anthropologie, die aus drei Faktoren besteht: Der Mensch ist deshalb ein Wirtschaftssubjekt, weil er erstens lebensnotwendige Bedürfnisse hat: die nach Nahrung, Kleidung und Wohnen. Für deren Befriedigung muss er zweitens, um die erforderlichen Güter zu produzieren, arbeiten, wofür er drittens unterschiedliche Begabungen mitbringt. Hinzu kommt, so die normative Seite, dass die Güterproduktion durch Arbeitsteilung und

Spezialisierung sowohl erleichtert als auch in ihrer Produktivität gesteigert wird. Das Ergebnis besteht in einer für jeden vorteilhaften, im Sinne der Tauschgerechtigkeit gerechten und ihrer Struktur nach kooperativen Berufs- und Arbeitsgesellschaft: Die reine Wirtschaftswelt erweist sich als eine von jeder Konkurrenz und allem Konflikt freie Zusammenarbeit.

Platon hegt für dieses rundum glückliche Miteinander durchaus Sympathie. Der angeblich weltfremde Philosoph ist aber realistisch genug, es für eine »utopische Idylle« zu halten. Auf Seiten der Subjekte unterstellt sie nämlich eine Genügsamkeit, die ein weiteres Element ökonomischer Anthropologie unterschlägt, ein Mehr-und-immer-mehr-Wollen, die Pleonexie. Ihretwegen wird unsere erste Stufe, die »gesunde Polis«, zugunsten einer zweiten Stufe, »der üppigen Polis«, überwunden. Bei ihr tritt Platons aktuelle Bedeutung zutage.

Als neutrale Begehrlichkeit verstanden, treibt die Pleonexie zwar zu einer Wohlstandsentwicklung, die andernfalls unbekannt bliebe. Ihre Neigung zur Gier verantwortet aber auch eine Übersteigerung, die das persönliche und das gemeinsame Wohl gefährdet. Ebenfalls aktuell und zugleich überzeugend ist, dass Platon die tendenziell maßlose Begehrlichkeit nicht wie später Rousseau und Marx auf einen sozialen Sündenfall, das Privateigentum, zurückführt. Für ihn ist das Mehrwollen schlicht ein Teil der Conditio humana, also eine kaum vermeidbare Gefährdung. Und sie bedroht jeden, also nicht bloß eine gierige Wirtschafts- und Finanzelite. Wer eine harmonische Gesellschaft sucht, muss daher mehr tun, als für einen Mindestlohn und gegen Gehaltexzesse kämpfen. Er muss einen grundlegend neuen, von Begehrlichkeit freien Menschen schaffen.

Solange es ihn nicht gibt, bezahlt man für die Vorteile einer urbanen Zivilisation mit einer wachsenden Bevölkerung und höheren Pro-Kopf-Ansprüchen, was wegen Landmangels zu Nachbarschaftskonflikten führt. Ihretwegen braucht es eine neuartige, nicht mehr ökonomische, aber den Rahmen der Ökonomie schützende Berufsgruppe: eine Herrschaftsschicht. Hier durchaus demokratisch, gewährt Platon jedem, der über die erforderliche Kompetenz verfügt, den Zutritt – auch den Frauen, was für die Antike hochprovokant war. Die Ökonomie unter Bedingungen eines realistischen Menschenbildes, der Gier, erweist sich nur mittels einer außerökonomischen Instanz als lebensfähig. Es ist die Geburt der (politischen) Herrschaft aus der menschlichen Gier.

Die Pleonexie bedroht auch die Herrschaftsschicht. Platon hebt zwei Versuchungen heraus: dass man sich mehr um sein Geld sorgt und dass man das Wohl seiner Familie dem Gemeinwohl vorzieht. Deswegen schlägt er vor, dass nicht etwa allen Bürgern, wohl aber der Führungsschicht sowohl Privateigentum als auch eine eigene Familie verboten werden. Die Bedenken dagegen sind weder unbekannt noch unberechtigt. Drei zugrundeliegenden Thesen ist aber zuzustimmen. Einmal, dass es außer der Währung der Wirtschaft, dem Geld, noch eine grundlegend andere Währung, die politische Macht, gibt. Zweitens, dass wer über politische Macht verfügt, nicht zusätzlich mit viel Geld belohnt werden soll. Und drittens, dass es, um die politische Führung vor Geldgier, Parteilichkeit und Korruption zu schützen, nicht genügt, ihre Macht der Kontrolle zu unterwerfen. Es braucht darüber hinaus, was sinngemäß auch für eine Wirtschaftselite zutrifft: moralische Integrität.

Und für beide Gruppen, für die in der Wirtschaft und für die in der Politik Tätigen, benennt Platon noch das für den Menschen wichtigste Gut: die Lebensklugheit Wer sie besitzt, verfügt über etwas, das die Pleonexie eindämmt. Wahre Lebensklugheit versperrt sich nicht der wirtschaftlichen Kooperation und hat trotzdem eine glückliche Nebenfolge: Wem es auf Selbstachtung und die Achtung durch Freunde ankommt, braucht in materieller Hinsicht nicht viel.

Otfried Höffe

HEINRICH VON STACKELBERG

Zu viel Macht verdirbt den Markt

// Heinrich von Stackelberg hat untersucht, wie Oligopolisten ihre
Kunden über den Tisch ziehen – und es damit als einer der weni-
gen Deutschen in internationale Lehrbücher geschafft. Seine frühe
Begeisterung für den Nationalsozialismus sollte er später bereuen.

In heutigen ökonomischen Lehrbüchern begegnet man wenigen
deutschen Forschern des 20. Jahrhunderts. Einer von ihnen ist
Heinrich Freiherr von Stackelberg. Er ist Namensgeber des »Sta-
ckelberg-Führers im Duopol«, ein Modellbegriff, der heute jedem
Studenten der Volkswirtschaftslehre vertraut ist. Der Weg dorthin
gestaltete sich für Heinrich von Stackelberg allerdings schwierig.
1905 in der Nähe von Moskau geboren und auf der Krim in einer
traditionsreichen deutsch-baltischen Familie aufgewachsen, muss
Stackelberg nach der Oktoberrevolution über Umwege nach Köln
flüchten. Dort studiert er ab 1924 zunächst Mathematik, entdeckt
aber seine Faszination für die mathematische Ökonomie und widmet ihr sein Leben.

Schon seine Dissertation zur Kostentheorie erweckt international Aufmerksamkeit, seine 1934 erschienene Habilitation »Markt-
form und Gleichgewicht« macht ihn geradezu berühmt: Sie fällt
in eine Zeit, in der Ökonomen auf beiden Seiten des Atlantiks intensiv über Formen des Wettbewerbs diskutieren, welche zwischen den tradierten Modellen liegen, in denen es entweder ganz
viele Anbieter oder aber lediglich einen Anbieter auf dem Markt
gibt. Das Oligopol mit einigen wenigen Anbietern, im 19. Jahrhundert vergleichsweise selten Gegenstand der Theorie, erlebt
nun eine Blütezeit. Auch weil die Debatte um Konzentration und
Marktmacht neue Nahrung erhält, seit sich die Länder im Zuge

der Großen Depression zunehmend voneinander abschotten. Ohne globale Konkurrenz wird die Marktmacht großer Firmen größer.

Herrscht auf oligopolistischen Märkten Chaos, oder gibt es auch hier theoretisch erfassbare Gleichgewichte? Stackelbergs Analyse verschiedener Konstellationen kommt zu dem Schluss, dass das Ungleichgewicht der Normalfall auf solchen Märkten ist: Es herrscht ein ständiger Kampf um Marktbeherrschung, was zu gleichgewichtslosen Preisen führt. Das heute berühmte Stackelberg-Gleichgewicht hingegen erklärte Stackelberg zum empirischen Ausnahmefall. In ihm nehmen die beiden Anbieter asymmetrische Rollen ein, und der zweite Anbieter begnügt sich mit einer »Abhängigkeitsposition«, in der er auf den »marktbeherrschenden« Anbieter lediglich reagiert. Der erste aber ist »Führer« im Duopol.

Den Begriff des »Führers« findet man im Original nicht, er ist eine nachträgliche Übersetzung der Bezeichnung »Stackelberg leader« in der späteren spieltheoretischen Rezeption. Aber der Begriff war dem jungen Stackelberg politisch nicht fremd. Nach seinem Engagement in konservativen antidemokratischen Vereinigungen baltischer Adliger tritt er noch 1931 der NSDAP bei und 1933 auch der SS. Bald danach wird er Dozentenführer an der Universität Köln.

In der Habilitation bemerkt man seine weltanschaulichen Positionen ganz am Ende. Dort zieht er das wirtschaftspolitische Fazit, dass das italienische Schema des »faschistisch-korporativen Marktes« als »interessantes Beispiel« für die Lösung der Gleichgewichtslosigkeit im Oligopol zu interpretieren ist. Das führt bereits 1935 dazu, dass in Besprechungen, etwa von J. R. Hicks, die Würdigung der theoretischen Leistung mit einer Ablehnung Stackelbergs als Befürworter des korporativen Staates kollidiert.

1935 wird Stackelberg als Extraordinarius nach Berlin berufen, und es beginnt damit in mehrfacher Hinsicht ein neuer Lebensabschnitt. Seine Sprache bleibt die Mathematik, die Felder, denen er sich widmet, werden aber deutlich vielfältiger. Erwähnt sei etwa sein Beitrag zur Entwicklung und Formalisierung der Kapitaltheorie in der Tradition Eugen von Böhm-Bawerks, was für ihn zusätzliche Impulse in Sachen Marktdynamik mit sich bringt. Außerdem kommt er 1940 mit der neuen Ordnungstheorie Walter Euckens in Berührung und verfasst sofort eine knapp 40-seitige Besprechung über dessen »Grundlagen der Nationalökonomie«.

Seine Berliner Studenten berichten, dass er, zusammen mit Kollegen wie dem später hingerichteten Jens Jessen, eine zunehmende Distanz zum Regime einnimmt. Zwei Austrittsersuche aus der SS werden von der Organisation abgelehnt. 1941 folgt der Ruf als Ordinarius nach Bonn, im Krieg wird der mehrsprachige Ökonom als Übersetzer in der Wehrmacht eingesetzt. In dieser Zeit kommt er durch seinen Kölner Lehrer Erwin von Beckerath in die Nähe von dessen oppositioneller Arbeitsgemeinschaft, die nach der offiziellen Auflösung 1943 im Geheimen Fragen des Übergangs zu einer Nachkriegsordnung diskutiert. Stackelberg besucht die erste Sitzung in Freiburg und hält dort einen Vortrag, der deutliche Unterschiede zu seinen frühen Positionen sichtbar werden lässt.

Zwar sieht er bei Oligopolmärkten weiterhin die Tendenz zur Gleichgewichtslosigkeit, allerdings verwirft er seine frühere Idee einer kollektiven Planung des Marktes, weil er hierbei unüberwindbare Informationsprobleme bei der Preisgestaltung sieht. Die marktwirtschaftliche Ordnung hingegen charakterisiert er, je mehr sie durch Konkurrenz geprägt ist, als eine Art spontane Rechenmaschine, die zwar nicht vollkommen, aber durch den Druck des Wettbewerbs lernfähig ist. Auch im gleichzeitig erschienenen Lehrbuch sucht er jenseits von Laissez-faire und Planwirtschaft nach Instrumenten hin zu mehr Konkurrenz und einem ungestörten Preismechanismus.

Die Suche bricht zu früh ab, weil er 1946 kurz vor seinem 41. Geburtstag während einer Gastprofessur in Madrid an Lymphdrüsenkrebs stirbt. Im »Economic Journal« würdigt Eucken 1948 das bewegte Leben eines Wissenschaftlers, der, in jungen Jahren auf ideologischen Abwegen, durch die Erfahrung mit der ökonomischen Realität die Ergebnisse seiner geliebten mathematischen Ökonomie überdenkt. Auch wenn die Spieltheorie, die er nicht mehr kennenlernen konnte, seine Position zur Gleichgewichtslosigkeit des Oligopols deutlich differenziert, prägt Stackelberg mit seiner Methode viele junge Theoretiker und damit auch wesentlich die Entwicklung der Wirtschaftswissenschaft in der Nachkriegszeit.

Stefan Kolev

CHARLES DICKENS

Gänse, Wild und Austern für die Armen

// Charles Dickens war nicht der Sozialkritiker, für den die Deutschen ihn halten. Im Gegenteil: Er sah sich selbst als radikalen Liberalen.

Im frühen 19. Jahrhundert war England ein Wohlfahrtsstaat, wie viele ihn heute sich wünschen: Das Armenrecht sicherte jedermann, ob er arbeitete oder nicht, ein garantiertes Grundeinkommen zu, welches in seiner Höhe an den Brotpreis gekoppelt war. Es wurde von den Kommunen, die ihrer Fürsorgepflicht nachzukommen hatten, an die Bedürftigen ausgezahlt. Jedermann wurde ein »Recht zu leben« zugestanden.

Bald kam dieses humane Recht in Schwierigkeiten, weil es dem

von der industriellen Revolution entfesselten Kapitalismus die Arbeiter entzog: die Armen suchten sich nicht in den Industriezen-
tren Arbeit; denn dann hätten sie den Anspruch auf Unterstützung
durch ihre Heimatgemeinde verloren.

Das änderte sich im Jahr 1834 durch ein radikal neues Armenrecht – eine der wichtigsten sozialpolitischen Revolutionen der
Wirtschaftsgeschichte: Fortan galt der Grundsatz, dass Fürsorge
finanziell nicht attraktiver werden dürfe als Arbeit. Zur Abschre-
ckung wurden alle Armen, die arbeitsfähig waren, in Arbeitshäu-
ser gesteckt, wo sie sich ihren Unterhalt selbst verdienen mussten.

In ein solches Armenhaus kommt auch der neunjährige Oliver
Twist, ein Findelkind und Waisenjunge. Als die Kinder vor Hunger nicht mehr aus und ein wissen, fällt das Los auf Oliver, dem
Vorsteher nach dem Abendessen einen der berühmtesten Sätze
der Weltliteratur entgegenzuschleudern: »Please, Sir, I want some
more.« Sein Aufbegehren bringt Oliver die Verfluchung ein, er
werde noch am Galgen enden. Und das Armenhaus offeriert jedermann eine Prämie von fünf Pfund, der Oliver Twist der Gemeinde
abnähme. Das tat dann der Sargtischler Mr. Sowerberry.

»Oliver Twist«, als Fortsetzungsroman zwischen 1837 und
1839 erschienen, ist gänzlich aus der Perspektive eines Kindes geschrieben und schildert das Experiment eines Lebens unter dem
neuen kapitalistischen Armenrecht. Sein Autor Charles Dickens
(1812 – 1870) ist seit dem sensationellen Erfolg der »Nachgelasse-
nen Aufzeichnungen des Pickwick-Clubs« (1836) ein berühmter
Mann. Wenn Dickens' Werke in monatlichen Fortsetzungsheften
erschienen, stürzten sich bis zu 100 000 Käufer auf jede Lieferung.
Auf diese Weise brachte es der Schriftsteller zu Jahreseinkünften
von 5000 bis 10 000 Pfund, was dem 100- bis 200-Fachen des Einkommens eines Industriearbeiters entspricht, wie der Dickens-
Biograph Hans-Dieter Gelfert errechnet hat.

Doch Dickens ist nicht nur ein erfolgreicher Unternehmer,
sondern auch ein berühmter Ökonom. Jene »Große Transforma-

tion«, als welche der österreichisch-ungarische Bohemien Karl Polanyi (1866 – 1964) die industrielle Revolution beschrieben hat, wird von Dickens erzählerisch erfasst und zugleich begrifflich übersetzt. Armut ist zwar sein großes Thema. Als »sozialkritischer« Autor, gar als sozialromantischer Revolutionär, wie Dickens vor allem in Deutschland oft wahrgenommen wird, hätte man ihn aber sehr missverstanden. Ganz im Gegenteil hat er sich selbst stets als radikal und auf der Seite der Liberalen stehend gesehen. Den industriellen Fortschritt seiner Zeit hieß er gut; den Protektionismus der Getreidegesetze (»corn laws«) verurteilte er aus humanen Gründen, nicht zuletzt weil die davon ausgelöste Verteuerung des Mehls den Arbeitern ihr Brot raubte.

In »Oliver Twist« erklärt Dickens die neue Marktwirtschaft ausgerechnet am Organisationsprinzip der kriminellen Bande des jüdischen Hehlers Fagin. Er, »der Boss der Diebe«, ist der raffgierige Musterkapitalist, der freilich Oliver vor dem sicheren Tod auf der Straße bewahrt. Innerhalb seiner kriminellen Bettlerorganisation geht es hochmoralisch zu: Niemand bestiehlt den anderen, heißt das interne Gebot. Bei Fagin und seinen Ganoven lernt Oliver, wie man in einer modernen Wirtschaftsgesellschaft »im Handumdrehen« sein Glück machen kann, indem man nämlich aus dem Handel materielle Vorteile zieht, geradeso, als sei die Gaunerbande von Adam Smith geschult worden. Fagin insistiert darauf, die Gang als effiziente Firma arbeite (darin ein Vorläufer von den »Sopranos«) »in the way of business«.

Die Erziehung bei Fagin stärkt Olivers Selbstbewusstsein derart, dass er sich befreien kann aus der Unterwelt, den Klassenaufstieg meistert und am Ende »ein Guter« wird. »Oliver Twist« ist der liberale Erziehungsroman, der den Traum von der sozialen Mobilität träumt. Das neue Armenrecht des Frühkapitalismus wirkt positiv: Es bringt Menschen in Brot (und sei es das Brot des Gauners), lehrt sie die Moral des Marktes (selbst bei den Dieben) und eröffnet ihnen am Ende sogar eine bürgerliche Existenz.

Dickens' optimistische Fortschrittstheorie stellt zugleich eine radikale Abrechnung dar mit der Lehre vom Bevölkerungsüberschuss des Ökonomen und Pfarrers Thomas Malthus (1789), einem Bestseller der damaligen Zeit. Für Malthus, den Miesepeter, gibt es in der Wirtschaftsgeschichte keinen Fortschritt, weil jegliches Wachstum sogleich von einer darauffolgenden Zeugungs- und Gebärfreude der Menschen hinweggerafft wird. Ebenezer Scrooge, der gierige und geizige Held des hierzulande wenig bekannten Weihnachtsmärchens »A Christmas Carol in Prose«, ist Malthus' treuer Schüler. Almosen zu geben, hält er für Verschwendung, »sollen die Armen doch lieber sterben, um den Bevölkerungsüberschuss zu vermindern«.

Doch der Produktivitätsfortschritt des frühen 19. Jahrhunderts falsifiziert Malthus, und ein Engel konfrontiert in Dickens' Märchen den Geizhals mit einer universalistischen Moral: »Willst du entscheiden, welcher Mensch leben und welcher sterben soll?«, fragt der Engel. Und zum Beweis dafür, dass seine Moral gedeckt ist, führt er ihn – wohin sonst – auf den Markt, wo es dank internationalen Tauschs Schätze für alle in Hülle und Fülle gibt: Gänse, Wildbret, Austern und sogar Orangen für die Armen.

Letztlich erscheint die ganze industrielle Revolution wie ein Märchen, das wahr wird. Am Ende des 19. Jahrhunderts war der Wohlstand in England sechsmal so hoch wie 1834. Trotz ungeahnten Bevölkerungswachstums verbesserten sich die Lebens- und Konsummöglichkeiten der Menschen in großartigem Ausmaß. Dickens beschreibt diesen aufregenden Fortschrittsprozess der Humanisierung, ohne seine dehumanisierenden Kosten zu verschweigen.

Rainer Hank

MARTIN FELDSTEIN

Das Geheimnis des richtigen Sparens

// Havard-Ökonom Martin Feldstein will, dass die Leute mehr fürs Alter zurücklegen. Dazu braucht er keinen Zwang. Es reicht ein kleiner Trick.

Für den Harvard-Professor Martin Feldstein ist gute Wirtschaftspolitik ohne solide Kenntnisse über wirtschaftliche Zusammenhänge nicht denkbar. Das hat er einmal so erklärt: Wenn ich im Flugzeug sitze, möchte ich, dass ein kompetenter Pilot im Cockpit sitzt. Genauso wünsche ich mir, dass in der Geldpolitik jemand das Steuer in der Hand hält, der von der Sache etwas versteht. Entsprechend hat er sich in einer eigenen Arbeit nicht darauf beschränkt, wissenschaftliche Aufsätze zu publizieren. Er hat sich schon früh in seiner Karriere intensiv in der Beratung von Politik und Wirtschaft engagiert.

Im Alter von 43 Jahren wurde er Vorsitzender des Council of Economic Advisers und damit wichtigster Wirtschaftsberater des amerikanischen Präsidenten Ronald Reagan. An der Gestaltung der Reaganschen Wirtschaftspolitik – vor allem der Senkung von Steuern und der Begrenzung des staatlichen Einflusses in der Wirtschaft – war Martin Feldstein maßgeblich beteiligt. Später war er Mitglied von Beratungs- und Aufsichtsgremien so namhafter Unternehmen wie JP Morgan und Daimler-Chrysler.

In seiner wissenschaftlichen Arbeit hat er sich vornehmlich mit finanzwissenschaftlichen Themen wie Steuern und Staatsausgaben beschäftigt. Sein bekanntester Aufsatz gehört allerdings in den Bereich der internationalen Makroökonomik. Gemeinsam mit Charles Horioka untersuchte er den Zusammenhang zwischen Ersparnissen und Investitionen. Im Prinzip ist es bei offenen Grenzen möglich, dass in einem Land zwar viel gespart, aber wenig investiert wird, weil die heimische Bevölkerung ihre Ersparnisse lieber im Ausland anlegt. Bei perfekter internationaler Kapitalmobilität sollte zwischen heimischen Ersparnissen und heimischen Investitionen sogar keinerlei Zusammenhang bestehen. Die Studie zeigt aber, dass in den OECD-Staaten im Untersuchungszeitraum 1960 bis 1974 Ersparnisse und Investitionen stark korreliert waren, obwohl Auslandsinvestitionen schon damals sehr verbreitet waren. Dieses Ergebnis wird in der Literatur als Feldstein-Horioka-Paradox bezeichnet. Es hat eine umfangreiche Forschung ausgelöst.

Neuere Studien zeigen, dass die Verbindung zwischen heimischen Investitionen und Ersparnissen in späteren Jahrzehnten abgenommen hat. Deutschland ist dafür ein gutes Beispiel – die Ersparnisse sind derzeit deutlich größer als die heimischen Investitionen, die Folge ist der derzeit kontrovers diskutierte Leistungsbilanzüberschuss.

Ein wirtschaftspolitisches Thema, das Martin Feldstein bis heute stark beschäftigt, ist die Finanzierung der sozialen Sicherungssysteme. Umlagefinanzierte Rentenversicherungen geraten bei alternder Bevölkerung in Schwierigkeiten, weil die Beiträge von immer weniger Beschäftigten immer höhere Rentenlasten finanzieren müssen. Feldstein setzt sich seit langer Zeit dafür ein, die Alterssicherung durch eine zweite, kapitalgedeckte Säule zu ergänzen. Er will die Leistungen aus der umlagefinanzierten Rentenversicherung so senken, dass der Beitragssatz dauerhaft konstant bleiben kann. Die entstehende Versorgungslücke soll durch ein Ansparen auf individuellen Rentenkonten geschlossen werden.

Einen Zwang zum Sparen will er nicht, sanften Druck aber schon: Die Beiträge zur kapitalgedeckten Säule sollen automatisch vom Gehalt abgezogen werden und Arbeitnehmer nur dann aus dem System ausscheiden, wenn sie dies beantragen. Davon verspricht er sich nicht nur, eine übermäßige Belastung künftiger Generationen zu verhindern. Die vermehrte Ersparnis soll mehr Wirtschaftswachstum und mehr Wohlstand für alle erbringen. Außerdem hat Martin Feldstein sich in den Vereinigten Staaten wiederholt für eine Erhöhung des Rentenalters auf 70 Jahre ausgesprochen. Die in Deutschland gerade gefassten Beschlüsse zur Rente mit 63 wären ihm ein Graus.

In die aktuellen Debatten über die schleppende Erholung der Weltwirtschaft und die Euro-Krise schaltet Feldstein sich immer wieder mit pointierten Beiträgen ein. Um das Wachstum der amerikanischen Wirtschaft zu beleben, schlägt er Folgendes vor: Erstens will er die Staatsausgaben langfristig senken, vor allem durch eine Kürzung von Leistungen der Renten- und Krankenversicherung. Das soll die Staatsverschuldung eindämmen und das Vertrauen der Kapitalmärkte in die Solidität der amerikanischen Staatsfinanzen stärken. Zweitens fordert er zeitlich begrenzt mehr öffentliche Investitionen, um die marode Infrastruktur in den Vereinigten Staaten zu erneuern. Das würde die Konjunktur kurzfristig stimulieren. Drittens will er die Steuern auf Unternehmensgewinne von derzeit rund 35 auf 25 Prozent senken. Das soll die Unternehmen bewegen, mehr zu investieren und Arbeitsplätze zu schaffen.

Zur Euro-Krise und zu den Versuchen der Politik, sie zu bekämpfen, kommt von Feldstein harte Kritik. Er hat schon in den neunziger Jahren gewarnt, die politische Strategie, durch die Euroeinführung Frieden und Kooperation in Europa voranzubringen, sei zum Scheitern verurteilt. Sie könne nur in Massenarbeitslosigkeit und Zwietracht enden. Die politische Koordination in Europa als Antwort auf die Krise auszubauen sei falsch. Die Überwindung der Krise hänge davon ab, ob die nationalen Regierungen ihre Hausaufgaben machen. Ferner sollte der Euro abwerten. Nur so könnten die Staaten in Südeuropa ihre Wettbewerbsfähigkeit zurückgewinnen.

Im Jahr 2005 hätte Martin Feldstein beinahe selbst die Gelegenheit bekommen, die amerikanische Geldpolitik zu steuern. Er galt als aussichtsreicher Kandidat, Chef der Notenbank Fed zu werden. Gerüchten zufolge setzte Ben Bernanke sich letztlich durch, weil Feldstein Mitglied im Board von AIG war und diese Firma gerade umfangreiche Bilanzierungsfehler einräumen musste. Drei Jahre später, während der Finanzkrise, wurde AIG von der amerikanischen Regierung mit einem Milliardenkredit gerettet. Ein Jahr danach trat Feldstein von seinem Posten bei AIG zurück. Es ist ihm also nicht alles gelungen, was er begonnen hat. Seine Verdienste in der Forschung und der Gestaltung der amerikanischen Wirtschaftspolitik schmälert das nicht.

Clemens Fuest

PAUL SAMUELSON

Bahnbrechend in allen Disziplinen

// Paul Samuelson ist der erste Amerikaner, der den Nobelpreis für Wirtschaftswissenschaft erhielt. Keiner verband so elegant Witz und Mathematik.

Paul Samuelson lebte von 1915 bis 2009 und war der vermutlich vielseitigste Volkswirt aller Zeiten. Es gibt kaum ein volkswirtschaftliches Gebiet, auf dem er nicht Bahnbrechendes geleistet hätte. Sein Lehrbuch »Economics« erreichte Millionenauflagen, und 1970 wurde ihm als erstem Amerikaner der Nobelpreis verliehen. Samuelson ging konsequent mit den Mitteln der Mathematik an die Probleme heran, konnte aber zugleich überaus anschaulich und humorvoll erklären. In der »Newsweek« lieferte er sich als Kolumnist harte und witzige Gefechte im wöchentlichen Wechsel mit Milton Friedman, dem Nobelpreisträger von 1976 und Begründer des Monetarismus.

Auch als Politikberater war Samuelson aktiv, dessen eigentliche Liebe aber immer der ökonomischen Theorie galt. Von seinen vielen fundamentalen Beiträgen ist derzeit einer besonders aktuell geworden, der lange Zeit nur für Spezialisten von Interesse zu sein schien. Samuelson hat ihn bereits 1958 im »Journal of Political Economy« publiziert und behandelt darin die grundlegende Frage, warum es eigentlich einen Zins gibt.

Bis heute ist ja – auch unter Ökonomen – die Ansicht weit verbreitet, dass der Zinssatz so etwas wie der Preis für das Geld ist, der vor allem von der Zentralbank bestimmt wird. Manche glauben sogar, ohne Geld gäbe es gar keinen Zins und die Welt würde viel besser und gerechter sein. Samuelson schuf in seinem Aufsatz das bahnbrechende Modell der überlappenden Generationen. Darin gibt es zunächst gar kein Geld, sondern nur Naturaltausch, der zwischen drei Generationen stattfindet.

Im einfachsten Fall haben die Jungen gar kein eigenes Einkommen und müssen daher Kredite aufnehmen oder auf andere Weise von den älteren unterhalten werden. Die mittlere Generation wiederum ist auf dem Höhepunkt ihrer Schaffenskraft, muss aber für ihr Alter vorsorgen. Denn die jeweils älteste Generation kann unter Umständen gar nicht mehr arbeiten und muss darum von ihren Ersparnissen leben, will sie nicht auf das bloße Wohlwollen der jüngeren angewiesen sein.

Damit haben wir bereits alles, so zeigt Samuelson, was für die Entstehung eines Zinssatzes notwendig ist. Denn die mittlere Generation muss für ihr Alter sparen und wird dies sogar dann tun, wenn sie gar keinen oder sogar einen negativen Zins dafür bekommt. Jedenfalls gilt das, solange es kein Geld gibt und sie auch keine haltbaren Güter horten kann.

Ihre Situation ist dann vergleichbar mit der von Robinson Crusoe, wenn dieser auf seiner Insel allmählich altert. Er wird verzweifelt versuchen, etwas für seine alten Tage zurückzulegen, auch wenn ein Großteil dieser Rücklagen vielleicht verdirbt und sich damit quasi negativ verzinst. Gibt es einen jüngeren Freitag auf seiner Insel, kann er diesem vielleicht zunächst einige seiner Güter abgeben, um dann im Gegenzug später von ihm unterstützt zu werden. Aber auch in diesem Fall kann es gut sein, dass er dafür einen sehr niedrigen oder sogar einen negativen Zins akzeptieren muss, je nachdem wie stark Freitag an einem solchen Geschäft überhaupt interessiert ist.

Was hat das mit unserer aktuellen Situation zu tun? Nun, es gibt durchaus einflussreiche und seriöse Ökonomen, die das derzeit niedrige Zinsniveau keineswegs für eine Folge der expansiven Geldpolitik halten. Vielmehr argumentieren sie ganz im Sinne der Samuelsonschen Idee mit der sogenannten »savings glut« (Sparschwemme), ein Begriff, der von dem amerikanischen Notenbankpräsidenten Ben Bernanke geprägt wurde. Demnach besteht ein Überangebot von Ersparnissen in den Industrieländern mit ihren alternden Bevölkerungen, für das es gar keine sinnvollen Investitionsmöglichkeiten gibt.

Dies und nicht etwa die Notenbankpolitik sei der wahre Grund für die niedrigen Sparzinsen, die derzeit ja nicht einmal die Inflationsrate abdecken und damit in realer Rechnung tatsächlich negativ sind. Und es kommt noch toller: Die hohe Staatsverschuldung ist in dieser Sichtweise nicht etwa ein Übel, sondern die Lösung des Problems! Denn würde auch der Staat noch sparen, so argumentiert zum Beispiel der deutsche Ökonom Carl Christian von Weizsäcker, so wäre der Zins noch niedriger, und die Sparer wären noch übler dran als ohnehin schon.

Wir können nicht wissen, ob Paul Samuelson dieser Übertragung seines theoretischen Modells auf die aktuelle wirtschaftspolitische Situation zugestimmt hätte. Erhebliche Zweifel daran sind aber angebracht. So hat schon Samuelson argumentiert, dass in einer Welt mit stabilem Geld der Zinssatz nie negativ werden kann. Niemand würde ja Kredite zu negativen Zinsen vergeben, wenn er stattdessen einfach wertstabiles Geld unter sein Kopfkissen legen kann. Wer aber soll dann die Investitionen der Unternehmen (und die Staatsverschuldung) finanzieren?

Das kann offenbar nur die Zentralbank sein, was sie ja derzeit auch eifrig tut. Ohne ihr gewissermaßen künstliches, nämlich aus reiner Geldschöpfung stammendes Kreditangebot kann es deshalb keinen negativen Zinssatz geben. Auch die angeblich segensreichen Wirkungen der Staatsverschuldung sind äußerst fragwürdig. Denn der Staat verwendet seine Einnahmen daraus größtenteils für den Konsum und nicht etwa für Investitionen. Das ist aber das Gegenteil von dem, was eine alternde Gesellschaft eigentlich tun müsste.

Es stimmt zwar, dass die Staatsverschuldung den Zinssatz tendenziell erhöht. Aber gerade dadurch werden Wachstum und Beschäftigung beeinträchtigt. Denn ein niedriger Zins ist ja im Grunde nichts Schlechtes für eine alternde Volkswirtschaft, im Gegenteil: Er lenkt die Ersparnisse in Investitionen und macht sie damit erst zu echter Altersvorsorge. Wird der Zins aber durch das Drucken von Geld künstlich noch weiter gesenkt, nur um dem Staat das Schuldenmachen zu erleichtern, so geht das zu weit. Denn die Sparer werden dann um ihren – wenn auch niedrigen – Marktzinsertrag betrogen, und anstelle realer Investitionen werden mit ihrem Geld Wahlgeschenke auf Kosten der Zukunft finanziert.

Ulrich van Suntum

RÜDIGER DORNBUSCH

Wieso spielen die Währungen verrückt?

// Rüdiger Dornbusch, geboren in Krefeld, hat in Amerika die Währungstheorie revolutioniert. Er hat Schuldenkrisen erklärt und an der Universität von Chicago künftige Notenbank-Chefs ausgebildet.

Als das Massachusetts Institute of Technology im Jahr 1975 einen neuen Professor für internationale Wirtschaftszusammenhänge suchte, traf das Kollegium eine zunächst überraschende Entscheidung: Es stellte Rüdiger Dornbusch ein, einen frischgebackenen Dozenten Anfang 30 mit noch wenig Lehrerfahrung, aber einem unbestrittenen Talent.

Im Nachhinein dürfte das eine der besten Personalentscheidungen des Fachbereichs gewesen sein. Die wirtschaftswissenschaftliche Fakultät des MIT zählte zwar schon damals zu den angesehensten der Welt. Dornbusch half dann aber dabei, ihre Reputation sogar noch zu steigern. Als vielseitiger Forscher, kluger Politikerberater, vor allem aber als brillanter Lehrer: Eine ganze Generation ökonomischer Überflieger – viele davon zählen heute zu den renommiertesten Finanzfachleuten der Welt – hörte seine Vorlesungen und promovierte unter seiner Regie. Sie kamen häufig von weit her ans MIT. So wie Dornbusch selbst.

Seine Lebensgeschichte beginnt in Krefeld. Dort wurde er am 8. Juni des Jahres 1942 geboren, dort machte er auch sein Abitur. Danach studierte er in Genf Wirtschaft, zur Promotion wechselte er in die Vereinigten Staaten – nach Chicago. Im Jahr 1966 war das gewesen, als dort der große Milton Friedman lehrte. Dornbusch selbst interessierte sich vor allem für internationale Wirtschaftsfragen und wurde Doktorand des späteren Nobelpreisträgers Robert Mundell. Zu seinen Promotionsbetreuern gehörte auch der damals noch junge Stanley Fischer. Fischer selbst lehrte ebenfalls in Chicago, wechselte dann aber alsbald ans MIT. Und nimmt für sich in Anspruch, Dornbusch dorthin nachgeholt zu haben, als die entsprechende Stelle vakant wurde. »Tatsächlich war es nicht schwer, meine erfahreneren Kollegen davon zu überzeugen, dass er derjenige war, den wir wollten.«

Dornbusch brauchte nicht lange, um an seiner neuen Lehr- und Forschungsstätte Maßstäbe zu setzen. Im Jahr 1976 veröffentlichte er einen Fachaufsatz, der die Wechselkurstheorie revolutionierte. Ausgangspunkt war eine damals überraschende Beobachtung: Das sogenannte Bretton-Woods-System, innerhalb dessen die Länder ihre Währungen an den Dollar gebunden hatten, war seit einigen Jahren Geschichte. Stattdessen hatten zumindest die Industriestaaten ihre Wechselkurse flexibilisiert und überließen die Preisbildung fortan den internationalen Kapitalmärkten. Die Fachleute erwarteten infolgedessen eher gemächliche Wechselkursänderungen, ganz gemäß der von den führenden Denkern Robert Mundell und Marcus Fleming entwickelten Wechselkurs-Theorie. Tatsächlich jedoch schwankten die Währungspreise wesentlich stärker und schneller, und niemand wusste so recht, wieso.

Dornbusch lieferte nun genau dafür eine Erklärung. Er diskutierte sie an folgendem Beispiel: Nehmen wir an, die Zentralbank eines (kleinen) Landes bringt aus irgendeinem Grund mehr Geld in Umlauf. Sind die Güterpreise flexibel und produzieren die Unternehmen schon so viel sie können, werden sie ihre Waren und Dienstleistungen infolge der höheren Nachfrage schlicht teurer machen. Langfristig passiert auch genau das. Kurzfristig, argumentiert Dornbusch nun, können sie das aber nicht; die Preise sind fix, etwa wegen fester Lieferverträge.

Das ist eine entscheidende Annahme für seinen Ansatz. Denn nun geschieht Folgendes: Dadurch, dass die Zentralbank mehr Geld vergibt, sinkt dessen Preis, der Zins. Zugleich wertet die inländische Währung ab, weil sie infolge der expansiveren Geldpolitik nun weniger knapp ist im Verhältnis zu ausländischem Geld. Und nicht nur das. Sie wertet erst einmal sogar stärker ab, als es aufgrund der fundamentalen Rahmenbedingungen eigentlich gerechtfertigt wäre. Warum? Der Grund dafür liegt in der großen Geschwindigkeit, mit der die Akteure an den Finanzmärkten reagieren: Sinken die Zinsen im Inland, wie in diesem Szenario dargestellt, wird Geldanlegen dort weniger attraktiv. Investoren engagieren sich in dieser Situation nur dann, wenn sie neben den niedrigeren Zinsen erwarten, dass die inländische Währung aufwertet und sie Wechselkursgewinne einstreichen können. Eine Aufwertung erwarten sie in diesem Beispiel wiederum aber nur dann, wenn die Währung zunächst eben außerordentlich stark abwertet und ihren langfristig als fair angesehenen Wert unterschreitet.

Dornbuschs Verdienst war es, diesen Gedanken als Erster zu einer eigenen Wechselkurs-Theorie gemacht und auf eine der interessantesten ökonomischen Fragen dieser Zeit eine fundierte Antwort gegeben zu haben. Und eine, die gewaltige Konsequenzen hat: Er erklärte die starken Wechselkursschwankungen mit durchaus rationalem Verhalten und eben nicht als Folge sinnfreier Zockerei. Und er verdeutlichte, wie wichtig es ist, die eigenständige Bedeutung der internationalen Finanzmärkte zu verstehen und ihre Interaktion mit dem Rest der Wirtschaft.

Kenneth Rogoff, ehemaliger Chefvolkswirt des Internationalen Währungsfonds, sagte einmal, dieser Dornbusch-Aufsatz »markiert die Geburt der modernen internationalen Makroökonomie«. Er selbst hörte Dornbuschs Währungsvorlesung am MIT im Frühling des Jahres 1977. Auch Maurice Obstfeld, der zusammen mit Rogoff in den neunziger Jahren den aktuellen Standard des Faches setzte, lernte von Dornbusch. Ebenso wie Paul Krugman, Jeffrey Frankel und Jeffrey Sachs. Dabei blieben längst nicht alle prominenten Schüler des »Meisters« Rogoff an der Universität. Larry Summers beispielsweise wurde später amerikanischer

Finanzminister unter Bill Clinton, Mario Draghi Präsident der Europäischen Zentralbank. Stanley Fischer, mit dem Dornbusch etwa 30 Jahre lang zusammenarbeitete und einen Lehrbuch-Bestseller schrieb, wurde einer der Direktoren des Internationalen Währungsfonds und ist mittlerweile Vizepräsident der amerikanischen Zentralbank.

Auch Rudi Dornbusch war politisch sehr interessiert. Er lehnte politische Ämter jedoch ab und blieb stattdessen Dozent und Forscher. Mit seinen unzähligen Beiträgen in Fachzeitschriften und Wirtschaftspresse war er ein gefragter Ratgeber von Notenbankern und Regierungen rund um den Globus. Besonders setzte er sich mit den Währungskrisen in Lateinamerika und Asien auseinander. Er warnte vor »makroökonomischem Populismus«, erklärte, wieso es so wichtig ist, dass gerade die Auslandsverschuldung (öffentliche wie private) nicht außer Kontrolle gerät und warum er den Euro für eine schlechte Idee hielt.

Im Januar des Jahres 2002 veröffentlichte er eine »Einführung in Schwellenländer-Krisen«, nicht mehr als einen längeren Aufsatz, keine Formeln, keine Kurven, blanke Prosa. Darin schrieb er: »Krisen sind nicht nur finanzielle Erlebnisse; sie beinhalten große soziale Kosten und die Umverteilung von Vermögen und Einkommen. Diese Konsequenzen sind es, die es so besonders wichtig machen, sich darüber zu verständigen, was falsch gelaufen ist.« Vieles von dem, was er da ansprach, ließe sich leicht auf die Finanzkrise der westlichen Industrieländer übertragen, aus der wir uns gerade herausarbeiten. Er selbst hat sie nicht mehr erlebt. Ein halbes Jahr, nachdem er diesen Aufsatz geschrieben hatte, starb Rudi Dornbusch im Alter von 60 Jahren an Krebs.

Alexander Armbruster

AMARTYA SEN

Anwalt der Armen

// Der Nobelpreisträger Amartya Sen erforscht, wie man die Welt gerechter machen kann. Seine Motivation ist ein schlimmes Kindheitserlebnis.

Wenn Amartya Sen erklären will, warum er sein ganzes Wissenschaftlerleben mit der Erforschung von Gerechtigkeitsfragen verbracht hat, kommt er immer wieder auf eine Geschichte zurück. Der Ökonom, der für seine Arbeiten zur Wohlfahrtsökonomie den Nobelpreis bekam, stammt aus Westbengalen, einem indischen Bundesstaat an der Grenze zu Bangladesch. Im Jahr 1943, als Sen neun Jahre alt war, wurde er Zeuge einer schlimmen Hungersnot, in der mehr als 3 Millionen Menschen starben.

Dieses Erlebnis ließ ihn nie wieder los. Schon als Student beschäftigte sich Sen, der als Kind der indischen Elite nicht selbst von der Hungersnot betroffen war, mit den Gründen für die Katastrophe – und kam zu dem Schluss, dass sie mit relativ einfachen Mitteln zu verhindern gewesen wäre. Denn Lebensmittel gab es eigentlich genug. Dass sie diejenigen nicht erreichten, die sie brauchten, lag an der Untätigkeit und den Vertuschungsversuchen der britischen Kolonialherren. Statt die Hungersnot zu bekämpfen, mühten sich die Behörden, die Opferzahlen zu verschleiern und die Presse an der Berichterstattung zu hindern. Den Menschen, die verhungerten, fehlte die politische Macht, an dieser Situation etwas zu ändern.

»In Demokratien, selbst in sehr armen, gibt es keine Hungersnöte«, schrieb Sen später. Hunger und Armut seien hauptsächlich die Folge unzureichender politischer Rechte und ungerechter sozialer Strukturen. Wer Armut bekämpfen will, darf das

Sens Ansicht nach deswegen nicht nur mit den Mitteln der Wirtschaftswissenschaft tun: Die Forderung nach ökonomischer Gerechtigkeit lässt sich für ihn nicht trennen von philosophischen und politischen Fragen über die Verteilung von Macht und Verantwortung in der Gesellschaft.

In seiner eigenen Forschung, in der er sich neben der Weiterentwicklung der Wohlfahrtsökonomie hauptsächlich der Entwicklungspolitik und damit der Bekämpfung von Armut und Unterdrückung widmete, hat Sen diese Fragen immer miteinander verknüpft. Es wäre deswegen auch zu wenig, den Wohlfahrtsökonomie-Nobelpreisträger lediglich als reinen Ökonomen zu bezeichnen. Sen ist ein Universalgelehrter in den Sozialwissenschaften und ein praktischer Philosoph in der Tradition von Denkern wie Adam Smith, John Stuart Mill und Karl Marx, in deren Reihe er sich schon als junger Wissenschaftler selbstbewusst einordnete.

Wie seine Vorväter verfolgt Sen einen lebensnahen und vergleichenden Ansatz, um die Suche nach einer gerechten Gesellschaftsordnung voranzutreiben. Anders als viele seiner Philosophenkollegen fragt Sen nicht: Was ist Gerechtigkeit? Stattdessen interessiert ihn, ob Situation A gerechter ist als Situation B, oder was man tun könnte, um beide Situationen ein bisschen gerechter zu machen.

Dabei interessieren ihn nicht nur die richtigen politischen Institutionen. Individuelle Entscheidungen spielen eine zentrale Rolle: Um eine Gesellschaft gerechter zu machen, müssen ihre Mitglieder ihre gegenseitige Verantwortung ernst nehmen und sich regelmäßig darüber austauschen, wie sie ihr Zusammenleben gestalten wollen. Die Grundvoraussetzung dafür ist eine der Lehren aus der bengalischen Hungersnot: Jeder braucht ein wirksames Mitspracherecht.

Und mit der Debatte über die eigene Gesellschaft ist es für Sen noch nicht getan: Die Menschen müssen bei ihren Entscheidungen auch die Wirkung auf andere Gesellschaften berücksichtigen. Die Idee der Gerechtigkeit ist global. Gesellschaftliche Entscheidungen haben bei Sen deswegen einen so hohen Stellenwert, weil er nicht glaubt, dass es einen einzigen richtigen Weg gibt, Gerechtigkeit zu schaffen.

In seinem Buch »Die Idee der Gerechtigkeit« zeigt er das an einem Beispiel: Drei Kinder, Anne, Bob und Carla, streiten um eine Flöte. Anne beansprucht die Flöte, weil sie die Einzige ist, die sie spielen kann. Bob, weil er sonst kein Spielzeug besitzt. Und Carla, weil sie die Flöte in tagelanger Handarbeit selbst geschnitzt hat. Jede dieser Begründungen ist für sich genommen nachvollziehbar und entspricht einem Ideal der Gerechtigkeit. Doch zwischen den Idealen besteht ein Konflikt.

Und die Entscheidung, ob Anne, Bob oder Carla die Flöte bekommt, ist nach Sens Ansicht nicht mehr Aufgabe der Gerechtigkeitstheoretiker, sondern der Gesellschaft, in der die drei Kinder leben: Welche Begründung akzeptiert wird, ist eine politische Entscheidung. Eine Idealvorstellung der gerechten Gesellschaft hält Sen für überflüssig, um diese Entscheidung zu treffen: Die Gegner der Sklaverei im 19. Jahrhundert hätten sich schließlich auch nicht der Illusion hingegeben, dass die Abschaffung die Welt vollkommen gerecht machen würde – es reichte die Überzeugung, dass sie hinterher ein bisschen gerechter wäre.

In seinen eigenen Bestrebungen, die Welt »ein bisschen gerechter« zu machen, hat sich Sen, den Kollegen auch »das Gewissen der Ökonomie« nennen, vor allem der Armutsbekämpfung verschrieben. Dabei wurde ihm schnell klar, dass die traditionellen Methoden der Entwicklungsökonomie, die Armut vor allem im Sinne von Mangel an Einkommen verstanden und die »Wohlfahrt« eines Landes anhand von Einkommensindikatoren definierten, nicht ausreichten, um Armut effektiv zu bekämpfen.

Denn das Einkommen ist nur eine Dimension der Position, die wir in der Gesellschaft einnehmen. Um Gerechtigkeit zu schaffen, muss man Sens Ansicht nach viel mehr berücksichtigen: Wenn jemand zum Beispiel eine schwere Behinderung hat, nützt ihm dasselbe Einkommen viel weniger als einem gesunden Menschen. Wenn eine Frau in einem Land lebt, in dem sie unterdrückt wird und sich nicht frei bewegen kann, bringt ihr auch ein großes Vermögen sehr wenig für ihr persönliches Glück und ihre individuelle Freiheit.

Diese Erkenntnis ist die Grundlage des sogenannten »Fähigkeitenansatzes« (»capabilities approach«), den Sen gemeinsam mit der Philosophin Martha Nussbaum entwickelte. Um zu beurteilen, wie gerecht eine Gesellschaft mit unterschiedlichen Menschen umgeht, ist es notwendig, die Entfaltungsmöglichkeiten zu untersuchen, die sie innerhalb der bestehenden sozialen Strukturen haben. Das sind mehr als nur formale Rechte: Wenn ein Bauer das Wahlrecht hat, aber kein Transportmittel zum nächsten Wahllokal, hat das Recht für ihn keine Bedeutung.

Erst die Kombination von Wahlrecht und Transportmittel »befähigt« ihn zur Wahl. Welche »Fähigkeiten« die Mitglieder einer Gesellschaft genau haben müssen, damit sie als gerecht gilt, will Sen nicht selbst festlegen – getreu seinem pluralistischen Ansatz in der Gerechtigkeitstheorie hält er es für die Aufgabe jeder einzelnen Gesellschaft, die Bedeutung unterschiedlicher Fähigkeiten zu gewichten, und findet es nicht schlimm, wenn das zu unterschiedlichen sozialen Systemen führt.

Andere sind weniger zurückhaltend: Martha Nussbaum etwa erstellte eine Liste mit zehn »Grundfähigkeiten«, die sie für unabdingbar hält. Und die Vereinten Nationen schufen mit dem »Human Development Index« ein Instrument, um die Lebensbedingungen in unterschiedlichen Ländern miteinander vergleichen zu können. Die Kriterien für den HDI basieren zu großen Teilen auf Sens Arbeiten.

Lena Schipper

ANTHONY ATKINSON

Der Erforscher der Ungleichheit

// Wie kann man reichen Leuten am besten Geld wegnehmen? Der britische Ökonom Anthony Atkinson hat intensiv darüber nachgedacht. Dafür wurde er geadelt.

Es ist kaum möglich, den britischen Ökonomen »Tony« Atkinson nicht sympathisch zu finden. Sein Forscherleben hat er der Analyse wirtschaftlicher Ungleichheit gewidmet, er wurde mit akademischen Ehrungen überschüttet und von der englischen Königin in den Adelsstand erhoben. Trotzdem ist ihm jeder Dünkel fremd. Seine unkomplizierte Art, seine Brillanz und seine Begeisterung für die ökonomische Forschung machen ihn zu einem herausragenden Wissenschaftler und Lehrer.

Dabei treibt ihn der Wunsch voran, zur Lösung realer wirtschaftlicher Probleme beizutragen. Tony Atkinson tritt niemals besserwisserisch auf, aber er erinnert seine Kollegen immer wieder daran, die Inhalte ihrer Forschung zu überdenken und wirtschaftspolitisch relevante Themen zu bearbeiten, statt sich in akademischen Glasperlenspielen zu verlieren. Das heißt nicht, dass er theoretische Analysen oder mathematische Modelle für entbehrlich hält. Im Gegenteil. Atkinson ist ein Pionier der Theorie Optimaler Besteuerung, die mathematische Modelle verwendet, um Steuer- und Transfersysteme zu durchdenken.

Gemeinsam mit dem Nobelpreisträger Joseph Stiglitz hat er eine bahnbrechende Arbeit verfasst, die das Zusammenwirken direkter und indirekter Steuern untersucht. Die Autoren kommen zu dem Ergebnis, dass eine progressive Einkommensteuer besser als Umverteilungsinstrument geeignet ist als indirekte Steuern. Diese Studie liefert wichtige Argumente gegen die verbreitete Praxis, reduzierte Mehrwertsteuersätze für Güter des täglichen Gebrauchs wie etwa Lebensmittel zu gewähren. Die Einkommensteuer ist das effektivere Umverteilungsinstrument.

Tony Atkinson gehört allerdings nicht zu den Ökonomen, die simple Botschaften verbreiten und behaupten, dabei wissenschaftliche Wahrheiten zu verkünden. In einem 2011 erschienenen Aufsatz fordert er, Wirtschaftswissenschaftler sollten sich stärker mit der Tatsache auseinandersetzen, dass es höchst unterschiedliche Vorstellungen über die Ziele der Wirtschaftspolitik gibt, beispielsweise über die Gewichtung von Sicherheit, Freiheit und Effizienz. Außerdem sollten Aspekte beschränkter Rationalität gezielt aufgegriffen werden. Dem zu folgen ist unbequem, erschwert ökonomische Analysen und die Formulierung wirtschaftspolitischer Empfehlungen. Aber realen ökonomischen Problemen kann man nicht gerecht werden, wenn man wichtige Dimensionen ihrer Komplexität ignoriert.

Das beherrschende Thema der Forschung von Tony Atkinson ist die wirtschaftliche Ungleichheit. Typisch für ihn ist der systematische und nüchterne Umgang mit dem Thema. 1970, im Alter von 26 Jahren, publizierte er eine einflussreiche Arbeit zur Messung von Ungleichheit. Die Studie zeigt, dass üblicherweise verwendete Ungleichheitsmaße versteckte Wertungen darüber enthalten, welche Aspekte von Ungleichheit relevant sind und welche nicht. Beispielsweise betonen bestimmte Maße zur Einkommensungleichheit den Abstand zwischen den Spitzenverdienern und der Mittelschicht, während andere die niedrigsten Einkommen stärker gewichten. Atkinson fordert, diese Gewichtungen bei der Entwicklung von Ungleichheitsmaßen offenzulegen, sie in den Mittelpunkt der Analyse zu stellen, und er schlägt ein eigenes Ungleichheitsmaß vor.

Die Forschung von Tony Atkinson zum Thema Ungleichheit und Umverteilung beschränkt sich nicht auf theoretische und konzeptionelle Beiträge. Er hat sich intensiv mit empirischen Studien zu diesen Themen beschäftigt. Üblicherweise beginnen seine empirischen Arbeiten mit einer umfangreichen Diskussion der Datenlage. Er beklagt immer wieder, dass die amtliche Statistik zu wenig tut, um die Verteilung von Einkommen, Vermögen oder Konsum zu dokumentieren. Beispielsweise sind in vielen Ländern Informationen über die Einkommensverteilung nur für einzelne Jahre verfügbar. Es wäre aber wünschenswert zu wissen, wie das Einkommen von einzelnen Personen oder Familien sich entwickelt.

Eine aktuelle Studie von Tony Atkinson untersucht die Frage, welcher Zusammenhang zwischen Bankenkrisen und Ungleichheit besteht. Die meisten existierenden Studien zu Ursachen und Folgen der Finanzkrise behandeln Verteilungsaspekte nur am Rande, obwohl sich hier wichtige Fragen stellen. So könnten stagnierende Löhne im Bereich der mittleren und niedrigen Einkommen in den Vereinigten Staaten private Haushalte veranlasst haben, sich übermäßig zu verschulden, um ihren Lebensstandard aufrechtzuerhalten. Steigende Einkommensungleichheit könnte deshalb eine Ursache der Finanzkrise sein.

Spannend sind außerdem die Folgen der Krise: Hat sie die Ungleichheit reduziert, weil vor allem die reicheren Haushalte getroffen wurden, deren Vermögen wegen sinkender Aktien- und Immobilienpreise schrumpft? Oder hat die Ungleichheit zugenommen, weil die ärmeren Bevölkerungsschichten von Arbeitslosigkeit getroffen wurden? Atkinson untersucht diese Fragen, indem er die Entwicklung der Einkommens- und Vermögensungleichheit für 66 Finanzkrisen der Vergangenheit analysiert. Dabei zeigt er, dass die Ungleichheit sich vor und nach diesen Krisen sehr unterschiedlich entwickelt hat. Er kommt zu dem Ergebnis, dass wachsende Einkommensungleichheit wohl keine zentrale Ursache der aktuellen Finanzkrise war. Wie die Krise sich auf die Ungleichheit auswirkt, darüber will Atkinson kein Urteil wagen, weil die Datenlage dies noch nicht erlaube.

Diese Schlussfolgerungen sind für Tony Atkinson typisch. Er verbindet Aufwand und Sorgfalt bei der Datenanalyse mit Distanz zu den eigenen Forschungsergebnissen und vorsichtiger Interpretation. Das ist sicherlich ein Grund dafür, dass die Politik seinen Rat immer wieder sucht. Das beschränkt sich nicht auf Großbritannien. Die französische Regierung hat sich ebenfalls von ihm beraten lassen und ihn dafür sogar zum Ritter der französischen Ehrenlegion ernannt. Auch diese Ehrung wird er mit der ihm eigenen freundlichen Gelassenheit entgegengenommen haben.

Clemens Fuest

ROSA LUXEMBURG

Die Ikone der Antikapitalisten

// Rosa Luxemburg sagte den Untergang des Kapitalismus voraus. Doch dazu kam es nicht. Ihr Ruhm bleibt trotzdem unverwüstlich.

Unter den Theoretikern der Linken ist niemand so populär wie sie, nicht der bärtige Karl Marx, nicht der Barmener Fabrikantensohn Friedrich Engels und erst recht nicht der sozialdemokratische Partei-Ideologe Karl Kautsky. Das Leben Rosa Luxemburgs hingegen wurde erfolgreich verfilmt, zu ihrem Todestag pilgern die Verehrer alljährlich in Scharen zum Grab, die Stiftung der Linkspartei trägt ihren Namen. Die Politikerin Sahra Wagenknecht verdankt ihren Erfolg auch dem Umstand, dass sie in Stil und Sprache so wirkt wie eine Reinkarnation der Revolutionärin aus dem Kaiserreich.

Die Verehrung gilt einer Frau, die mehrfach im Gefängnis saß und 1919 von Freikorps-Leuten ermordet wurde, die sich in einer Männerwelt behauptete und wie sonst kaum jemand gegen den Krieg eintrat. Ihre Liebesbeziehungen erst zu dem älteren Leo Jogiches, dann zu dem 14 Jahre jüngeren Kostja Zetkin regten romantische Phantasien an. Vor allem aber gilt sie, die Unbeugsame, als Verkörperung der Reinheit in einer Welt der Politik, in der sonst stets der Kompromiss regiert.

Darüber gerät beinahe in Vergessenheit, dass sie sich selbst vor allem als Theoretikerin sah. 1871 im ostpolnischen Zamość geboren und in Warschau aufgewachsen, studierte sie in Zürich Staatswissenschaften. Ihren Lehrer, den österreichischen Nationalökonomen Julius Wolf, verwickelte sie in Dispute über Karl Marx, den Wolf zu widerlegen trachtete. Für ihre Dissertation über »Die industrielle Entwicklung Polens«, die sofort im renommierten Wissenschaftsverlag Duncker & Humblot erschien, bekam sie 1897 gleichwohl die zweitbeste Note »magna cum laude«.

Kaum nach Berlin umgezogen, stürzte sie sich sogleich in die Theoriedebatten der deutschen Sozialdemokratie. Gerade hatte ihr Parteifreund Eduard Bernstein Ungeheuerliches getan: In seinem Buch über »Die Voraussetzungen des Sozialismus und die Aufgaben der Sozialdemokratie« wagte er es, die These vom naturnotwendigen Zusammenbruch des Kapitalismus in Zweifel zu ziehen. Das Wirtschaftssystem, so Bernstein, habe sich als erstaunlich wandlungsfähig erwiesen. Die Sozialdemokratie müsse die Lage der Arbeiter deshalb durch konkrete Reformen im Hier und Jetzt verbessern – statt einfach nur auf den »großen Kladderadatsch« zu warten, wie es der Parteivorsitzende August Bebel gern ausdrückte.

Luxemburg schlug 1899 mit einer Artikelserie zurück, die unter dem Titel »Sozialreform oder Revolution?« auch als Buch erschien. Sie warf Bernstein vor, die Sozialreform zum »Selbstzweck« zu erklären, und verteidigte die politische Religion des orthodoxen Marxismus. Diesmal noch war sie sich mit der Parteiführung um Bebel einig. Selbst Bernsteins Gesinnungsgenossen fanden, der frontale Angriff auf die Glaubenssätze der Partei sei nun wirklich nicht nötig gewesen. »Mein lieber Ede, das, was Du verlangst, so etwas beschließt man nicht, so etwas tut man«, schrieb der bayerische Reformist Ignaz Auer. Die Auseinandersetzung ging als »Revisionismusstreit« in die Parteigeschichte ein.

Die Fronten verkehrten sich, als Luxemburg wenig später abermals in eine innerparteiliche Schlacht zog. Die russische Revolution von 1905 löste in der Sozialdemokratie die »Massenstreikdebatte« aus. Die Idee, für umfassende politische Ziele die Arbeit ruhen zu lassen, fand zunächst die Zustimmung aller Parteiflügel. Bald zeigte sich, dass sich damit höchst unterschiedliche Ziele verbanden. Bernstein ging es um das demokratische Nahziel eines allgemeinen Wahlrechts in Preußen. Luxemburg hatte es auf das sozialistische Fernziel der Revolution abgesehen. Durchsetzen konnten sich am Ende beide nicht: Die Gewerkschaften, die staatliche Repressionen fürchteten, würgten die Debatte ab – diesmal mit Hilfe der Parteiführung.

Gleichwohl bleibt die Streitschrift, die Luxemburg damals verfasste, ihr interessantestes theoretisches Werk. Wer verstehen will, warum sich die Selbsterfahrung der Occupy-Demonstranten vom realpolitischen Geschäft der Bankenregulierung grundlegend unterscheidet, muss das Büchlein über »Massenstreik, Partei und Gewerkschaften« lesen. Bei der Lektüre erschließt sich der Unterschied zwischen einer existentiellen Auffassung von Politik, der es ums kollektive Subjekt geht, und einem instrumentellen Politikverständnis, das konkrete Ziele durchsetzen will. Natürlich stand die Revolutionärin auf der Seite der »wirklichen Volksbewegung«, der sie eine »elementare Kraft« zuschrieb.

Ein Jahr vor Ausbruch des Ersten Weltkriegs veröffentlichte

Luxemburg im Berliner Vorwärts-Verlag schließlich das 446 Seiten starke Buch, das sie als ihr theoretisches Hauptwerk ansah: »Die Akkumulation des Kapitals. Ein Beitrag zur ökonomischen Erklärung des Imperialismus.« Darin erläuterte sie, dass der Kapitalismus in seinem Expansionsdrang stets neue Märkte erschließen müsse. Sei die Welt vollständig durchdrungen, schlügen die Konflikte mit neuer Wucht auf den alten Kontinent zurück. Das galt zwar schon bald als prophetische Vorahnung dessen, was 1914 tatsächlich geschah. Doch kann der Versuch, den Kriegsausbruch rein wirtschaftlich zu erklären, nicht mehr überzeugen – auch wenn die Frage nach den Grenzen der Wachstumsdynamik heute neu gestellt wird.

Ihren Nachruhm sicherte Luxemburg viel eher mit einem einzigen Satz, den sie unter dem Eindruck der russischen Revolution niederschrieb. Als Lenin im Januar 1918 die Verfassunggebende Versammlung auflöste, hielt sie ihm vor: »Freiheit ist immer nur die Freiheit des Andersdenkenden.« Für Klassenfeinde galt das nach ihrer Ansicht allerdings nicht, und ihr Kampfgefährte Karl Liebknecht unternahm ein Jahr später seinerseits den Versuch, in Deutschland die Wahl einer Verfassunggebenden Nationalversammlung zu verhindern. Der brutalen und maßlosen Gegengewalt, die auf diesen »Spartakusaufstand« folgte, fiel Luxemburg selbst zum Opfer. Die Freikorps-Kämpfer, die den Mord verübten, erreichten das Gegenteil des Gewollten: Sie machten Rosa Luxemburg endgültig zur Märtyrerin.

Ralph Bollmann

LUDWIG ERHARD

Der Meister

// Ludwig Erhard wollte Wohlstand für alle. Zu viel wirtschaftliche Macht hielt er für gefährlich. Politiker aller Art berufen sich auf ihn. Doch er hätte an der heutigen Wirtschaftspolitik wenig Freude.

Es gibt kaum Bücher aus den Fünfzigern, die sich noch heute so gut verkaufen wie Ludwig Erhards Bestseller »Wohlstand für alle«. CDU wie CSU sehen sich in der Tradition des profilierten Wirtschaftsministers und Altkanzlers, und auch die FDP weist dem Zigarre rauchenden Ordnungspolitiker einen Platz in ihrer Ahnengalerie zu. Seit 2007 schmückt eine Ludwig-Erhard-Büste das Wirtschaftsministerium, und selbst Sigmar Gabriel nutzte eine seiner ersten Bundestagsreden im neuen Amt, um sich als Schüler des Meisters zu präsentieren.

Ludwig Erhard kann sich gegen all die Erbschleicherei nicht mehr wehren. »Ich denke, es wird ihm hier gefallen«, meinte der Chef der Erhard-Stiftung bei Aufstellung der Büste im Wirtschaftsministerium. Ich halte das für überaus zweifelhaft. Und zwar nicht erst, seit der Hausherr Sigmar Gabriel heißt. Ludwig Erhard gilt als Architekt des Wirtschaftswunders, als kompromissloser Vertreter einer an den Thesen der Freiburger Schule orientierten Wirtschaftspolitik.

Marktgläubige nehmen ihn gern für sich in Haftung, als einen, der dem Staat wenig und dem Markt nahezu alles zugetraut habe. Spiegelbildlich dazu galt er in der politischen Linken lange als bärbeißiger Gewerkschaftsfeind. Tatsächlich ist Ludwig Erhard weit vielschichtiger als das teils verklärende, teils entstellende Bild, das gewöhnlich von ihm gezeichnet wird. Ja, Erhard war entschiedener Anhänger eines marktbasierten Leistungswettbewerbs, der die

Unternehmen durch harte Konkurrenz zu Innovation, steigender Produktivität und verbesserter Qualität zwingt. Mit dieser Perspektive betrieb er 1947 die Aufhebung der Preisbindung und das Ende der Zwangsbewirtschaftung.

Aber anders als die Marktgläubigen unserer Tage hatte Ludwig Erhard begriffen, dass Märkte nur unter ganz bestimmten Bedingungen im gewünschten Sinne funktionieren und es originäre Aufgabe des Staates ist, diese Bedingungen – auch im Konflikt mit dem Unternehmerlager – abzusichern. Denn Erhard wusste, »den Gegenpol der wirtschaftlichen Freiheit stellt die Ausprägung wirtschaftlicher Macht dar«. Deshalb sei »gesetzlich sicherzustellen, dass die Vorzüge der Wettbewerbswirtschaft nicht durch historisch erwiesene Nachteile einer bedenklichen Machtkonzentration aufgewogen werden«.

Wird die Macht einzelner Unternehmensgruppen zu groß, findet nämlich kein Leistungswettbewerb mehr statt, sondern das, was der Ordoliberale Alexander Rüstow »Halsabschneiderwettbewerb« nennt: Zulieferer und Kunden werden ausgenommen und Konkurrenten mit unlauteren Mitteln vom Markt verdrängt. Es ist kaum vorstellbar, dass Ludwig Erhard eine Politik gutgeheißen hätte, die unter Verweis auf die »Marktfreiheit« globale Unternehmensgiganten wie Google, Microsoft oder Amazon heranwachsen lässt, deren Praktiken als »halsabschneiderisch« noch verharmlosend beschrieben sind.

Auch dass in Deutschland vier große Konzerne gut 85 Prozent des Lebensmitteleinzelhandels beherrschen, ein Oligopol aus fünf Unternehmen nahezu den gesamten Tankstellenmarkt kontrolliert oder eine Handvoll großer Verlagshäuser bestimmt, was in diesem Land morgens gelesen wird, hat mit den ordoliberalen Vorstellungen einer freien Wettbewerbswirtschaft wenig zu tun. Dabei ist das Problem nicht allein die Macht am Markt. Unvermeidbare Folge wirtschaftlicher Macht und daher wichtiges Merkmal des »Halsabschneiderwettbewerbs« ist schon für Rüstow die

»heimliche wie öffentliche Einflussnahme mächtiger Interessengruppen auf Staat, Politik und öffentliche Meinung«.

Eine Politik, die marode Banken und ihre abstrusen Geschäftsmodelle unverdrossen mit Milliarden subventioniert oder Familien und Mittelstand zwingt, die Energierechnung profitabler Konzerne mitzubezahlen, sollte sich jedenfalls nicht auf Ludwig Erhard berufen, dem ein von Lobbyisten gekaperter Nachtwächterstaat ein Graus war. 1951 legte Ludwig Erhard dem Bundeskabinett ein Kartellgesetz vor, das solche Fehlentwicklungen verhindern sollte. 1957, am Ende eines »Siebenjährigen Krieges« wie der »Spiegel« damals titelte, verabschiedete der Bundestag ein »Gesetz gegen Wettbewerbsbeschränkungen«, das nur noch ein Schatten des Erhardschen Entwurfes war.

Die geballte Industrielobby hatte unzählige Ausnahmen eingefordert und war bei der Union auf offene Ohren gestoßen. Erhard, ohnehin kein Meister innerparteilicher Stellungskriege, hatte keine Chance. Dieser Konflikt wie auch das schon früh sich abzeichnende Ende der Entflechtungspolitik führte zu einer wachsenden Entfremdung zwischen dem Wirtschaftsminister und Vertretern der ordoliberalen Schule. Einer von ihnen, Leonhard Miksch, notierte schon 1949: »Das Kabinett Adenauer erweist sich immer mehr als eine Interessenregierung. Landwirtschaftliche und schwerindustrielle Einflüsse haben sich vereinigt« und verließ desillusioniert Erhards Ministerium.

Auch der Kopf der Freiburger Schule, Walter Eucken, stellte verärgert fest: »Überall kann man erkennen, dass die Monopolfreunde vordringen.« Erwähnt sei allerdings auch, dass Erhards Kartellgesetz von 1957 trotz allem noch unvergleichlich mehr Biss hatte als das von Konzernen geschriebene EU-Recht heute und in der Nach-Erhard-Zeit immer weiter aufgeweicht wurde.

Obwohl Ludwig Erhard berechtigte Forderungen der Gewerkschaften oft ziemlich brüsk zurückwies, hatte er eine klare Meinung vom Sinn der sozialen Marktwirtschaft: »Der Tatbestand der sozialen Marktwirtschaft ist vielmehr nur dann als voll erfüllt anzusehen, wenn entsprechend der wachsenden Produktivität echte Reallohnsteigerungen möglich werden.«

Nach Agenda 2010 klingt das nicht, und ein Land, in dem die Reallöhne heute unterhalb des Niveaus des Jahres 2000 liegen und ein Viertel aller Beschäftigten in unsicheren Jobs für Niedriglöhne schuftet, wandelt ganz sicher nicht auf den Spuren eines Ordnungspolitikers, der angetreten war, »über eine breitgeschichtete Massenkaufkraft die alte konservative soziale Struktur« – nämlich eine dünne Oberschicht und eine breite Unterschicht – »endgültig zu überwinden«.

Heute wird die Mitte wieder schmaler, eine dünne Oberschicht sehr viel reicher, die Unterschicht breiter und chancenloser. »Wohlstand für alle« war das große Versprechen Ludwig Erhards und der sozialen Marktwirtschaft. Dieses Versprechen wurde von seinen Nachfolgern gebrochen.

Sahra Wagenknecht

VERNON SMITH

Der scheue Menschenversteher

// Vernon Smith glaubt nicht an die Theorie allein – und macht deshalb Experimente mit Märkten und Menschen. Sein milder Autismus beflügelt seine Forschung.

»Hatten Sie jemals den Eindruck, dass die Leute Sie seltsam fanden?« Diese Frage stellte eine Fernsehreporterin vor einigen Jahren dem Nobelpreisträger Vernon Smith. »O ja«, antwortete Smith – und führte das aus: dass er soziale Situationen schlecht ertragen kann, dass er dafür bekannt ist, bei Treffen mit Freunden irgendwann nach oben zu verschwinden und ein Buch zu lesen. Vernon Smith leidet unter dem Asperger-Syndrom, einer sehr milden Form des Autismus. Für Außenstehende äußert sie sich darin, dass die Menschen in sozialen Situationen distanziert sind, scheu, ihr Gegenüber nicht anschauen und Schwierigkeiten haben zu verstehen, wie der andere sich gerade fühlt. Vernon Smiths Ehefrau sagt, wer um die Krankheit nicht wisse, könne die Betroffenen als unemotional, kalt oder unsensibel wahrnehmen.

Dass gerade ein Mann, der Schwierigkeiten mit Menschen hat, sich als einer der ersten Ökonomen daranmachte, diese Menschen ganz genau zu erforschen, ihr Verhalten auf Märkten in Form von Experimenten nachzuspielen, statt nur darüber nachzusinnen – das ist auf den ersten Blick denkbar unpassend. Und noch mehr, dass er darin so gut war, dass er 2002 den Nobelpreis dafür bekam. Sollte ein Ökonom mit Asperger-Syndrom nicht eher ein Liebhaber des Nachdenkens im stillen Kämmerlein sein?

Auf den zweiten Blick aber ist es nur logisch. Vernon Smith wollte das Wesen des Verhaltens der Menschen auf Märkten begreifen – wohl gerade weil er so wenig davon intuitiv verstand. Ihn trieb der Wunsch zu verstehen. Und das Asperger-Syndrom bot ihm Vorteile dabei, dieses Ziel rückhaltlos zu verfolgen, wie er heute sagt. »Ich kann abschalten und in den Konzentrationsmodus gehen, und die Welt da draußen ist vollkommen ausgeschlossen«, erzählt er. »Wenn ich schreibe, dann existiert nichts anderes mehr.«

Angefangen hat seine Begeisterung für ökonomische Experimente schon im ersten Jahr, in dem Smith als junger Professor Ökonomie lehrte: 1955. Da fiel ihm auf, wie schwierig es ist, den Studenten theoretische Konzepte über Märkte zu vermitteln. Schließlich sollten sie diese nicht nur auswendig lernen, sondern auch verstehen und glauben. Sogar Smith selbst zweifelte daran, dass Märkte so gut funktionierten, wie in der mikroökonomischen Theorie angenommen. Also erdachte er sein erstes Experiment.

Seine Studenten spielten künftig alle in der ersten Stunde des ersten Semesters einen Markt nach. Einige waren dabei die Anbieter, andere die Käufer von Waren. Die Käufer erfuhren, wie viel sie maximal zahlen konnten, die Verkäufer erfuhren, wie hoch ihre Produktionskosten waren. Dann verhandelten sie miteinander mehrere Runden lang. Und siehe da: Heraus kam ziemlich genau immer der Preis, den die ökonomische Theorie unter diesen Bedingungen vorhersagte. Die Theorie war erstaunlich korrekt. Dieses Ergebnis überzeugte Smith davon, dass freie Märkte funktionieren – mehr als alles, was er zuvor gelernt hatte.

Es ist deshalb nur logisch, dass Vernon Smith, als er viele Jahre später beim Nobelpreis-Dinner einen Toast aussprach, dabei auch eines lobte: »das bedeutendste gewachsene Werk der Menschheit – Märkte«. Zudem feierte er in seinem Tischspruch auch Benjamin Franklin wegen dessen Ausspruch: »Sag es mir, und ich vergesse es, unterrichte mich, und ich erinnere mich, involviere mich, und ich lerne.«

Genau das hat Smith beherzigt. Er hat seine Studenten nicht

bloß unterrichtet, sondern mit eingebunden – und ihnen dadurch mehr beigebracht als durch einen Vortrag. Wobei ein Vortrag von Vernon Smith schon per se nicht durch Verständlichkeit besticht, sondern eher durch ein fast schon verschrobenes Interesse für Details und Gedankengänge, so dicht, dass sie nur versteht, wer sich das Ganze noch mal in gedruckter Form durchliest – dann allerdings wird es lustig, feinsinnig, originell.

Seine Experimente aber sprechen eine für jeden verständliche klare Sprache. Mit ihnen hat er erst seinen Studenten, später der gesamten Ökonomen-Zunft vor Augen geführt, dass man Märkte und ihre Mechanismen tatsächlich auch in der Wirklichkeit nachspielen und erforschen kann. Dabei hat er nicht nur Theorien bestätigt, sondern auch widerlegt. Immer ging es Vernon Smith darum: Verhalten sich die Menschen wirklich so wie gedacht? Und was passiert, wenn man die Märkte anders gestaltet, andere Bedingungen schafft?

Diese Begeisterung für Mechanismen, die die Welt erklären, hatte Smith schon früh. Geboren 1927 in Wichita, wuchs er in Zeiten der Großen Depression auf einem Bauernhof auf – wo er jeden Tag von seinem Vater lernte, wie die Dinge in dieser Welt funktionierten. Später verlor die Familie die Farm, und Smith kam in die Stadt. Zuerst wandte er sich der Technik zu. Er arbeitete bei Boeing Aircraft, studierte dann Elektrotechnik – bevor er zur Ökonomie kam.

Er, der Ingenieur, bewunderte dabei zwar die Gedankengänge der großen Theoretiker, misstraute aber stets auch den Ergebnissen reinen Nachsinnens. Stimmt das auch wirklich? Smith zitiert heute gerne Hayek, der ihn gelehrt habe, dass »Vernunft, die richtig gebraucht wird, ihre eigenen Grenzen erkennt«.

Diese Grenzen hat Smith versucht zu überschreiten, indem er die Wirklichkeit in die Wirtschaftswissenschaften holte. Er entdeckte, dass bestimmte Märkte effizient sind und dass man Auktionen auf verschiedene Weisen durchführen kann – je nachdem, welcher Preis am Ende dabei herauskommen soll. Vor allem aber hat er mit seinen Experimenten einen Glauben erschüttert: den an den stets rational handelnden Menschen, das einst vorherrschende Menschenbild in der Ökonomie. Smith, der Menschenscheue, hat damit mehr über die Menschen herausgefunden als mancher seiner geselligeren Kollegen.

Lisa Nienhaus

RICHARD EASTERLIN

Geld allein macht auch nicht glücklich

// Richard Easterlin hat den Zusammenhang zwischen Wohlstand und Glück erforscht. Und erkannt: Die Menschen sind nicht nur aufs Geld aus.

Man muss sich Richard Easterlin als einen glücklichen Ökonomen vorstellen. Der 1926 geborene Amerikaner, der fast sein ganzes Leben an der University of Pennsylvania unterrichtete, hat erreicht, wovon die meisten Wissenschaftler träumen. Er hat mit der »Glücksforschung« eine aufstrebende neue Forschungsrichtung auf die Beine gestellt und findet mit seinen Erkenntnissen das Gehör der Regierungen. Ihm sind viele Ehrungen zuteilgeworden, nur der Nobelpreis steht noch aus.

Bekannt ist Easterlin vor allem für eine empirische Beobachtung und ein vermeintliches theoretisches Rätsel: Wirtschaftswachstum bedeutet nicht, dass die Menschen glücklicher werden

(Easterlin-Paradoxon). Dafür gibt es eine Erklärung: Das Glück hängt nicht am Geld allein. Mit dem Wohlstand steigen die Ansprüche. Und wenn schon materielle Aspekte eine Rolle spielen, dann hängt das subjektive Glücksempfinden oft stärker davon ab, ob man reicher ist als die Menschen, mit denen man sich vergleicht, als davon, ob man auf dem eigenen Pfad vorangekommen ist.

Eine ähnliche Kontext-Betrachtung liegt seiner Erklärung des Babybooms und seines Endes zugrunde – einer Erscheinung, die nicht in das Bild passt, dass es einen positiven Zusammenhang zwischen Wirtschaftswachstum und Fortpflanzung gibt. Die Eltern der Babyboom-Kinder hatten nach Easterlin, der sich ausgiebig mit demographischen Fragen beschäftigt hat, geringe materielle Erwartungen und konnten sich dank der guten ökonomischen Entwicklung reich fühlen. Ihre Kinder seien verwöhnt gewesen, hätten aufgrund ihrer großen Anzahl jedoch schlechtere Aussichten auf dem Arbeitsmarkt gehabt und sich subjektiv erfolgloser gefühlt – weshalb sie ihrerseits weniger Kinder in die Welt gesetzt hätten, obwohl sie objektiv besser lebten als ihre Eltern (Easterlin-Hypothese).

Die von Easterlin 1974 publizierte Nachricht, dass Geld nicht alles ist, schlug ein wie eine Bombe. Viele Menschen mögen darin die Mahnungen ihrer Großeltern wiedererkannt haben. So weit, so trivial? Zumindest die politischen Folgerungen sind durchaus nicht ohne. Wenn zunehmender ökonomischer Wohlstand gar nicht glücklicher macht, dann kann man es sich schenken, über eine Wirtschaftspolitik nachzugrübeln, die das Wachstum fördert – so die gängige Lesart. Im Gegenteil, wenn es die Leute glücklicher macht, dass es weniger Ungleichheit im Land gibt, dann tut mehr Umverteilung not, vollkommen gleichgültig, was das für das Wachstum bedeutet. Die Kapitalismuskritiker, die in der Wachstumsorientierung ohnehin eine Verrohung der Sitten erblickten, freuten sich: Schluss mit der Ökonomisierung des Lebens!

Heute, 40 Jahre später, nach Jahren der Krise, ist dieser Ruf populärer denn je. Doch was soll an die Stelle des Wachstums rücken? Wie will man das Glück der Menschen definieren und messen? Wie lassen sich die schweren methodischen Probleme lösen? In Deutschland hat eine Bundestags-Enquêtekommission »Wachstum, Wohlstand, Lebensqualität« lange über diesen Fragen gebrütet. In Frankreich hatte der frühere Präsident Nicolas Sarkozy eine Kommission unter Leitung der Nobelpreisträger Joseph Stiglitz und Amartya Sen mit einem Bericht beauftragt. In Großbritannien müht sich die Statistikbehörde mit einem Glücksindex ab. Im südasiatischen Bhutan ist man weiter: Dort strebt die Regierung danach, das »Bruttosozialglück« zu maximieren.

Easterlin betont immer wieder, dass ihm das Normative, Wertende an der Ökonomie missfalle. Er ist ein keynesianisch geprägter, pragmatischer Ökonom, dem die Empirie mehr bedeutet als die Theorie und subjektive Fakten mindestens so viel wie objektive. Wie John Maynard Keynes selbst raubt ihm die Sorge, dass Regierungen falsch handeln könnten, nicht den Schlaf. Man müsse sie eben gut beraten. »Die ökonomische Wissenschaft hilft uns, unser Schicksal zu kontrollieren«, frohlockt er, der ursprünglich Ingenieurwesen studiert hat. Nicht Marktkräfte seien es gewesen, die Not und Arbeitslosigkeit als Massenphänomen beseitigt hätten, sondern kluges politisches Handeln.

Easterlin, der heute an der University of Southern California lehrt und mit der dortigen Gerontologin Eileen Crimmins verheiratet ist, bezeichnet es schlicht als die Aufgabe des Ökonomen, menschliche Erfahrungen zu bestimmten Zeitpunkten und an bestimmten Orten zu erklären. Hierfür, betont er, reiche das enge Paradigma der Mainstream-Ökonomie nicht aus. Der Mensch sei nicht nur ein Homo oeconomicus; er fälle seine Entscheidungen selten rational und wohlinformiert. Die Präferenzen seien nicht fix, sondern fließend und dabei wesentlich sozial determiniert: Das Sein bestimme das Bewusstsein, wie schon Karl Marx wusste.

Um individuelle Entscheidungen und sich daraus ergebende soziale Phänomene zu verstehen, müsse man sich mit dem historischen, kulturellen, sozialen Umfeld befassen sowie psychologische Faktoren berücksichtigen. Für Easterlin ist es ein Drama, dass das Curriculum der Ökonomen heute so wenig Interdisziplinarität vorsieht.

Mit dem Erklären ist es für ihn indes nicht ganz getan: Die aus der Empirie gewonnene ökonomische Erkenntnis soll schon auch – natürlich wohlmeinend – verwendet werden. Easterlin selbst gab einst in einem Interview ein bezeichnendes Beispiel dafür, was das konkret bedeuten kann: Ein Arzt solle Menschenleben retten. Wenn die Menschen aber, sozial konditioniert, dem Irrglauben aufsäßen, Durchfall lasse sich nur durch Abführmittel kurieren, dann müsse der Arzt ihnen das Mittel, das der tatsächlich bedrohlichen Dehydrierung entgegenwirke, schlicht als Abführmittel unterjubeln. An diesem Beispiel zeigt sich genau die Crux der Glücksforschung: Sie führt auf direktem Wege in den Paternalismus. Weil man mit der Berufung auf das Glück der anderen alles bemänteln kann und weil leider nicht immer wohlmeinende paternalistische Ärzte am Werk sind, droht so die Freiheit unterzugehen. Und deshalb stellt sich am Ende eben doch unausweichlich eine Wertfrage.

Karen Horn

CHRISTINA ROMER

Die Spezialistin für Krisen

// Christina Romer erforscht Weltwirtschaftskrisen. Ihr Rezept: Viel Geld ausgeben, damit die Wirtschaft wieder in Gang kommt.

Für Wirtschaftshistorikerinnen wie Christina Romer schlägt die große Stunde genau dann, wenn sich Geschichte eben doch wiederholt. In gewöhnlichen Zeiten mögen die tiefen Einblicke in das, was längst vergangen ist, ein Fachpublikum verzücken. Die breite Masse interessiert sich nicht fürs Vorgestern. Aber es waren keine gewöhnlichen Zeiten – und die wohl versierteste Wirtschaftshistorikerin der Vereinigten Staaten wurde dringend gebraucht. Das wusste Barack Obama, der frisch gewählte Präsident, zu dessen Amtsantritt im Januar 2009 die Finanzkrise wütete. Unmittelbar nach seinem Wahlsieg berief er die Hochschullehrerin Christina Romer an die Spitze seines ökonomischen Beraterteams (Council of Economic Advisers).

Fünf Jahre später ist Romers Ausflug nach Washington selbst schon wieder Geschichte. Man muss kein Historiker sein, um zu prophezeien, dass die 55 Jahre alte Forscherin als eine der einflussreichsten Wirtschaftswissenschaftlerinnen ihrer Generation in die Geschichtsbücher eingehen wird. Zwar war der Realitätstest im Weißen Haus eine kurze und zum Teil ernüchternde Erfahrung für die Forscherin. Doch mit ihren Studien zur Großen Depression in Amerika und ihren daraus abgeleiteten Empfehlungen gehört sie zum Kreis der Ökonomen, die das theoretische Fundament für eine Wirtschaftspolitik lieferten, die nicht zurückschreckt vor gigantischen Konjunkturprogrammen, und denen die Geldpolitik in Krisenzeiten gar nicht expansiv genug sein kann.

Wer besser verstehen will, wie die Frau aus dem Bundesstaat

Illinois es so weit gebracht hat, kommt an ihrem Ehemann, dem bekannten Wachstumstheoretiker David Romer, nicht vorbei. Seit mehr als drei Jahrzehnten sind sie ein Paar und weichen sich privat wie beruflich nicht von der Seite: Tür an Tür forschen sie an der kalifornischen Eliteuniversität Berkeley, ungezählte Arbeiten haben sie gemeinsam veröffentlicht. Und als David, nicht aber Christina, nach Harvard an die Tausende Kilometer entfernte Westküste berufen wurde, lehnte dieser dankend ab.

Fast wäre es wegen eines blauen Auges gar nicht zu dieser Beziehung gekommen. »Es war der erste Tag an der Graduiertenschule am MIT, als ich sie zum ersten Mal gesehen habe«, berichtet David Romer dieser Zeitung. Weil er beim Sport von einem Ball getroffen worden war, war sein Auge geschwollen. »Sie brauchte mehrere Wochen, um zu entscheiden, dass ich kein Rauhbein bin, sondern jemand, mit dem sie sich gerne unterhält«, erinnert sich Romer.

Offenbar lag seine heutige Frau Christina mit ihrer Entscheidung genau richtig – genau wie mit ihrem Entschluss, sich intensiv mit der »Great Depression«, der großen Wirtschaftskrise der dreißiger Jahre, zu befassen. Romer hat diese Krise, in der viele Fachleute Parallelen zur Finanzkrise nach dem Untergang der Investmentbank Lehman Brothers erkennen, von ihren Anfängen bis zu ihren Ausläufern erforscht. Ihre zentrale Erkenntnis: Es war vor allem der expansiven Geldpolitik der amerikanischen Notenbank Federal Reserve zu verdanken, dass die schwere Rezession überwunden werden konnte.

Allerdings macht Romer eine zu restriktive Finanzpolitik in den ersten Folgejahren der Krise dafür verantwortlich, dass die amerikanische Volkswirtschaft 1937 und 1938 abermals in die Rezession abgeglitten ist. Romers empirisch gestützter Glaube, dass lockere Geldpolitik und staatliche Ausgabenprogramme in Krisenzeiten die richtige Medizin sind und sich langfristig auszahlen, scheint unerschütterlich. Romer ist Neo-Keynesianerin –

doch es würde viel zu kurz greifen, die Frau mit der kräftigen Statur in die Schublade der hemmungslosen Schuldenmacher zu stecken. Immer wieder betont Romer die Bedeutung gesunder Haushaltssalden, beherrschbarer Staatsschulden und moderater Steuersätze.

Diese unbestrittene Krisenkenntnis bescherte Romer den Ruf in Obamas Beraterteam. Gleich zu Beginn seiner Amtszeit brachte der amerikanische Präsident mit seiner Regierung ein fast 800 Milliarden Dollar umfassendes Krisenpaket auf den Weg, das ganz nach Romers Geschmack war. Kurze Zeit später veröffentlichte die Ökonomin eine Prognose, die ihr lange Zeit nachhängen sollte. Sie sagte voraus, dass die massive staatliche Intervention die Arbeitslosigkeit in den Vereinigten Staaten auf höchstens 8 Prozent begrenzen werde. Als die Arbeitslosenquote ein Jahr später deutlich jenseits der 9-Prozent-Marke lag, geriet Romer in Erklärungsnot.

Ohnehin dürfte sich die eher zurückhaltend auftretende Romer im Kreis der Obama-Berater – umgeben von Alphatieren wie dem Wirtschaftswissenschaftler Larry Summers – nicht gerade wohlgefühlt haben. »Ich habe den Herbst 2009 als einen sehr frustrierenden in Erinnerung«, sagte Romer rückblickend. Es sei ihr klar gewesen, dass die Wirtschaft trotz erster Anzeichen der Beruhigung noch immer in großen Problemen gewesen sei. Die Ökonomin versuchte Obama zu überzeugen, noch mehr Geld in die Hand zu nehmen und die Arbeitgeber stärker steuerlich zu entlasten. Doch das Team der Berater sei zu gespalten gewesen. Auch die Notenbank Fed agierte in den Augen Romers zu zögerlich.

Die Krisenkennerin fürchtete, dass es wie in den späten dreißiger Jahren einen Rückfall geben könnte. Offiziell aus familiären Gründen räumte die Mutter von drei Kindern im September 2010 den Posten. Sie könne nicht verstehen, warum Politiker es nicht als dringender ansehen, etwas gegen hohe Arbeitslosigkeit zu tun, sagte sie später. »Die Menschen leiden doch ganz offensichtlich sehr stark.«

Ihrem akademischen Ruf hat der nicht von Erfolg gekrönte Ausflug nach Washington kaum geschadet. Schon 2010 veröffentlichte sie gemeinsam mit ihrem Mann eine vielbeachtete Studie. Das Forscherpaar analysierte den Zusammenhang zwischen Steuerreformen und Wirtschaftswachstum in den Vereinigten Staaten über einen Zeitraum von mehreren Jahrzehnten. Ihr Ergebnis: Sinken Steuern um 1 Prozent, wächst das Bruttoinlandsprodukt um 3 Prozent – und andersherum. Dieser sehr hohe Steuermultiplikator wird in Fachdebatten gerne von den Befürwortern besonders niedriger Steuern zitiert. Doch die Berechnungen sind nicht unumstritten. »Dass der Steuermultiplikator tatsächlich so hoch sein soll, überzeugt mich nicht«, sagt Clemens Fuest, der Präsident des Zentrums für Europäische Wirtschaftsforschung in Mannheim.

Oft wird Ökonomen heute vorgeworfen, dass ihre Forschung realitätsfern sei. Christina Romer kann das nicht unterstellt werden, auch wenn sie mit ihren Prognosen nicht immer richtig lag. Womit sie langfristig recht behalten wird, das werden andere Wirtschaftshistoriker beurteilen.

Johannes Pennekamp

THORSTEIN VEBLEN

Spott auf die feinen Leute

// Thorstein Veblen verachtete Menschen, die nur nach Prestige streben. Sein Herz schlug für die Erfinder.

Dass aus Thorstein Veblen einmal ein wichtiger Intellektueller werden würde, war nicht vorgezeichnet. Der amerikanische Ökonom und Soziologe wurde im Jahr 1857 auf einer bescheidenen Farm im ländlichen Wisconsin geboren. Die Farm gehörte seinen Eltern, die zehn Jahre zuvor aus Norwegen nach Amerika ausgewandert waren, um dort ihr Glück zu suchen. Weder hatten sie Geld, noch sprachen sie am Anfang Englisch. Der kleine Thorstein wuchs genauso wie seine elf Geschwister in einer norwegischen Enklave auf, in der die heimischen Traditionen so strikt hochgehalten wurden, dass die Gegend als »Little Norway« bekannt war.

Zwar konnte der junge Veblen bald nur noch wenig mit den norwegischen Traditionen seiner Eltern anfangen, doch richtig Englisch lernte er erst in der Schule. Und die amerikanische Gesellschaft, deren zögerlich-distanziertes Mitglied er schließlich wurde, betrachtete er zeitlebens mit Argwohn. Das beruhte auf Gegenseitigkeit: Trotz Promotion in Yale und hervorragender Zeugnisse war Veblen mehrere Jahre arbeitslos, auch danach litt er zeitlebens unter Vorurteilen gegenüber Einwanderern und Kritik an seinem unorthodoxen Privatleben – Veblen war zweimal verheiratet, zudem wurden ihm diverse außereheliche Beziehungen nachgesagt. Immer wieder hatte er Schwierigkeiten, eine seinen Fähigkeiten angemessene Position zu finden.

Diese Herkunftsgeschichte ist entscheidend, um den misanthropischen Unterton zu verstehen, der sich durch Veblens Werk zieht. Der Mann hatte außerordentlich wenig für seine Mitmenschen übrig. Das äußert sich am deutlichsten in seinem ersten und bis heute bekanntesten Werk, »The Theory of the Leisure Class«, also der Theorie der feinen Leute. Obwohl Veblen während seiner akademischen Karriere hauptsächlich Positionen an wirtschaftswissenschaftlichen Lehrstühlen bekleidete, handelt es sich bei dem Buch weniger um eine wirtschaftswissenschaftliche Abhandlung als um eine Art soziologischer Gesellschaftssatire.

Veblen entwickelt darin eine beißende Kritik der gesellschaftlichen Verhältnisse im Amerika seiner Zeit. Er beschreibt eine Gesellschaft, in der echte ökonomische Bedürfnisse, deren Befriedigung er für berechtigt hält, wie das Streben nach mäßigem Wohlstand, sozialer Absicherung oder auch dem Besitz schöner Dinge, völlig in den Hintergrund getreten sind. Stattdessen verbringt der Großteil der Leute seine Zeit damit, sich durch völlig sinnlose Verschwendung von Zeit und Ressourcen von anderen abzusetzen, um durch den Konsum überflüssiger Produkte das eigene soziale Prestige zu verbessern. Angetrieben werden die Menschen dabei von den Vorlieben einer reichen und faulen Oberschicht (der »leisure class«, der »untätigen Klasse«), die mit demonstrativem Konsum und Müßiggang ihre privilegierte Position zelebriert.

Zwischen den Vorlieben der Menschen und dem tatsächlichen Wert oder der wirklichen Schönheit der Dinge besteht Veblens Theorie zufolge keinerlei Zusammenhang: Die Vorlieben der Leute werden ausschließlich davon bestimmt, welches Produkt das größte soziale Prestige bringt. Um mit den anderen Mitgliedern ihrer jeweiligen gesellschaftlichen Klasse mitzuhalten, investieren die Leute viel mehr Geld in Statussymbole, als es deren Wert angemessen wäre. Was für den Geschmack ihrer Klasse zu billig ist, verachten sie: »Blumen, die wenig Pflege verlangen, werden von der unteren Mittelklasse bewundert, weil sich diese keinen größeren Luxus dieser Art leisten kann; dieselben Blumen werden aber von jenen Leuten verachtet, die für teurere bezahlen können und deren Erziehung sie im Hinblick auf die Erzeugnisse des Gärtners ein höheres Niveau finanzieller Schönheit gelehrt hat.«

Diese Analyse menschlicher Entscheidungsfindung im Wirtschaftssystem unterscheidet Veblen radikal von den Vertretern der neoklassischen Ökonomie seiner Zeit, deren Theorien noch heute die Grundlage der akademischen Wirtschaftswissenschaft bilden. Er betrachtet die Mehrheit seiner Zeitgenossen nicht als rationale Nutzenmaximierer vom Typ Homo Oeconomicus, wie etwa sein Lehrer John Bates Clark es tat, sondern als kopflose, von Eitelkeit und vagen Ideen über soziale Erwartungen getriebene Dummköpfe, die aus Angst vor sozialer Ächtung sklavisch jeder neuen Mode hinterherhecheln – selbst dann, wenn dieses Verhalten zu ihrem persönlichen Glück äußerst wenig beiträgt. Konsumentscheidungen werden Veblen zufolge von der sozialen Umgebung bestimmt. Die individualistischen Erklärungsansätze seiner Kollegen in der Wirtschaftswissenschaft fand er »unwissenschaftlich« und lehnte sie ab.

Auch die Entscheidungen der Produzenten betrachtete Veblen weniger als Folge rationaler Entscheidungen denn als Produkt evolutionärer institutioneller Entwicklungen, die von widerstreitenden menschlichen Instinkten getrieben werden. Die Wirtschaft werde einerseits von aggressiven, räuberischen Instinkten bestimmt, die Veblen hauptsächlich bei den Industriekapitänen und Finanzmagnaten seiner Zeit diagnostiziert. Andererseits besitze jeder Mensch den Drang, nützliche Arbeit zu verrichten und die Funktionsweise der Welt um sich herum zu verstehen. Dieser Drang allein könne die Gesellschaft als Ganzes voranbringen, stehe aber im Konflikt mit dem aggressiven Räuberinstinkt. Veblen war der Ansicht, dass die Kapitalisten seiner Zeit die nützliche Arbeit anderer mit ihrem räuberischen Gebaren ausnutzten und so die Gesellschaft als Ganzes an der Entwicklung hinderten.

Veblen hielt diesen Zustand für außerordentlich ungut, zumal der ausbeuterische Erfolg der Kapitalisten den Drang nach demonstrativem Konsum zur Schaffung sozialen Prestiges noch verschärfte. Doch er hatte keine allzu große Hoffnung in die Fähigkeiten der meisten seiner Zeitgenossen, daran etwas zu ändern – waren sie doch größtenteils damit beschäftigt, in ihrer Jagd nach Statussymbolen den Profiteuren der bestehenden Verhältnisse nachzueifern. Anders als die Sozialisten hatte er auch weder sonderlich viel Mitleid mit den Mitgliedern der Arbeiterklasse, noch glaubte er an ihr revolutionäres Potential.

Stattdessen setzte Veblen seine Hoffnung in Erfinder und Ingenieure, seiner Meinung nach die Gruppe in der Gesellschaft, die am meisten nützliche, rational motivierte Arbeit leistete und die verstand, wie das Wirtschaftssystem funktionierte. Veblen wünschte sich für sie eine bedeutendere Rolle im politischen Prozess. Denn nur der von ihnen vorangetriebene technische Fortschritt hatte seiner Meinung nach das Potential, die Menschen zur Vernunft zu bringen. Die zunehmende Bedeutung der Maschinen könne die Leute dazu bringen, ihre Eitelkeiten hinter sich zu lassen und wieder zu lernen, nach rationalen Prinzipien zu denken, um eine sinnvollere gesellschaftliche Ordnung zu schaffen.

Mit dieser technokratischen Utopie fand Veblen in seinen letzten Lebensjahren viel Anklang in der Politik. Nach dem Ersten Weltkrieg arbeitete er für den amerikanischen Präsidenten Woodrow Wilson, auch die Mitglieder der von ihm mitgegründeten und bis heute bedeutenden New School of Social Research waren gerngesehene Berater der Politik. Als kurz nach seinem Tod der Börsencrash das System, das er so heftig kritisiert hatte, in eine tiefe Krise stürzte, reagierte die Regierung mit der technokratisch motivierten Reformpolitik des »New Deal«, die maßgeblich von Veblens Theorien beeinflusst wurde.

Und bis heute inspiriert Veblens tiefe Überzeugung, dass die Leute nicht wissen, was gut für sie ist, eine ganze Reihe moderner

Weltverbesserer – zum Beispiel die Verhaltensökonomen, die uns mit psychologischen Tricks verführen wollen, ein bisschen mehr Homo oeconomicus zu sein.

Lena Schipper

LARS PETER HANSEN

Der Börsenversteher

// Lars Peter Hansen hat mit eleganter Mathematik das Auf und Ab der Kurse entschlüsselt. Das brachte ihm 2013 den Nobelpreis.

Das geheimnisvolle Auf und Ab der Aktienmärkte, das Menschen unermesslich reich machen kann, aber auch das Risiko von Abstürzen immer schon in sich birgt – das ist eines der faszinierendsten Forschungsgebiete der Wirtschaftswissenschaften der vergangenen Jahre. Und zwar gerade deshalb, weil es schwierig ist, in die scheinbar willkürlichen Kursverläufe von Aktien, die heute wie in einem Rausch gefeiert werden und morgen schon ins Bodenlose fallen können, irgendeine Logik oder Systematik hineinzubringen. Weil es nicht leicht ist, die Entstehung des Preises von Wertpapieren zu verstehen.

Im Jahr 2013 mussten sich sogar gleich drei Ökonomen, die sich mit dieser Finanzmarkttheorie beschäftigen, den Wirtschaftsnobelpreis teilen: Der unbekannteste unter ihnen ist Lars Peter Hansen, 61, Professor an der University of Chicago. Während seine Kollegen Eugene Fama mit seiner Theorie der effizienten Kapitalmärkte (alle Informationen werden am Aktienmarkt sofort in den Kursen verarbeitet) und Robert Shiller mit seiner Theorie vom Irrationalen Überschwang (Aktienmärkte neigen ständig zu Übertreibungen) weltweit für Diskussionen sorgten, blieb Hansen – zumindest außerhalb der universitären Kreise – in ihrem Schatten.

Zu Unrecht. Der ruhige Mann mit der kleinen Brille hat wichtiges Rüstzeug geliefert, damit man Aktienmärkte überhaupt wissenschaftlich analysieren kann. Das Verfahren, das er entwickelt hat, heißt »GMM«. Diese Abkürzung steht für »Generalized Method of Moments« (»Verallgemeinerte Momenten-Methode«): Das ist ein wirtschaftsmathematisches Verfahren, um aus bekannten Größen mit Hilfe eines Modells unbekannte Parameter abzuschätzen. Ein Verbindungselement gleichsam zwischen den Methoden der Statistik und den Modellen, die einen Zusammenhang beschreiben, wie sie in der Wirtschaftswissenschaft eingesetzt werden.

Geholfen hat Hansen bei seiner Forschung, dass er ursprünglich auch Mathematik studiert hat, bevor er sich der Ökonomie zuwandte. Und zwar an der weniger bekannten Utah State University in Logan, an der schon sein Vater (bezeichnenderweise ein Naturwissenschaftler) Kanzler gewesen war. In einem Interview hat Hansen einmal erzählt, seine letzten Jahre an der Highschool seien »schwierig« gewesen: Darum habe er bei der Auswahl der Universität leider nicht besonders viele Optionen gehabt. Umso bemerkenswerter ist, dass sich später die renommiertesten amerikanischen Universitäten um ihn rissen: Seit 1984 lehrt Hansen in Chicago, als Gastprofessor unterrichtete er außerdem in Stanford, in Harvard und am Massachusetts Institute of Technology (MIT).

Der Professor, der mit der Tochter eines berühmten chinesischen Ökonomen verheiratet ist, wird nicht nur für seine Forschungen und Einsichten hochgeachtet, wie sein Kollege Harald Uhlig aus Chicago erzählt: »Er kümmert sich auch vorbildlich um die Ausbildung der Doktoranden.« Als Prediger von wirtschaftspolitischen Ansichten ist Hansen hingegen insgesamt weniger hervorgetreten – auch wenn er sich unlängst kritisch in der »Neuen Zürcher Zeitung« zur Geldpolitik der amerikanischen Notenbank Fed äußerte. Er warnte vor künftiger, dann schwer zu kontrollierender Inflation.

Der Hauptgrund aber, warum Hansen in den Medien weniger präsent ist als seine beiden Mit-Nobelpreisträger, ist sicherlich, dass seine Theorie sperriger ist und sich nicht leicht in einfachen Worten beschreiben lässt. »Viele der spezifischen Details sind schwer verständlich«, räumte Hansen selbst ein.

Auch Paul Krugman, immerhin selbst Nobelpreisträger für Ökonomie, schrieb in der »New York Times« über die drei Preisträger des Jahres 2013: Shiller und Fama, so gegensätzlich sie seien, hätten den Preis mit Sicherheit verdient, das könne er beurteilen. Bei Hansen hingegen vertraue er den Experten, die ihm großartige Arbeit bescheinigten. Er selbst hingegen habe bei den ökonometrischen Methoden, die Hansens Werk beinhalte, »absolut keine Expertise«.

Die Anwendung von Hansens Verfahren »GMM« ist gleichwohl für die Erforschung der Finanzmärkte sehr hilfreich und inzwischen in dem speziellen Fachgebiet Standard. Man setzt es unter anderem ein, wenn man sich mit der Frage beschäftigt, wie der Preis von Wertpapieren zustande kommt.

Hier gibt es zahlreiche theoretische Arbeiten – vor allem Modelle, die entscheidungstheoretisch erklären, unter welchen Umständen jemand ein Wertpapier kauft, statt das Geld auszugeben. In der Praxis zu überprüfen waren die Modelle früher schwer, weil man viele Parameter nicht kennt.

Hansens ökonometrische Methode ermöglicht es nun, Computer mit Daten über Aktienmärkte zu füttern, die man aus der Börsenstatistik ablesen kann – und daraus andere Angaben, die man nicht kennt, zumindest abzuschätzen.

Damit löst man das Problem, die Verbindungen zwischen der Makroökonomie und der Finanzwissenschaft zu studieren, obwohl es in beiden Bereichen Aspekte gibt, die die Wissenschaft erst ansatzweise versteht. Mit seinen Methoden könne man versuchen, diese Verbindungen zu studieren, ohne dabei ein vollständiges Modell der Makro- und Finanzmarktökonomie abbilden zu müssen, sagt Hansen.

Interessant ist zum Beispiel die Erforschung von sogenannten Risikopräferenzen. Wenn Anleger sich entscheiden, eine Aktie zu kaufen, statt ihr Geld zu verfrühstücken, treffen sie immer eine sogenannte »intertemporale Entscheidung«: eine Entscheidung zwischen Konsum heute und Konsum morgen. Wie sie sich entscheiden werden, hängt wesentlich von ihren Erwartungen über die künftigen Erträge der Aktie ab – und von ihren Erwartungen über ihre künftigen Konsum-Bedürfnisse. Und zwar nicht nur von den Erwartungen eines Anlegers; die Erwartungen sind über die Börse und den Preis der Aktie sogar miteinander verwoben.

Solche Erwartungswerte, die über Modelle verbunden sind, sind eine gute Einsatzmöglichkeit für Hansens Verfahren. Mit ihm lassen sich deshalb alle möglichen theoretischen Ansätze, die das Anlageverhalten erklären sollen, auf ihre Plausibilität überprüfen.

Zum Beispiel kann man damit testen, wie wichtig eine sogenannte Risiko-Aversion für die Erklärung der Aktienmärkte ist; also der Wunsch von Anlegern, Risiken auf jeden Fall zu vermeiden, selbst wenn eine höhere Rendite winkt.

Oder man testet damit, wie wichtig es den Anlegern ist, durch Sparen und Investieren in Wertpapiere ihre Konsummöglichkeiten halbwegs gleichmäßig über das Leben zu verteilen. Also in jungen Jahren mit hohem Einkommen Wertpapiere zu kaufen, um sich im Alter einen ähnlichen Lebensstandard leisten zu können.

Hansen hat dabei gezeigt, dass viele herkömmliche Annahmen über den Menschen zu einfach waren. Die weltweite Suche nach besseren Erklärungen ist noch lange nicht zu Ende.

Christian Siedenbiedel

JOHN NASH

Genie und Wahnsinn

// Der Mathematiker John Nash fasziniert die Massen. Er hat eine Formel geschaffen, die erklärt, wie Fluglinien konkurrieren oder wie der Konflikt zwischen Deutschland und Griechenland ausgeht. Sein irres Leben wurde in Hollywood verfilmt.

Im Film »A Beautiful Mind«, der weltweit über 300 Millionen Dollar eingespielt hat, wird das Nash-Gleichgewicht so erklärt: John Nash, brillanter junger Mathematiker und Promotionsstudent an der amerikanischen Eliteuniversität Princeton, hängt mit seinen Kommilitonen abends in einer Bar. Eine Gruppe hübscher junger Frauen spaziert durch die Tür herein, die den Studenten verführerische Blicke zuwerfen. Klar, am schönsten ist eine Blondine. John Nash stellt sich die Frage nach der richtigen Strategie: Wenn sich jeder der Kommilitonen um die Blondine bemüht, endet der Wettkampf in einer Schlägerei, und am Ende verlieren alle, weil die restlichen Frauen – niemand will zweite Wahl sein – beleidigt die Bar verlassen. Und die Blondine kriegt auch keiner ab. Besser also, die Attraktivste von vornherein links liegenzulassen und sich mit ihren Freundinnen zufriedenzugeben. So gewinnen alle.

Für diese Erkenntnis und die auf ihr aufbauende Forschung hat der Mathematiker John Nash viel später den Nobelpreis erhalten, und tatsächlich lernen Legionen an Volkswirtschaftsstudenten im Grundstudium ein ökonomisches Theorem, das es bis in ein Hollywood-Drehbuch geschafft hat. Wenn deutsche Studenten der VWL die »Grundlagen der Mikroökonomik« aufschlagen, wird ihnen das Nash-Gleichgewicht mit einem Fußballspiel erklärt, bei dem zwei Anbieter von Sitzkissen überlegen, welchen

Preis sie für den Verleih verlangen. Sie müssen ihren Preis gleichzeitig bekanntgeben und können ihn dann nicht mehr verändern. Die Nachfrager haben keine Präferenzen, die Kosten der Anbieter sind identisch.

Am meisten verdienen würden beide, verlangten beide den gleich hohen Monopolpreis und teilten sich den Umsatz zu gleichen Teilen. Da aber der eine nicht weiß, ob der andere möglicherweise einen niedrigeren Preis setzt und damit die komplette Menge erhalten würde, werden beide den niedrigen Preis wählen – keiner der beiden kann sich verbessern, handelte er anders. Außer die Kissen-Verleiher treffen nicht nur an einem einzigen, sondern jeden Samstag aufeinander und sprechen sich von nun an ab, beide den höheren Preis zu verlangen.

Dass ein Raunen durch die Reihen im Hörsaal geht, wenn das Nash-Gleichgewicht an die Reihe kommt, dass mindestens jeder Zweite in der Sitzbank das Leben des amerikanischen Ökonomen bis ins Privateste kennt, seine Liebschaften, seine Leiden, seine Siege und sein Scheitern, das liegt nicht an der genialen Entdeckung des spieltheoretischen Gleichgewichts, das zum Beispiel geholfen hat, den Wettbewerb zwischen Fluglinien zu verstehen, und in der Euro-Krise gar auf Deutschland und Griechenland angewendet wurde bei der Frage, ob Deutschland Eurobonds zustimmen soll und Griechenland sparen wird: »Für Griechenland wäre es am besten, wenn es nicht spart, Deutschland aber Eurobonds unterstützt, und umgedreht wäre es für Deutschland am besten, wenn Griechenland spart, Deutschland aber Eurobonds vermeiden kann«, analysierte die Bank of America und zeigte das Nash-Gleichgewicht auf: Griechenland spart nicht, und Deutschland verhindert Eurobonds.

Dass sogar Menschen, die in ihrem Leben nie einen Hörsaal betreten haben, das Leben von John Forbes Nash jr. in seinen Einzelheiten zu kennen glauben, ist dessen langjähriger Schizophrenie mehr geschuldet als dem Genie. Die Krankheit, die Nash mit

30 Lebensjahren ereilte und die sich in Wahnvorstellungen über Außerirdische äußerte, als deren einziger menschlicher Agent er, Nash, die Welt retten müsse – das bildete die Grundlage für das Drama, das die Biographie »A Beautiful Mind« der Journalistin Sylvia Nasar erzählt, welche wiederum Grundlage für den Kino-Kassenschlager mit Russel Crowe in der Hauptrolle des John Nash ist. Allerdings wird im Filmdrehbuch das Leben von Nash kräftig umgeschrieben, die Sache mit den Außerirdischen etwa wird zur Vorstellung, Nash sei der Einzige, der die Welt vor dem Kommunismus retten könne, das passt wohl besser zum Kalten Krieg.

Nash wird 1928 geboren und wächst in Bluefield im Bundesstaat West Virginia auf, sein Vater ist Elektroingenieur, seine Mutter Lehrerin. Mit dem Ziel, dem Vater nachzueifern, studiert Nash am Carnegie Institute of Technology in Pittsburg und wechselt 1948 nach Princeton, wo Albert Einstein lehrt. Nash ist mittlerweile von der Mathematik gepackt, interessiert sich für das, was später Spieltheorie heißt, die das Nash-Gleichgewicht revolutioniert.

21 Jahre ist Nash alt, da legt er eine 27 Seiten lange Dissertation in Princeton mit dem Titel »Non-cooperative games« vor. Die Anerkennung für das Werk fällt geringer als erhofft aus, den Nobelpreis erhält Nash erst mehr als 40 Jahre später: 1994.

Nash ist als junger Mann nicht nur außerordentlich klug, er lehrt auch schnell am renommierten Massachusetts Institute of Technology (MIT) in Cambridge. Nash ist zudem ein außerordentlich gutaussehender Mann, dem die Frauenherzen zufliegen. Er hat ein Kind aus einer nichtehelichen Beziehung, was im Film verschwiegen wird. 1955 lernt Nash am MIT die schöne, aus El Salvador stammende Studentin Alicia Lardé kennen und heiratet die Frau, die intellektuell mithalten kann.

Ende der fünfziger Jahre beginnen Nashs Wahnvorstellungen: »Ich begann zu glauben, ein Mann von großer religiöser Bedeutung zu sein«, sagt Nash später, er habe Telefonanrufe in seinem

Kopf gehört, unter Verfolgungswahn gelitten. Nash wird gegen seinen Willen mehrmals in psychiatrische Anstalten eingeliefert, die Ärzte diagnostizieren paranoide Schizophrenie, er erhält Behandlungen mit Elektroschocks. Seine Frau lässt sich schließlich von ihm scheiden. Und kehrt später doch wieder zu ihm zurück.

Wie eine »moderne Hiobs-Legende« sei Nashs Leben, schrieb mal ein Kritiker: der »Liebling der Götter« wird auf grausame Art vom Schicksal geprüft und geht am Ende doch als Sieger hervor. Nicht der spieltheoretische Ansatz – so bedeutend und faszinierend er auch ist –, sondern dieses Menschendrama erklärt die Faszination von Millionen Menschen für John Nash.

Hendrik Ankenbrand

SILVIO GESELL

Der Erfinder des Schrumpfgelds

// Silvio Gesell, ein Kaufmann aus der Eifel, hatte eine verrückte Idee: Die Geldscheine sollen jedes Jahr an Wert verlieren, damit sie niemand hortet. Heute hat er selbst unter Ökonomen Fans.

Es ist eine Idee, die auf den ersten Eindruck ziemlich abgedreht klingt. Und so, dass man dafür von allen Sparern mit Hass übergossen werden müsste: Silvio Gesell, ein Ökonom aus dem 19. und frühen 20. Jahrhundert, ist mit der Forderung in die Geschichte eingegangen, dass Geld keine Zinsen einbringen darf – sondern vielmehr mit der Zeit automatisch an Wert verlieren sollte. So wollte er verhindern, dass Menschen Geld horten. Sie sollten es lieber so schnell wie möglich ausgeben und damit die Nachfrage und die Wirtschaft ankurbeln.

Eine Idee, die heute wieder hochaktuell ist: In einer Zeit, in der es kaum noch Zinsen aufs Ersparte gibt, aber viele Banken, Unternehmen und Privatleute trotzdem das Geld lieber horten, erinnert vieles an die Lehren des Silvio Gesell.

Der bärtige Mann aus der Eifel war ein eigenwilliger Querdenker – und ein Autodidakt. Es soll eine verirrte Gewehrkugel gewesen sein, die dazu beitrug, dass er überhaupt Ökonom wurde. Das kam so: Gesell wurde 1862 in Sankt Vith (heute Belgien) als Sohn eines kleinen Beamten geboren. Die Eltern hatten neun Kinder, das »tausendmal verfluchte Geld«, wie er selbst es formuliert, war zu Hause immer knapp. An ein Studium war nicht zu denken.

Gesell wurde deshalb Kaufmann. Er lernte in Berlin, wanderte später nach Spanien aus und ließ sich schließlich in Buenos Aires nieder. Dort betrieb er ein Importunternehmen, das Gehhilfen, Verbände und anderes medizinisches Gerät einführte. Damit belieferte er niedergelassene Ärzte und Krankenhäuser. Offenbar mit Erfolg: Gesell kam mit der Zeit zu einigem Wohlstand.

Um 1890 jedoch brach in Argentinien eine schwere Wirtschaftskrise aus. Viele Menschen wurden arbeitslos, es gab Unruhen. Und einmal durchschlug dabei eben auch eine Gewehrkugel ein Fenster in Gesells Haus. Das war die Wende: »Die Wirtschaftskrise brachte Gesell zum Nachdenken über die Ursachen von Inflation und Deflation, von ungerechter Verteilung und Arbeitslosigkeit«, sagt Werner Onken, der Herausgeber der immerhin 18-bändigen Gesamtausgabe von Gesells Werken.

Es folgten viele Jahre der Beschäftigung mit volkswirtschaftlichen Themen. Später auch in der Schweiz, wo Gesell als Bauer und Bienenzüchter lebte. Er entwickelte eine Alternative zum Kapitalismus, die sogenannte Freiwirtschaftslehre, die auch eine Neuordnung der Besitzverhältnisse an Grund und Boden vorsah.

Der Kern seiner Theorie aber ist ebenso einfach wie ungewöhnlich: Gesell schlug vor, Bargeld zu erfinden, das »rostet«, also im Zeitablauf an Wert verliert. Aus Gesells Sicht hat Geld nämlich zwei Funktionen, die allerdings im Konflikt zueinander stehen: Ursprünglich ist es ein Tauschmittel. Es hat zugleich aber eine Wertaufbewahrungsfunktion: Anders als viele Waren verdirbt es nicht, wenn man es aufhebt.

Diese Hortbarkeit des Geldes aber eröffnet Menschen die Möglichkeit, es dem Geldkreislauf für eine Zeit zu entziehen und nur herauszurücken, wenn ein Zins gezahlt wird. Das sah Gesell als große Gefahr: nicht nur, dass Zins und Zinseszins aus seiner Sicht über kurz oder lang zu einer ungerechten Verteilung von Einkommen und Vermögen führen. Ein Thema, das gerade von dem Franzosen Thomas Piketty wieder einmal in die ökonomische Debatte eingebracht wurde. Nein, Gesell war auch überzeugt: Wenn Menschen Geld horten und es dem Kreislauf entziehen, führt das zu Absatzstörungen und Arbeitslosigkeit.

Um das zu verhindern, schlug er die Einführung von nicht hortbaren Banknoten vor. Er dachte nicht an die schwer zu kontrollierende Inflation. Deren negative Auswirkungen kannte er. Vielmehr sollten Banknoten ein Verfallsdatum bekommen und regelmäßig automatisch einen Teil ihres Nennwertes verlieren, eine Art negativen Zinses auf Bargeld also.

Der Zins war für Gesell schließlich der Quell allen Übels. Seine positive Funktion – zum Sparen anzuregen – werde überschätzt, meinte er. Menschen sparten auch ohne Zinsen, weil sie für schlechte Zeiten vorsorgen müssten. Er berief sich dabei auf die Natur: »Die Bienen sparen, die Hamster sparen – aber von Zinsen ist in der Natur nirgendwo eine Spur zu sehen.« Die aktuelle Entwicklung scheint ihm zumindest ein bisschen recht zu geben: Obwohl es kaum Zinsen gibt, sparen die Menschen trotzdem – aus anderen Motiven.

Kurze Zeit hatte Gesell in Deutschland dann sogar mal ein

politisches Amt: Als im Frühjahr 1919 in München die Räterepublik ausgerufen wurde, war er als Finanzminister dabei. Nach dem blutigen Ende der Räterepublik wurde ihm der Prozess gemacht, er kam allerdings frei und zog sich nach Oranienburg bei Berlin zurück.

In den 1920er Jahren wurde Gesell wenig beachtet. Erst nach seinem Tod im Frühjahr 1930 brachte der britische Ökonom John Maynard Keynes seine Erwartung zum Ausdruck, »dass die Zukunft mehr vom Geiste Gesells als von jenem von Marx lernen wird«. Auch einige Nationalsozialisten beriefen sich auf Gesell. Sie teilten vor allem seine Kritik am Zins, den sie dem Judentum zuordneten. Gesell selbst hatte Antisemitismus und Rassismus jedoch stets abgelehnt, wie Gesell-Forscher Onken sagt.

Der exotische Außenseiter hat bis heute viele Anhänger. Es gab auch Versuche, Gesells Ideen in die Praxis umzusetzen. Etwa in Wörgl: Die österreichische Stadt in der Nähe von Kufstein hat in der Wirtschaftskrise der 30er Jahre ein Notgeld eingeführt, das automatisch an Wert verlor, wenn man nicht monatlich eine Marke im Wert von einem Prozent des Nennwertes kaufte und aufklebte. Das Ganze funktionierte offenbar – so ist es zumindest überliefert. Die Wirtschaft wurde angekurbelt, die Arbeitslosigkeit ging etwas zurück. Das Experiment wurde aber von der Österreichischen Nationalbank beendet, die das Monopol auf die Ausgabe von Geld für sich beanspruchte.

Kritiker unseres Geldsystems, die Anhänger des Frei- oder Schrumpfgelds, fordern bis heute, es Wörgl nachzumachen. Der ökonomische Mainstream allerdings ist nach wie vor skeptisch, ob ein solches Geldsystem für ein ganzes Land funktionieren würde. Um die Wirtschaft anzukurbeln, gibt es vermutlich bessere Möglichkeiten als sich von selbst entwertende Geldscheine. Zudem entwertet sich Geld durch die Inflation ohnehin, das muss man nicht künstlich bewirken. Allerdings weiß man nie genau, wie hoch die Inflation ausfällt.

Regionale Experimente mit solchem Geld hingegen gibt es nach wie vor, etwa die Regionalwährung »Chiemgauer« in Bayern. Und seit der Finanz- und Wirtschaftskrise hat Gesells Lehre an Bedeutung gewonnen: Zumindest einige seiner Ideen erleben eine Renaissance. Etwa in den Schriften des Havard-Ökonomen Gregory Mankiw, der sich auf ihn beruft. Das Problem, dass Menschen und Banken Geld horten, statt es auszugeben oder zu investieren, ist schließlich wieder auf der Tagesordnung. Es hat dazu geführt, dass die Notenbanken die Zinsen immer weiter senkten, praktisch auf null. Wenn man die Inflation berücksichtigt, verliert Geld auf Sparkonten schon länger an Wert – jetzt hat die Europäische Zentralbank auch noch negative Zinsen für Banken eingeführt. Das alles hat das Ziel, das Horten von Geld zu verleiden und so die Wirtschaft anzukurbeln. Silvio Gesell lässt grüßen.

Christian Siedenbiedel

JOHN KENNETH GALBRAITH

Wider die Diktatur der Konzerne

// John Kenneth Galbraith fürchtete nichts so sehr wie die Macht großer Unternehmen. Er war überzeugt: Industriekonzerne machen viele Menschen arm und nur wenige reich.

Die jüngste Debatte um Bankenrettungen und Unternehmen, die zu groß sind zum Scheitern, hätte ihm bestimmt gefallen: John Kenneth Galbraith (1908 – 2006) war ein brillanter Querkopf und provokanter Ökonom. Seine Ideen über die Entstehung und Macht von Großunternehmen haben die Öffentlichkeit sehr beschäftigt. Auch heute, viele Jahrzehnte nach seinen wichtigsten Veröffentlichungen, kann man darüber streiten.

Galbraiths Überlegungen beginnen mit der Kritik an der klassischen Idee des Wettbewerbs – viele kleine Unternehmen rangeln um Marktanteile, indem sie Kundenwünsche so günstig wie möglich erfüllen. Galbraith hält diese Vorstellung von Wettbewerb in der modernen Industriegesellschaft für überholt. Zunehmend komplexere Produkte und kompliziertere Produktionsprozesse verändern die Gesellschaft und die Märkte. Der technische Fortschritt, so Galbraiths Idee, macht Produktion und Produkte zunehmend komplizierter, das erfordert mehr spezialisierte Bürokraten und Planer. Unternehmen werden immer kompliziertere Gebilde, die von einem immer größeren bürokratischen Apparat gelenkt werden müssen; der Einzelne verliert den Überblick über das Gesamtunternehmen. Es entsteht innerhalb des Unternehmens das, was Galbraith die Technostruktur nennt: eine neue Klasse von Mitarbeitern, die Management, Planung, Marketing, Aufsicht und Macht in sich vereinigt.

Die Macht über das Unternehmen liegt nun nicht mehr beim Individuum, sondern bei der Organisation. Man muss es sich ein wenig so vorstellen, als herrsche eine kafkaeske, anonyme Instanz über das Unternehmen: War bei Marx der Arbeiter seiner Arbeit entfremdet, so ist bei Galbraith der Unternehmer seinem Unternehmen entfremdet.

Der Siegeszug der Technostruktur hat Folgen für die Ziele des Unternehmens: Bürokraten achten nicht auf Gewinnmaximierung, zumal sie selbst nicht viel von einem höheren Gewinn haben. Stattdessen trachtet die Technostruktur nach dem Erhalt und Ausbau der eigenen Macht, und das geht nicht über Gewinne, sondern über Wachstum, Fusionen und Akquisitionen. Zugleich will die Technostruktur das Risiko minimieren, deswegen versucht man, wo möglich, den Markt durch Planung zu ersetzen, Unsicherheiten zu beseitigen und seine teuren Investments zu beschützen – nicht zuletzt auch durch Lobbyismus. Das ist eine Erklärung für das Entstehen von Großunternehmen und deren oft unglückliche Nähe zum politischen Geschäft.

Eine besonders perfide Methode, das Risiko zu minimieren und seinen Einfluss zu maximieren, sieht Galbraith im Marketing, durch das die Konsumenten Dinge kaufen, die diese nicht benötigen und eigentlich gar nicht wollen. So werden überflüssige Statusprodukte in den Markt gedrückt, während andere Güter (wie Gesundheitsversorgung oder Bildung) zu wenig hergestellt werden. Und die Lobbyarbeit der großen Unternehmen führt dazu, dass viel Geld in wenig produktive Dinge wie beispielsweise Waffen fließt – im Interesse der Großunternehmen. Auf diesem Weg entsteht das bizarre Nebeneinander von privatem Reichtum und öffentlicher Armut, das Galbraith in einem berühmten Szenario schildert, in dem eine Familie in einem Luxuswagen durch heruntergekommene Städte fährt.

Unter dem Strich eine hässliche Analyse: Der Aufstieg des modernen Großunternehmens höhlt die Marktwirtschaft und den Wettbewerb aus, untergräbt die Konsumentensouveränität und die Souveränität des Staates, führt außerdem zur Produktion überflüssiger Produkte und verschärft nicht zuletzt auch die Ungleichheit in der Einkommensverteilung. Einkommen werden nunmehr durch Macht, nicht durch Leistung bestimmt.

Galbraiths Lösungsvorschläge sind vielfältig: Unter anderem empfiehlt er mehr Sozialausgaben, Arbeitsplatzgarantien, Preiskontrollen, Ausbildungsprogramme, die über Verbrauchsteuern und höhere Einkommensteuern finanziert werden, ebenso wie ein größeres Angebot an öffentlichen Gütern. Aber seine berühmteste Idee ist die von der »Countervailing Power«, der Gegenmacht: Großen, mächtigen Unternehmen, so die Idee, muss man andere mächtige Institutionen entgegensetzen, beispielsweise Gewerkschaften oder Zusammenschlüsse kleinerer Firmen. Vereinfacht gesagt, glaubt Galbraith, dass man den Teufel nur mit dem Beelzebub austreiben kann.

Der Erfolg und die Popularität dieser Thesen gründet vermutlich auch darauf, dass ihr Urheber sehr überzeugend schreiben und auftreten konnte, wie Zeitgenossen berichten. Doch jeder geschulte Ökonom entdeckt in Galbraiths Vorgehen sogleich das Werturteil. In der Welt von Galbraith gibt es gute und schlechte Güter, und nur er (oder der Staat) legt fest, was gut und was schlecht ist. Der mündige Bürger muss diese Einschätzung nicht teilen. Genauso wenig muss man die Idee teilen, dass die Menschen allesamt leicht manipulierbares Kanonenfutter für Marketingslogans sind. Überspitzt gesagt, unterstellt Galbraith, dass die Menschen nicht wissen, was wichtig ist, und sich stattdessen in seinen Augen unnützes Zeug aufschwatzen lassen. Besonders freundlich ist das nicht: Vor allem kann man auch fragen, wer denn bitteschön anstelle der Konsumenten entscheiden soll, was sie kaufen sollen.

Zudem muss man – vor allem in einer mittelständisch geprägten Wirtschaft wie der deutschen – die rabenschwarze Analyse vom Wettbewerb, der in einer Diktatur der Großunternehmen endet, nicht uneingeschränkt teilen. Dazu hat man auch schon zu viele Großunternehmen untergehen und scheitern sehen. Zudem zeigen diese gescheiterten Großunternehmen und Großfusionen, dass auch die Größe von Unternehmen eine betriebswirtschaftlich definierte Grenze nach oben hat.

Dennoch: Will man aus Galbraiths Analyse etwas lernen, dann sind dies drei Dinge. Erstens ist Wettbewerb der beste Schutzschild gegen Macht und Machtmissbrauch – ein gut gehäkeltes Wettbewerbsrecht und aufmerksame Kartellwächter können Großunternehmen das Leben schwermachen und die von Galbraith beschriebenen Auswüchse verhindern. Zweitens hat Galbraith recht gut die Probleme von Unternehmen erkannt, die nicht inhabergeführt sind – diverse Eskapaden der Vorstandschefs großer Unternehmen passen in das Bild, das Galbraith von den Zielen der Technostruktur zeichnet. Insofern lehrt Galbraith, welche wichtigen Anreize Privateigentum schafft.

Die dritte und schwerere Lehre aber ist die: Es steht Politikern immer frei, den Lockrufen der Lobbyisten zu widerstehen – so, wie man es beispielsweise bei der Bankenrettung der vergangenen Jahre hätte tun können. Man sollte Galbraiths Analyse vielleicht weniger als Anklage des Wirtschaftssystems lesen, sondern als Mahnung vor der menschlichen Schwäche, sich korrumpieren zu lassen. Auch oder gerade als Politiker.

Hanno Beck

HANS-ULRICH WEHLER

Der Historiker

// Hans-Ulrich Wehler hat die Geschichtswissenschaft auf den Boden der ökonomischen Tatsachen zurückgeführt. Er erkannte: Hinter hehren politischen Zielen stecken oft wirtschaftliche Interessen.

Die Fakultät wollte seine Arbeit nicht haben. In akribischer Kleinarbeit hatte der erst 33 Jahre alte Historiker eine Fülle von Quellenmaterial zum »Aufstieg des amerikanischen Imperialismus« gesammelt. Das Ergebnis erscheint aus heutiger Sicht wenig skandalös: Die Vereinigten Staaten, so die These Hans-Ulrich Wehlers, hätten ihr informelles Imperium vor allem aus wirtschaftlichen

Motiven errichtet. Es ging darum, freien Zugang zu allen Märkten durchzusetzen.

Die Kölner Professoren waren empört – und lehnten Wehlers erste Habilitationsschrift 1964 als »nicht hinreichende historische Leistung« ab. Sie waren es gewohnt, Geschichte als den Kampfplatz großer Männer und hehrer Ideen zu betrachten. Dass es dabei um wirtschaftliche Interessen gehen sollte, um schnödes Geld, diesen Gedanken lehnten sie ab (und sahen ihn, auf Amerika bezogen, als Schmähung des Verbündeten). Dafür mochten sich ein paar Kollegen in den ökonomischen Fachbereichen interessieren, nicht aber ein ehrbarer Allgemeinhistoriker. In heutigem Vokabular würde man sagen: Der Prüfungsausschuss warf Wehler eine Ökonomisierung des Geschichtsbildes vor.

Das stand damals unter Marxismusverdacht, später warf man es – unter umgekehrten Vorzeichen – dem »Neoliberalismus« vor. Beides traf auf Wehler nicht zu. Und doch hatten seine skeptischen Prüfer zweifellos recht: Der Bielefelder Historiker, der 2014 gestorben ist, hat die deutsche Geschichtswissenschaft von ihren idealistischen Höhen auf die materiellen Grundlagen zurückgeführt. Das war für ihn kein Detail, sondern die Basis jener »Allgemeinen Geschichte«, die er als Lehrstuhlinhaber vertrat.

Seine monumentale »Deutsche Gesellschaftsgeschichte«, die zwischen 1987 und 2008 erschien, gliederte er in Anlehnung an Weber in vier Dimensionen: Wirtschaft, soziale Ungleichheit, politische Herrschaft, Kultur. Mit Bedacht setzte er die Wirtschaft an die erste Stelle, und er verstand darunter – das war dann doch ein Marx-Zitat – alle Tätigkeiten, »die Menschen im Stoffwechsel mit der Natur zur Gewinnung ihres Lebensunterhalts betreiben«. Der »Basisprozess« aller gesellschaftlichen Entwicklung war für ihn »die Entfaltung erst des Kapitalismus, dann vor allem des Industriekapitalismus«.

Die übrigen drei Kategorien waren für ihn letztlich nur Ableitungen. Das galt, zumindest am Beginn seiner Karriere, gerade auch für die politische Herrschaft. Nicht nur in der amerikanischen Außenpolitik sah er einen Ausfluss des ökonomischen Kalküls. Auch die imperialen Ambitionen des deutschen Reichskanzlers Otto von Bismarck betrachtete er als Versuch, von sozioökonomischen Spannungen im Inland abzulenken. Das war das Thema seiner zweiten Habilitationsschrift, die abermals auf starken Widerstand stieß, schließlich aber angenommen wurde.

Nur in dem Abschnitt der »Gesellschaftsgeschichte«, der sich mit dem Nationalsozialismus befasste, setzte er die Politik an die erste Stelle. Das war eine deutliche Absage an die vulgärmarxistische Theorie vom Faschismus als der Diktatur des Finanzkapitals. Für Wehler ließ sich die »charismatische Herrschaft« Adolf Hitlers nicht aus der Ökonomie ableiten, im Gegenteil: Fatal war aus seiner Sicht gerade »das utopische Trugbild einer sozialharmonischen Volksgemeinschaft«, das den Wettstreit wirtschaftlicher Interessen leugnete.

In gewöhnlichen Zeiten bildeten Markt und Staat für ihn keine Gegensätze, auf das »Mischungsverhältnis von vorausschauender Steuerung und spontaner Marktreaktion« kam es ihm an. Die Möglichkeit, an der ungleichen Verteilung von Einkommen und Vermögen politisch etwas zu ändern, beurteilte er skeptisch. So las es sich wenigstens in dem Band über die Bundesrepublik. Dort betonte er die »Dauerhaftigkeit struktureller sozialer Ungleichheit«: Während der Jahre von Wirtschaftswunder und Bildungsexpansion beförderte der »Fahrstuhleffekt« zwar ganze Bevölkerungsgruppen nach oben, an den relativen Statusunterschieden änderte das aber wenig.

Angesichts dieses Fatalismus erstaunte es, dass Wehler 2013 mit einer Kampfschrift über soziale Ungleichheit in Deutschland an die Öffentlichkeit trat. »Die neue Umverteilung«, so hieß der für seine Verhältnisse schmale Band. Noch in seinem letzten Interview, das er wenige Tage vor seinem Tod einem »Stern«-Journalisten gab, beklagte er, dass Topmanager heute das 300-Fache eines

Facharbeitergehalts verdienten. Vor einem Vierteljahrhundert sei es noch das 25-Fache gewesen. »In der neueren Geschichte gibt es keine Klasse, die ihre Habgier so ungebremst ausgelebt hat«, wetterte er.

Es belebte ihn ungemein, dass sich eine jüngere Generation von Wissenschaftlern seit der Finanzkrise wieder für ökonomische Strukturen zu interessieren begann, nicht nur der Franzose Thomas Piketty. Mit unverhohlener Distanz hatte Wehler das Treiben seiner unmittelbaren Nachfolger beobachtet, die im Zeichen einer grün-alternativen Postmoderne den historischen Materialismus Bielefelder Prägung ablehnten und die Geschichte ganz postmaterialistisch aus Diskursen und Mentalitäten erklärten. Für Wehler war das nichts als »luftiger Kulturalismus«, wie er einmal schimpfte.

Er hielt an den Kategorien der klassischen Moderne fest, sah den Menschen mit Max Weber noch immer im ehernen Gehäuse von Kapitalismus und Bürokratie gefangen. Zwar leugnete er die Tendenz zur Flexibilisierung nicht, auch verteidigte er den »unvermeidlichen Umbau des exzessiv aufgeblähten Sozialstaates« durch den sozialdemokratischen Bundeskanzler Gerhard Schröder. Aber das Hohelied auf Pluralisierung und Individualisierung blieb für ihn eine ahistorische Illusion.

In ihrer Skepsis gegenüber Erklärungsmustern jenseits des Materiellen ähnelte seine Weltsicht, bei allen Unterschieden, dem Mainstream der ökonomischen Wissenschaften. Die Kultur sei das Gebiet, »wo ich die Grenzen der Sachkompetenz am stärksten spüre«, räumte er im Vorwort zur Gesellschaftsgeschichte freimütig ein. So sah er auch auf diesem Feld vor allem Dinge, die ins Raster seiner Strukturgeschichte passten: Die Publizistik war für ihn ein Markt, die Ideengeschichte ein Kampfplatz von Eliten und Klassen.

Dabei ließ sich gerade auch an Wehlers Habitus die Kraft kultureller Prägungen erkennen. Es war gewiss auch eine Generationsfrage, dass er einen illusionslosen Sarkasmus jeder Gefühligkeit vorzog oder dass er die Einwanderungsgesellschaft skeptisch sah. Zu diesen Prägungen zählte aber vor allem das Leistungsethos eines Mannes, der frühmorgens im Schwimmbad seine Bahnen zog und spätabends noch am heimischen Schreibtisch saß. Er verschlang Unmengen an Fachliteratur und vernachlässigte darüber nicht die Lektüre des Wirtschaftsteils der F. A. S. Wissenschaft und Publizistik waren für ihn ein Wettbewerb, in dem er sich und andere nicht schonte. Hier setzte er auf das Prinzip des freien Marktes, auf dem er sich wie kein anderer seines Fachs behauptete.

Ralph Bollmann

CARL MENGER

Die Preise richten sich nicht nach den Kosten

// Der Ökonom Carl Menger hat erkannt, dass die Kunden die Preise festlegen. Entscheidend ist, wie viel ein Produkt den Menschen wert ist.

Am 30. Januar 1889 wurden Kronprinz Rudolf von Österreich-Ungarn und Baroness Mary Vetsera auf Schloss Mayerling tot aufgefunden. Suizid? Mord? Der Fall ist bis heute nicht geklärt. Es war ein schwerer Schlag für die Donaumonarchie; die Aussicht auf einen hochgebildeten, aufgeklärten Regenten war verloren.

Zu Rudolfs Lehrern hatte auch Carl Menger (1840 – 1921) gezählt. Wie die Mitschriften des Prinzen erkennen lassen, hatte

Menger ihm eine klassische ökonomische Bildung vermittelt und dazu ein liberales Staatsverständnis. So findet sich in Rudolfs Notizen der weise Lehrsatz, nur »anormale Fälle ... gestatten das Eingreifen des Staates, in den normalen Situationen des volkswirtschaftlichen Lebens werden wir so ein Verfahren stets für schädlich erklären müssen«.

Der in Neu Sandez (heute Nowy Sacz) geborene Menger hatte in Wien, Prag und Krakau Jura studiert, wozu damals auch volkswirtschaftliche Inhalte gehörten. Danach hatte er sich als Dichter und Journalist betätigt, erst in Lemberg, dann in Wien beim selbstgegründeten »Tagblatt« und schließlich bei der kaiserlichen »Wiener Zeitung«. 1872 hatte er sich habilitiert; 1873 hatte man ihn zum Ministerialsekretär im Ministerratspräsidium und zum Professor an der Universität Wien berufen.

Der Titel von Mengers Habilitationsschrift verheißt zwar gepflegte Langeweile: »Grundsätze der Volkswirtschaftslehre«. Doch das Buch hatte die Kraft, einen Paradigmenwechsel in der Ökonomie anzustoßen. Ideengeschichtler sprechen von der »marginalistischen Revolution«, die den Übergang von der Klassik zur Neoklassik markierte. Die Methode des »Marginalismus« bedeutet, dass man beispielsweise nicht den Gesamtnutzen in den Blick nimmt, den ein Konsumgut dem Verbraucher bereitet, und auch nicht den durchschnittlichen Nutzen einer Einheit davon, sondern nur den Nutzen der letzten zusätzlichen (»marginalen«) Einheit, den »Grenznutzen«. Dass für die Ökonomie eine solche Grenzbetrachtung aufschlussreich ist, ging etwa gleichzeitig auch dem Deutschen Hermann Heinrich Gossen, dem Franzosen Léon Walras und dem Engländer William Stanley Jevons auf.

Menger gelang es mit dieser Betrachtungsweise unter anderem, das werttheoretische Rätsel zu lösen, an dem sich vor ihm Generationen von Ökonomen die Zähne ausgebissen hatten, nicht zuletzt der große Adam Smith: das Wasser-und-Diamanten-Paradoxon. Wie kann es sein, dass Wasser zwar großen Nutzen stiftet

(ohne Wasser verdurstet man), aber nur einen niedrigen Preis erzielt? Dass sein Gebrauchswert also hoch ist, sein Tauschwert aber
gering? Während Diamanten allenfalls das Auge erfreuen, aber
ansonsten bekanntlich vollkommen unnütz und trotzdem sünd-
haft teuer sind?

In Mengers Augen war die Unterscheidung zwischen Gebrauchswert und Tauschwert irrelevant. Er erkannte, dass der Wert – wie
auch die sich danach richtende Zahlungsbereitschaft – eine höchst
individuelle Angelegenheit ist. Der Wert wird bestimmt von der
Knappheit des Gutes und vom (Grenz-)Nutzen dieses Gutes in
jener Verwendung, die der jeweilige Nachfrager unter den Gütern,
die er sich leisten kann, als am wenigsten dringlich empfindet.

Ein Beispiel: Wasser ist in unseren Breiten so üppig vorhanden,
dass es – mit zunächst hoher, dann aber abnehmender Dringlich-
keit – zum Trinken, Kochen, Waschen, zum Bewässern von Gär-
ten und zum Befüllen von Schwimmbädern dienen kann.

Ein Liter Wasser mehr im bereits befüllten Becken bringt nur
noch einen geringen Nutzenzuwachs – und genau so viel ist dem
Entscheider dann eben der Liter Wasser wert. Anders verhält es
sich in der Wüste, wo Wasser sehr knapp ist. Hier kann allenfalls
das dringlichste Bedürfnis gedeckt werden, die Flüssigkeitsauf-
nahme; ein Liter Wasser mehr beschert dem Durstigen einen hohen Nutzenzuwachs, und dieser ist bereit, viel dafür zu zahlen.
Analog verhält es sich mit den seltenen Diamanten.

Noch revolutionärer als die Einführung der Marginalbetrach-
tung an sich war Mengers konsequent subjektivistische Perspektive. Spätestens seit Adam Smith hatten Ökonomen nach einem
objektiven Wertmaßstab gesucht. Hartnäckig hatte sich der Gedanke gehalten, dass sich der Wert eines Gutes und damit auch der
angemessene Preis nach den Produktionskosten richtet. Sich ausschließlich auf die Angebotsseite zu fokussieren war indes schon
zuvor, im 16. Jahrhundert, den Mönchen der Schule von Sala-
manca irreführend erschienen: Dann hätten die Produzenten ja

einen Anreiz, ihr Angebot möglichst unwirtschaftlich zu erstellen, die Konsumenten wären ihnen ausgeliefert.

Nach Menger sind es vielmehr die Nachfrager mit ihren jeweiligen Nutzenbewertungen, die vor dem Hintergrund der Knappheit letztlich über Preis und Wert befinden. Mit dieser Stärkung des Subjektivismus, der bis heute das Herzstück der vor allem in Amerika weiterentwickelten »Österreichischen Schule« ausmacht, bahnte Menger seinem Fach den Weg in die Moderne.

Als Menger seinen Ansatz in einem zweiten Buch verdeutlichte, den »Untersuchungen über die Methode der Socialwissenschaften und der politischen Oekonomie insbesondere« (1883), reagierte Gustav Schmoller, ein einflussreicher Vertreter der vorherrschenden, weitgehend theoriefreien »Historischen Schule der Nationalökonomie«, freilich äußerst ungnädig.

Menger, der sich gar nicht als Abweichler, geschweige denn als Revolutionär verstanden hatte, antwortete verletzt und umso polemischer. Ihre böse Kontroverse, die sich im Kern um die Balance von Theorie und deskriptiver Empirie drehte, ging als »Methodenstreit« in die Geschichte ein.

Im Jahr 1900 wurde Menger, der als Mitglied der Österreichisch-Ungarischen Währungskommission der Wiedereinführung der Goldwährung den Weg bereitet hatte, zum Mitglied des österreichisch-ungarischen Reichsrats ernannt. Drei Jahre später, mit 63 Jahren, zog er sich aus der Lehre zurück, angeblich, um sich der Forschung zu widmen.

In Wahrheit hatte man ihn zur Emeritierung gedrängt, weil er in einer »Ehe ohne Trauschein« nun auch noch Vater geworden war. Eine größere Schrift publizierte er nie wieder. Sein Sohn Karl Menger (1902 – 1985) wurde ein berühmter Mathematiker.

Karen Horn

IBN KHALDUN

Was Weltreiche zusammenhält

// Auch die Muslime hatten ihren Adam Smith: Ibn Khaldun erklärte im 14. Jahrhundert den Aufstieg und Fall der Völker.

Die Erklärungen, die Ibn Khaldun für das Schwanken von Wohlstand und Macht entwirft, lassen sich als lange Wellen wirtschaftlicher Entwicklung auffassen. Die werden allerdings nicht durch Schwankungen der Innovationen verursacht, wie das die moderne Theorie sagt. Sondern sie hängen von Aufstieg und Verfall gesellschaftlicher und staatlicher Ordnung ab. Nach einer bestimmten Entwicklungslogik zeigt er, was Weltreiche zusammenhält und was sie sprengt. Der Leser wird bittere Parallelen zu Verfallsprozessen der Gegenwart erkennen.

Trotz konservativer Implikationen herrscht eine liberale Tendenz vor: Ibn Khaldun ist für niedrige Steuern, er begründet sie mit dem religiösen Gesetz. Aber vor allem mit der aus ihnen folgenden Stärke der wirtschaftlichen Dynamik, und er benennt die Vorbedingungen unternehmerischer Tätigkeit: also Rechtssicherheit, geordnetes Geldwesen, Einfachheit und Unbestechlichkeit der Regenten.

Der innere Zerfall der islamisch-arabischen Einheitsmacht hatte lange vor Ibn Khalduns historischer Forschung begonnen und liegt seinem Geschichtsbewusstsein zugrunde. Das Reich der ersten Kalifen und der Omaijaden erstreckte sich von Spanien bis nach Indien und Mittelasien. Unter der nachfolgenden Dynastie der Abbasiden begannen sich die zentrifugalen Kräfte geltend zu machen. Der Mongolensturm auf Bagdad (1258) setzte der Herrschaft das Ende. Im 14. Jahrhundert bedrohte das zweite Großreich der Mongolen eine in sich zersplitterte arabische Welt.

Ibn Khaldun (1332 – 1406) war in Tunis in eine Familie geboren worden, die in Andalusien durch Mitglieder in wichtigen Ämtern Einfluss besessen hatte. Er verband mit staunenswerter Tatkraft und Beständigkeit eine hohe wissenschaftliche Gelehrsamkeit mit einer angesehenen, aber auch anstrengenden und sogar gefahrvollen staatlichen Laufbahn als Richter und Beamter an den drei Höfen des Maghreb, am Hof von Granada und in Kairo. Er war akademischer Lehrer und Oberrichter und diskutierte in diplomatischer Mission mit dem gefürchteten Militärführer Timur, der auf sein Grabmal in Samarkand die einzigartige Inschrift setzen lassen sollte: »Wenn ich noch lebte, würdest du vor mir zittern.«

Ausgangspunkt von Kahlduns Forschungen ist das Leben der Nomaden. Sie sind tugendhafter und tapferer als die Städter; naturgemäß müssen ihnen die Blutsbande wichtiger sein, und so entsteht unter ihnen eine ausgeprägte Solidarität (»asabiya«). Diese Solidarität erlaubt es den führenden Familien eines Stammes, von einer eroberten Stadt Besitz zu ergreifen; sie ermöglicht ihnen als Herrschern den Aufstieg und die Erweiterung ihrer Macht, aber die reicher gewordenen späteren Generationen lösen sich unter dem Einfluss eines luxuriöseren Lebens von der Stammessolidarität ab. Die ein einfaches Leben gewohnten jungen Dynasten erheben nur wenige, nämlich die vom Koran vorgesehenen Steuern. Später vervielfachen sich die finanziellen Ansprüche. Die noch dem Nomadentum verhaftete Dynastie bedrückt die Untertanen wenig, diese arbeiten freudig, während die Verfeinerung der herrschenden Schicht zu steigenden Auflagen, zu höheren Abgaben auf Handelswaren beispielsweise, und zu anderen Bedrückungen führt, die den Besitz des Untertans unsicher machen.

Zu den Übergriffen gehören Verzerrungen des Preisgefüges, eine ungerechte Handhabung von Privilegien und Monopolen und schließlich die Finanzierung von Söldnern, wenn sich tyrannisch gewordene Herrscher nicht mehr auf den Stamm verlassen können. Im Aufschwung fördert die wirtschaftliche Macht des Herrschers den Wohlstand mehr, als sie ihn schädigt, denn das Reich ist selbst ein Markt. Im Niedergang folgen Willkürmaßnahmen wie Zwangsarbeit und staatliche Lenkung des Handels, die den Erwerb entmutigen, bis der Staat so sehr geschwächt ist, dass ein neuer Stamm die Eroberung wagen kann und sich der Kreislauf wiederholt.

Die Logik dieser Vorgänge wird mit einer erstaunlichen Vielzahl von Beispielen erläutert und insbesondere mit Vergleichen zwischen großen und kleinen Städten. In den Ersteren ist wegen der Arbeitsteilung das Lebensnotwendige billiger, der Luxus aber teurer. Es werden dort mehr indirekte Steuern erhoben, so dass die Preise steigen und die arme Bevölkerung sich die Kosten der Niederlassung nur schwer leisten kann.

Die Beobachtungen verbinden sich mit scharfsinnigen ökonomischen Erklärungen. Bei den notwendigen Gütern können die Preise die Produktionskosten kaum übersteigen; die anders geartete Nachfrage ermöglicht den spezialisierten Handwerkern ein besseres Leben.

Die Misswirtschaft, die mit dem Luxus einhergeht, führt zum religiösen Verderb. Auch die kulturelle Entfaltung ist an das wirtschaftliche Auf und Ab gebunden, denn die edlen Gewerbe wie die Medizin, die Buchkunst und die Musik müssen im Umgang mit den Mächtigen ausgeübt werden. Die Wissensvermittlung ist städtisch, und das Wissen sammelt sich in den berühmten Zentren wie Bagdad und Cordoba. Während der Reichtum schwankt, akkumuliert er sich in den Bibliotheken. Die Gewinne der Kultur bedeuten freilich keinen säkularen Fortschritt, weil die Verbesserungen nicht alle Gebiete ergreifen und jedenfalls der religiöse Ernst nicht zurückgewonnen wird, der Mohammeds Zeitalter kennzeichnete.

Nach langem Vergessen ist Ibn Khaldun nicht nur berühmt, sondern geradezu Mode geworden. Wer nach ihm im Internet sucht, kann sich vor Verweisen kaum retten. Seinen Namen tragen alle möglichen Institute. In der islamischen Welt wird er als Begründer der Nationalökonomie gefeiert, wie bei uns Adam Smith. Selbst als Pionier der Umweltökonomie wird er genannt, weil er beobachtete, wie mit steigender Bevölkerungsdichte Schmutz und Krankheiten in den Städten zunehmen.

Bertram Schefold

EUGENE FAMA

Niemand kann den Markt schlagen

// Eugene Fama hat die Theorie vom effizienten Markt erfunden. Von Finanzblasen will er nichts hören. Sind seine Lehren schuld daran, dass man die Finanzkrise erst so spät erkannte?

Als Eugene Fama seinen Nobelpreis dann doch noch bekam, war die Überraschung groß. Niemand hatte mehr damit gerechnet. Dabei hat Eugene Fama einst die Weltsicht auf Finanzmärkte grundlegend umgewälzt: 1970 hat er seine Theorie der effizienten Märkte vorgestellt. Jahrzehntelang dominierte diese Idee die Finanzwelt und die Wirtschaftslehre: Märkte sind effizient, alle verfügbaren Informationen sind in den Preisen schon enthalten.

Doch dann kamen die New-Economy-Blase und die große Finanzkrise. Kaum jemand fand die Welt von Banken und Börsen noch effizient. Eugene Fama und seine These schienen von der Zeit überholt. Und dann, ausgerechnet dann, bekommt Fama den Preis doch noch – zusammen mit seinem ärgsten Kritiker, dem

Verhaltensökonomen Robert Shiller, der mehrfach vor Blasen gewarnt hat und gar nicht so selten richtig lag.

So etwas kann Fama richtig fuchsig machen, so ein Blasen-Gerede. Dabei ist er eigentlich ganz umgänglich. Mit dem Klischeebild des herzlosen Kapitalisten jedenfalls hat er wenig gemein, wenn er selbst auf offiziellen Fotos der Universität Chicago ein kurzärmliges buntes Hemd trägt, wenn er sein Nobelpreis-Geld der Universität stiften will und wenn er mit seinem intellektuellen Gegner Richard Thaler, einem großen Verfechter der Verhaltensökonomik, regelmäßig golfen geht. Doch wenn es um Blasen geht, ist Fama hart. Das angesehene Wirtschaftsmagazin »Economist« hat er während der Finanzkrise abbestellt, als ihm das B-Wort darin zu oft vorkam.

»Es gibt keine Blasen«, sagt er immer wieder – auch in Interviews, etwa mit der »Frankfurter Allgemeinen Sonntagszeitung«. Aber Kurse brechen doch ständig zusammen? Stört nicht, Übertreibungen können vorkommen. Und was ist mit der großen Finanzkrise? Die wurde nach Famas Interpretation nicht von verrückten Börsen ausgelöst. Erst kam die Rezession, dann gingen Amerikas Hausbesitzer pleite. Aber dass es überhaupt so viele Kredite gab, ist doch nicht effizient? Mag sein, entgegnet Fama, aber daran sind nicht die Märkte schuld, sondern die Politiker. Schließlich haben sie mit Gesetzen und halbstaatlichen Banken voller Absicht dafür gesorgt, dass auch arme Leute Kredit für ein Haus bekommen haben.

Dass die Probleme kaum jemand vorhergesehen hat, stört Fama nicht. »Blasen beinhalten, dass Preise hochgehen und dass man vorhersehen kann, wann sie wieder heruntergehen. Aber Leute haben versucht zu prognostizieren, wann die Preise wieder heruntergehen. Und es gibt keinen Beweis, dass sie es können.«

Tatsächlich: Wenn man einmal darüber hinwegsieht, was Vulgärökonomen in Famas »Hypothese effizienter Märkte« alles hineininterpretiert haben, und sich stattdessen Famas Studie zur

»Hypothese effizienter Märkte« genau anguckt, dann ergibt sich ein ganz anderes Bild: eines, das auch nach vielen Kursabstürzen und Finanzkrisen zumindest grob passt. Dass die Kursbewegungen an der Börse unerklärlich und nicht vorherzusagen sind, ist kein Widerspruch zu Famas These – sondern genau ihr Kern.

In ihrer stärksten Form lautet die Effizienzmarkt-Hypothese: Börsenkurse und Preise umfassen alle verfügbaren Informationen, selbst die, die nur wenige Investoren haben. Die Idee dahinter ist folgende: Sobald Investoren eine Information haben, können sie entsprechend handeln. Wer weiß, dass die Preise zu niedrig sind, der kauft, also trägt er zur Preissteigerung bei. Wenn aber dank diesem Mechanismus alle verfügbaren Informationen schon in den Preisen stecken, dann kann niemand eine Information darüber haben, wie sich die Preise künftig entwickeln – die Preise entwickeln sich dann auf der Grundlage der nächsten Informationen, die jetzt noch niemand hat. Also sind auch die Börsenkurse unberechenbar. Wie es weitergeht, wirkt komplett zufällig.

Nicht zur Effizienzmarkt-Hypothese gehört dagegen, dass die Märkte genau wüssten, was die Zukunft bringt. Wenn kein Mensch erahnt, dass die Preise von Immobilien oder die Kurse von Aktien schon zu hoch sind, dann ist diese Information nicht verfügbar, und sie kann auch nicht in den Börsenkursen stecken. Das entscheidende an der Effizienzmarkt-Hypothese ist: Es gibt niemanden, der zuverlässig besser informiert ist als die Finanzmärkte.

Dagegen richtet sich auch der Widerspruch von Famas Mit-Nobelpreisträger Robert Shiller. Er will einen Weg gefunden haben, Börsenkurse doch vorherzusagen, und zwar indem er sie ins Verhältnis zu den langfristigen Gewinnen der Unternehmen setzt. Vor dem Kurssturz der New Economy und dem Einbruch der amerikanischen Immobilienpreise hat Shiller früh gewarnt. Aber auch Robert Shiller liegt nicht zwangsläufig immer richtig. Wie so viele Leute hat auch er mitten in der Finanzkrise vor langfristigen Staatsanleihen gewarnt, schon allein wegen der Inflationsgefahr.

Wer diese Warnung damals ignoriert hat, ist bislang gar nicht so schlecht gefahren und bekommt sein Geld aus den Staatsanleihen demnächst zurück. Aber auch das weiß Robert Shiller: Selbst wenn man im Gefühl hat, dass die Preise zu hoch oder zu niedrig sind – ob und vor allem wann die Wende kommt, weiß man nicht.

Und da sind dann wieder selbst die Verhaltensökonomen einer Meinung mit Eugene Fama: Wenn Privatanleger ihr Geld sicher anlegen wollen, dann kaufen sie am besten Indexfonds. Diese beliebte Geldanlage ist eine direkte Anwendung der Effizienzmarkt-Hypothese: Wenn keiner weiß, wie es mit der Börse weitergeht, dann können auch Fondsmanager nichts ausrichten. Tatsächlich gibt es kaum Fondsmanager, die dauerhaft besser sind als Indexfonds, jedenfalls nicht mehr, als Zufall und Glück erwarten lassen. Indexfonds empfehlen auch Verhaltensökonomen – so effizient finden selbst sie die Börsen.

Patrick Bernau

MILTON FRIEDMAN

Konsequent liberal

// Milton Friedman trat mit sprühendem Witz für mehr Freiheit ein – sogar bei Drogen, Prostitution und Militärdienst.

Auf kaum einen Ökonomen passt der Titel »Weltverbesserer« so gut wie auf Milton Friedman. Er war ein bedeutender Forscher, 1976 geadelt mit dem Nobelpreis, im für diese Ehrung jungen

Alter von 64 Jahren. Aber er war auch Berater, Aufklärer, Lehrer, Publizist – und für seine Zeit fast ein Medienstar. Dass er, wie der 2014 verstorbene Chicagoer Ökonom Gary Becker (auch er Nobelpreisträger) 2006 in einem Nachruf schrieb, der einflussreichste Wirtschaftstheoretiker des 20. Jahrhunderts war, diese Einschätzung ist zumindest nicht abwegig.

Friedman wollte die Welt nicht nur verstehen, sondern gestalten, und das hat er getan, mit Auftritten auf Konferenzen und im Fernsehen, Kolumnen und Beratungstätigkeit weit über die Vereinigten Staaten hinaus. Zugleich hat er unzählige Thinktanks inspiriert.

Sein wissenschaftliches Portfolio deckt viele Fragen der Wirtschaftspolitik ab, aber sein Hauptwerk ist die mit Anna Schwartz veröffentlichte, 800-seitige »Monetary History of the United States, 1867 – 1960«. Sie machte ihn neben Karl Brunner und Allan Meltzer zum bedeutendsten Vertreter des Monetarismus – der eloquenteste war er ohnehin. Das Buch belegt, dass die Weltwirtschaftskrise nicht auf ein Versagen der Märkte zurückging, sondern fast ausschließlich auf gravierende Fehler des intervenierenden Staates, nämlich auf eine Unterversorgung mit Geld. Die aus dieser Erkenntnis abgeleitete Regel, dass Notenbanken die Geldmenge im Gleichschritt mit der Entwicklung der Produktivität ausweiten sollten, ist heute nicht mehr so en vogue wie in den 1970er und 1980er Jahren, aber was bleibt, ist die Erkenntnis, dass Inflation ein rein monetäres Phänomen ist. Vielleicht gibt es in einigen Jahren, mit genügend Distanz zum Geschehen, in der Tradition Friedmans ein neues Standardwerk, das zeigt, dass auch die Finanzkrise der letzten Jahre nicht auf Markt-, sondern auf Staatsversagen beruht: auf einer Überversorgung mit Geld. Damit würde der Friedmansche Monetarismus der Österreichischen Schule der Ökonomie die Hand reichen.

Als Mensch wie auch in seinem Werk bleibt Friedman durch Kreativität, Konsequenz und Witz in Erinnerung. Die Kreativität zeigte sich in vielen Vorschlägen, die er in seinem in über zehn Sprachen übersetzten Bestseller »Capitalism and Freedom« zusammenfasste.

Bei ihrer Lancierung klangen sie geradezu revolutionär, inzwischen sind sie in vielen Köpfen angekommen und zum Teil umgesetzt worden. Zuvorderst darf man die Idee der Bildungsgutscheine zur Finanzierung der Schulen erwähnen. Das Konzept würde Eltern die freie Schulwahl erlauben und die Schulen dem Wettbewerb aussetzen. Friedman und seine Frau Rose, ebenfalls eine hervorragende Ökonomin, waren so überzeugt davon, dass sie dafür eine Stiftung schufen und sie entsprechend alimentierten. Auch den Vorschlag, die Alterssicherung mittels individueller Altersvorsorgekonten statt auf der Basis staatlicher Sozialversicherungen vorzunehmen, verdanken wir Friedman. Er wurde von Chile bis Singapur und von Großbritannien bis Mexiko umgesetzt.

In jüngster Zeit wird Friedman oft als Vater der Idee einer negativen Einkommensteuer zitiert, weil ihn Anhänger eines bedingungslosen Grundeinkommens als Kronzeuge missbrauchen. Dabei ging es Friedman nur darum, das heutige Wirrwarr von Unterstützungsbeiträgen durch eine einzige, gezielte Subvention für alle, die Unterstützung nötig haben, zu ersetzen. Zu Friedmans festen Überzeugungen gehörte, dass Menschen auf Anreize reagieren; ein »bedingungsloses« Einkommen passt daher sicher nicht zu dieser Überzeugung. Besonders viele Nachahmer konnte Friedman mit der »Flat Tax« gewinnen, einem einheitlichen Steuersatz für alle. Vor allem in Osteuropa fand sie nach der Wende großen Anklang.

Friedman sprühte vor Ideen, es war eine Freude, mit ihm zu debattieren. Das Gespräch war aber zugleich fordernd, denn er argumentierte bis an die Schmerzgrenze konsequent. Viele empfanden dies als Arroganz, doch die meisten merkten mit der Zeit, dass der Mann im Gegenteil Loyalität und Wärme ausstrahlte. Am meisten spürte man es, wenn Milton und Rose Friedman zusammen auftraten – und das taten sie oft. Die Autobiographie der Friedmans »Two Lucky People« beschreibt daher nicht nur den Aufstieg Milton Friedmans aus ärmlichen Verhältnissen einer jüdischen Einwandererfamilie aus dem Osten der Habsburgermonarchie zum Berater von Staatspräsidenten und Notenbankern, sondern auch eine bemerkenswert enge, fast 70 Jahre währende Ehe.

Seine messerscharfe Argumentation führte Friedman zu auch unter Liberalen umstrittenen Positionen. Freiheit war für ihn ein Ganzes, nie bloß auf die Wirtschaft beschränkt. So trat er für Drogenliberalisierung ein, gegen das Prostitutionsverbot und gegen die Militärpflicht. Dabei war er alles andere als ein libertärer Staatsabschaffer; diese Rolle übernahm sein Sohn David. Zum Feindbild wurde Friedman, als er das Pinochet-Regime in Chile beriet und einige Chicago Boys dort Minister wurden. Dabei folgte er nur der auch von Ordoliberalen vertretenen These, dass wirtschaftliche Freiheit eine notwendige Voraussetzung politischer Freiheit ist und wirtschaftliche Liberalisierung ein totalitäres Regime auf Dauer nicht festigt, sondern unterminiert – eine Ansicht, die er auch mit Blick auf China vertrat.

So bedeutsam Friedmans Beitrag zur Forschung auch war – im Gegensatz zu vielen seiner Kollegen punktete er auch mit prägnanten Formulierungen und bezog seine Wirkung daraus. Einige Bonmots, darunter auch solche, die er nur popularisiert, aber nicht selbst erfunden hat, zählen zum stehenden Zitatenschatz der Ökonomen: »Die staatliche Lösung für ein Problem ist gewöhnlich genauso schlecht wie das Problem selbst«, »Inflation ist Besteuerung ohne Gesetzgebung«, »Es gibt keine Gratismahlzeit« (»there is no such thing as a free lunch«) und »The business of business is business«. Für solche Sätze braucht es nicht nur Sachverstand und Formulierungsgabe, sondern auch feste Überzeugung – und die hatte der bekennende Liberale Milton Friedman.

Gerhard Schwarz

MANCUR OLSON

Der Abstieg der Nationen

// Der amerikanische Wirtschaftswissenschaftler Mancur Olson
wusste: Wenn es Ländern zu gut geht, erstarren sie. Und starke
Lobbyisten reißen die Macht an sich.

Im Alter von nur 33 Jahren hat Mancur (sprich: Menzer) Olson
sein erstes bahnbrechendes Werk »Die Logik des kollektiven
Handelns« veröffentlicht. Als Wunderkind galt der junge Olson,
damals Assistenzprofessor in Princeton und später Professor an
der Universität von Maryland, daraufhin in der Fachwelt. Mit seiner Analyse wischte er 1965 ältere Theorien vom Tisch und legte
einen wichtigen Baustein für die Neue Politische Ökonomie. Olson
analysierte nämlich, wie schwierig, wenn nicht gar unmöglich es
ist, eine freiwillige Organisation für die Interessen der breiten
Masse zu bilden. Viel eher lassen sich Lobbygruppen mit engem
Fokus effektiv organisieren, die protektionistische Gesetze, Subventionen und Privilegien fordern.

Als Olson sein Buch schrieb, war eine andere Theorie en vogue:
die Pluralismustheorie mit der These der »Gegenmacht« (»countervailing power«). Ökonomen wie John Kenneth Galbraith (und
im 19. Jahrhundert schon Lujo Brentano) glaubten, dass sich auf
freiwilliger Basis breite Interessenorganisationen von Verbrau-
chern, Arbeitern und Bürgern bilden könnten, um gegen die Marktmacht von Großkonzernen aufzubegehren. Olson erklärte mit
strenger Logik, warum solches »kollektives Handeln« von großen
Gruppen nicht in Gang kommt: Den einzelnen potentiellen Mit-
streitern fehlt der individuelle Anreiz, sich für das »kollektive
Gut« zu engagieren. Zwar würde jeder davon profitieren, wenn das
Ziel erreicht würde, doch sein individueller Gewinnanteil wäre

klein. Dafür lohnt aus individueller Perspektive das Engagement nicht. Also spart man sich das Geld und die Mühe; die anderen sollen kämpfen. »Let George do it«, lautet die Redewendung im Englischen. Wenn es aber nur Trittbrettfahrer gibt, kommt kein kollektives Handeln zustande, das »öffentliche Gut« bleibt unerreichbar.

Viel leichter und effizienter lassen sich dagegen kleine, homogenere Gruppen motivieren, für ein gemeinsames Interesse zu kämpfen: Bestimmte (meist gehobene) Berufsstände bilden Vereinigungen zum Schutz ihrer Sonderinteressen und schirmen sich vom Wettbewerb ab. Unternehmerverbände setzen die Politik unter Druck, wenn es um Regulierung oder Subventionen geht. Die Bildung von Gewerkschaften basierte zum Teil auf Idealismus, zum Teil auch auf Gruppendruck bis hin zu Erpressung. »Closed shops« hießen in England und den Vereinigten Staaten jene Betriebe, in denen Gewerkschaftsbosse darüber wachten, dass nur Mitglieder dort arbeiten durften. Neben solchem legalisierten Zwang analysierte Olson auch positive selektive Anreize: Gewerkschaften bieten ihren Mitgliedern spezielle Vergünstigungen, etwa Rechtsberatung, Fortbildung oder Geld aus der Streikkasse. Andere Interessengruppen handeln für ihre Mitglieder Sondertarife bei Versicherungen oder Einkaufsrabatte für bestimmte Geschäfte aus. Auf diese Weise versuchen sie das Trittbrettfahrerproblem zu überwinden.

Mancur Olson, 1932 in North Dakota geboren und ausgebildet in Oxford und Harvard, arbeitete stets im Grenzgebiet zwischen Ökonomie, Politikwissenschaft und Soziologie. Er bezog historische Prozesse und individuelle Anreize in seine Analysen ein. Als entscheidend für den Erfolg einer Wirtschaft sah er offenen Wettbewerb und gesicherte Eigentumsrechte an. »Institutionen und die ordnungspolitischen Regelungen in einem Land sind die Hauptdeterminanten für die Höhe des Pro-Kopf-Einkommens«, sagte er, ganz im Sinne des deutschen Ordoliberalismus.

In den 1970er Jahren fielen die Industrieländer in tiefe Selbstzweifel, weil das Wirtschaftswachstum stark nachließ und sie von Stagnation und Inflation geplagt wurden. Olson hatte eine eigene Theorie für diesen Niedergang, die er unter dem Titel »The Rise and Decline of Nations« (1982) darlegte: Je länger eine Phase des Friedens und der Stabilität andauert, desto mehr wächst ein Netz von kartellähnlichen Interessengruppen und Umverteilungskoalitionen. Der marktwirtschaftliche Wettbewerb erlahmt, schließlich degeneriert die Gesellschaft zu einer unproduktiven »rent-seeking society«.

Mit dieser Theorie wollte Olson auch das starke Wachstum in Japan und Deutschland nach 1945 erklären. Dort seien durch den Krieg und die Besatzung das Geflecht der etablierten Interessengruppen zerstört worden. Unter dem Druck der Alliierten wurden in Deutschland die Industrie dekartelliert und Märkte geöffnet.

Dagegen sah Olson Großbritannien, das in den 1970ern von schwerer Stagflation, Streiks und sozialen Konflikten gelähmt war, in einer historischen Sackgasse, weil dort eine Vielzahl schlagkräftiger und aggressiver Interessengruppen Wettbewerb und Strukturwandel blockierten. Anders als die deutschen Gewerkschaften, die relativ breit aufgestellt waren und daher negative Effekte ihrer Lohnforderungen auf die Gesamtwirtschaft mitbedachten, gingen die britischen Branchen- und Spartengewerkschaften ohne Rücksicht auf volkswirtschaftliche Verluste vor.

Das Buch über »Aufstieg und Niedergang von Nationen« machte Olson berühmt und prägte die Debatte über die Eurosklerose in den 1980ern. Olson kritisierte die Verkrustung der Gesellschaft durch wettbewerbsfeindliche Interessengruppen und Besitzstandswahrer. Der Markt sei erstarrt, keynesianische Konjunkturpolitik laufe ins Leere. Skeptisch war er, ob die Senkung der Staatsquote, wie sie in Amerika Präsident Reagan anstrebte, ein entscheidender Faktor sei. Viel wichtiger sei es, die Macht der Monopole, Kartelle und Umverteilungskoalitionen zu brechen, damit eine neue produktive Dynamik entstehe.

Diese Logik wandte Olson auch auf Entwicklungsländer an. 1991 wurde er Direktor des neugegründeten Center on Institutional Reform and the Informal Sector (IRIS) an der Universität von Maryland, das zu einem bedeutenden entwicklungspolitischen Thinktank aufstieg. Vor allem Länder des ehemals kommunistischen Ostblocks, aber auch in Südamerika und Afrika hat Olson beraten, wie sie Korruption und Ineffizienz überwinden und Wege zu Demokratie, Rechtsstaatlichkeit und Marktwirtschaft finden könnten.

Die Frage, warum die Transformation – etwa in Russland – so schwierig ist, hat Olson in seinem posthum erschienenen Buch »Power and Prosperity« analysiert. Er sah den zähen Prozess als Spätfolge der noch zu Sowjetzeiten gewachsenen Seilschaften und Netzwerke von Interessengruppen, beispielsweise Betriebsleitern, die sich gegen den Wandel stemmten.

Die schonungslosen institutionenökonomischen Analysen Olsons haben nicht jedem gefallen, doch trafen sie meist einen wunden Punkt. Gleichzeitig blieb er Optimist, der an die Reformfähigkeit der Demokratien glaubte. Er war bekannt für seinen Humor und seine überraschenden Argumente. Aufgrund seiner grundlegenden Beiträge zur Theorie kollektiven Handelns galt er als Kandidat für den Wirtschaftsnobelpreis. Dazu kam es nicht mehr. Olson starb 1998, im Alter von nur 66 Jahren, infolge eines Herzinfarkts.

Philip Plickert

KARL POLANYI

Enttäuscht vom entfesselten Kapitalismus

// Karl Polanyi geißelte Profitgier und deregulierte Märkte. Die heutigen Kapitalismuskritiker sind seine Erben – und wissen es nicht.

Spätestens seit der Finanzkrise des frühen 21. Jahrhunderts hat sich auch in bürgerlichen Kreisen hierzulande der Eindruck breitgemacht, ein »entfesselter Kapitalismus« sei schuld daran, dass die Welt aus ihren Fugen geraten sei. Selbst wohlwollende Freunde des Marktes mahnen, es gelte, den Kapitalismus vor dem Kapitalismus in Schutz zu nehmen und die Wirtschaft wieder in die Gesellschaft einzubetten.

Den Ahnherrn eines Denkens, wonach die Wirtschaft der sozialen Einbettung (»Embeddedness«) bedarf, kennen die wenigsten: Es ist ein Mann namens Karl Polanyi (1886 – 1964), einer der rätselhaftesten Denker des 20. Jahrhunderts. »Es war das Dilemma, dass sich das Marktsystem sein eigenes Grab geschaufelt hat und zuletzt auch die sozialen Institutionen zerstörte, auf denen es basierte«, schrieb Polanyi in seinem epochalen, 1944 erschienenen Werk »Die große Transformation«, verfasst unter dem Eindruck der Erfahrung von großer Depression und Zweitem Weltkrieg.

Kaum ein Denker hat sich so vehement wie Polanyi gegen die von Adam Smith (1723 – 1790) vertretene Ansicht gestemmt, der Markt sei die dominante Institution moderner Gesellschaften. Für Polanyi sind Märkte stets eine Bedrohung für die Gesellschaft, woraus größte Gefahr erwächst, wenn man ihnen erlaubt, nach ihren eigenen Gesetzen unabhängig von staatlich regulierender Umhegung zu wirken. Diese »große Transformation«, welche zu einer zerstörerischen Autonomisierung der Märkte führte, vollzog sich in England seit Beginn des 19. Jahrhunderts, später dann auch in

Deutschland. Das Unheil begann damit, dass zum ersten Mal in der Geschichte Land, Arbeit und Geld wie ganz normale Rohstoffe oder Güter (Kartoffeln, Kleidung oder Kohle) behandelt wurden. Dass menschliche Arbeit als eine Ware angesehen und mit einem Preis belegt wird, war auch für Karl Marx und die frühen Sozialisten ein Skandal. Doch Polanyi, gewiss von Marx beeinflusst, argumentiert weniger moralisch als systemisch: Land, Arbeit und Geld nennt er »virtuelle Ressourcen«, die ihre Heimat im sozialen Leben haben: Arbeit ist nichts anderes als der Name für eine menschliche Betätigung; Land ist nur ein anderes Wort für Natur; und Geld ist eine Metapher für die Kaufkraft in einer Gesellschaft. Land, Arbeit und Geld gehören in den Bereich des allumspannenden Lebens, aber nicht auf das Feld partikulärer Märkte und handelbarer Güter.

Man könnte auch sagen, dass im frühen 19. Jahrhundert sich eine erste Welle der Ökonomisierung vollzog, durch welche Land, Arbeit und Geld aus ihrer sozialen Lebenswelt herausgerissen und gewaltsam den Gesetzen von Angebot und Nachfrage unterworfen wurden. Der Preis, den die Menschen dafür zahlen mussten, war die moralische Zerstörung ihrer gesellschaftlichen Lebensgrundlagen: »Laster, Perversion, Kriminalität, Hunger« sind Folgen, die in die soziale Welt übergreifen und sie dehumanisieren.

Polanyi weiß, wovon er redet. Die Enttäuschungsgeschichte des Kapitalismus, die er analysiert, hat er selbst miterlebt. Gleich Robert Musil und vielen Intellektuellen, die ihre Wurzeln in der zerfallenden Donaumonarchie des 20. Jahrhunderts haben, wurde er groß in den Boomjahren des Wirtschaftswunders der Gründerzeit in Wien und Budapest. Der Vater, ein erfolgreicher Eisenbahnunternehmer, zählte zur emanzipierten jüdischen Bourgeoisie. Den Familiennamen der Kinder hatte er magyarisiert – er selbst nannte sich noch Pollacek –, sich selbst hat er christianisiert: Karl und seine Geschwister wurden zum calvinistischen Protestantismus konvertiert. Die Mutter, eine Russin, führte einen bekannten Gesellschaftssalon Budapests.

Als traumatische Erfahrung erlebte Polanyi den Zusammenbruch des väterlichen Unternehmens im Jahr 1900, wonach er von der Unterstützung der Verwandtschaft abhängig wurde. »Nineteenth century civilisation has collapsed«, lautet auf dem Hintergrund dieser persönlichen Demütigung der zentrale erste Satz der »Great Transformation«. Polanyi schloss sich den Kommunisten an, studierte dies und jenes und ging nach England als politischer Schriftsteller. Er war Essayist, Pamphletist, glänzender Stilist und gebildeter Historiker. In einem Brief an einen Freund aus dem Jahr 1925 schreibt er, damals habe er das tiefe Bedürfnis verspürt, die Gesellschaft »übersichtlich« zu gestalten: »so wie das innere Leben einer Familie«.

Was zum Schaden der Menschen »entbettet« wurde, kann auch wieder »eingebettet« werden, folgerte Polanyi konsequent aus seiner wirtschaftshistorisch geprägten Weltanschauung. Sein Ziel nannte er einen »geplanten Laissez-Faire Kapitalismus«. Er bestritt vehement, dass freie Märkte der naturwüchsige Anfang der Geschichte gewesen seien und später erst der regulierende Eingriff des Staates in Mode gekommen sei. Zu Recht insistierte er darauf, dass die liberale Marktverfassung selbst Ergebnis einer politischen Intervention sei, welche die merkantilen Schutzzäune niederriss. Mit romantischer Phantasie erträumte er sich den Urzustand der Menschheit als Paradies eines auf freiwilligen Geschenken und liebevoller Bedürfnisbefriedigung beruhendem Gütertausches, wo die Menschen noch nicht von Profitgier zerfressen sind. Im Paradies der gegenseitigen Umverteilung und der guten Haushaltsführung gab es noch keinen Markt.

Polanyi ist nicht so naiv zu meinen, wir könnten diesen vorökonomischen Urzustand wiederherstellen. Ihm genügt die Hoffnung auf eine Welt, in der die Wirtschaft wieder von der Gesellschaft in Dienst genommen würde und sich ihr unterordnete. Dass Geld (die Finanzmärkte), Arbeit (die Arbeitsmärkte) und Boden (die Immobilienmärkte) dem Markt entzogen und staatlich reguliert gehören, versteht sich dabei für ihn von selbst. Das wäre dann eine zweite »Große Transformation« gewesen, welche die verrückte Welt wieder zurechtgerückt hätte und die Wirtschaft in die Gesellschaft einbettete.

Für Polanyi, der sich sein Leben lang als Sozialist verstand, ist die »soziale Marktwirtschaft« gewiss nicht die Erfüllung seiner Hoffnung gewesen. Doch ihren Ansatz, »das Prinzip der Freiheit auf dem Markt mit dem des sozialen Ausgleichs zu verbinden« (Alfred Müller-Armack), teilte er. Offenbar gehört die Spannung zwischen stabiler Sozialintegration und sich selbst regulierenden Märkten zur Grundschwingung des menschlichen Lebens. Nimmt die Sozialintegration überhand, droht eine Gesellschaft zu erstarren und ihre Wohlstand generierende Dynamik zu verlieren. Schlägt das Pendel zu stark in die andere Richtung, drohen Ungleichheit und Unsicherheit die Gesellschaft zu destabilisieren, was ihrerseits die Wirtschaftstätigkeit zum Erliegen bringt.

Viele der heutigen Kapitalismuskritiker weiden auf der Wiese Polanyis. Die Kritik am »Ökonomismus« und »Kapitalismus pur«, die Mahnung zu Maß und Mitte, die von Sahra Wagenknecht bis Volker Kauder täglich ertönt, hat hier ihren Ursprung. Wenn Bundeskanzlerin Merkel findet, wir brauchten eine »marktkonforme Demokratie«, würden Polanyis heutige Freunde dagegen einen »demokratiekonformen Markt« fordern.

Rainer Hank

AYN RAND

Die Hohepriesterin des Egoismus

// Ayn Rand vertrat einen radikalen Marktliberalismus. Und verpackte ihn in schwülstige Romane. Dafür lieben sie einige heiß und innig – andere hingegen macht schon ihr Name aggressiv.

Genie oder Furie – oder beides? Kaum ein Denker ist so umstritten wie sie: Alissa Sinowjewna Rosenbaum, genannt Ayn Rand (1905 – 1982). Die einen verehren sie, in den anderen weckt schon der Name Aggressionen. Ihre ethische, nicht bloß effizienzorientierte Begründung des freien Markts hat den einen ein Licht aufgehen, den anderen die Galle überlaufen lassen.

Die einen halten ihr philosophisches Werk für das beste seit der Antike, die anderen verurteilen es als sektiererische Scharlatanerie. In der akademischen Welt gibt es kaum jemanden, der sich ernsthaft mit ihrem Denksystem beschäftigt. Und Literaturliebhaber schüttelt es, wenn sich bei der Lektüre der so voluminösen wie schwülstigen Romane wie »Atlas Shrugged« oder »Fountainhead« eine Sturzflut ideologischer Parolen über sie ergießt.

Doch gerade diese Wälzer finden reißenden Absatz. Die Bücher der sendungsbewussten Autorin sind in einer Gesamtauflage von bisher 25 Millionen erschienen. Die Anhängerschaft in den Vereinigten Staaten reicht vom früheren Notenbankpräsidenten Alan Greenspan bis hin zur »Tea Party«.

In Europa ist sie weniger bekannt, doch auch hier geraten Rands Romane so manchem jungen Antikonformisten, die nach Orientierung suchen, zur »Einstiegsdroge zum Liberalismus« – wenn man den Liberalismus denn mit der Doktrin des Minimalstaates oder gar des Anarchokapitalismus gleichsetzen will. Auf jeden Fall hat Ayn Rands Werk dank seiner Anziehungskraft im politischen Denken mehrerer Generationen erhebliche Wirkung entfaltet.

Wer war diese Frau? Ayn Rand war Tochter deutschstämmiger Juden und hatte sich nach dem Studium der Philosophie und Geschichte aus der Sowjetunion nach Amerika abgesetzt. Revolution und Regime der Bolschewisten hatten sie mit Abscheu erfüllt. Es war wohl diese traumatische Erfahrung, die sie zeitlebens mit der Kraft des – stets auch aggressiven – Wortes für die Rechte des Individuums kämpfen ließ. Sie arbeitete als Lektorin und Drehbuchautorin, bevor sie sich als Romancière, Publizistin und Rednerin einen Namen machte.

Was die Leserschaft bis heute an ihren Romanen offensichtlich elektrisiert, ist der darin enthaltene Aufstand gegen den Moralismus, zumindest gegen eine lästige, sauertöpfische puritanische Moral der Pflicht und des Verzichts, wie sie auch heute im Lager aller politisch Korrekten anzutreffen ist, nicht zuletzt unter den sozial und ökologisch Bewegten dieser Welt.

Positiv gewendet bietet die Autorin ihren Lesern die ermutigende Gewissheit, dass es ihr gutes Recht ist, im Leben nach dem eigenen Glück zu suchen, ihr von der Natur mitgegebenes Potential auszuschöpfen und sich dabei von niemandem beirren zu lassen – und wo könnte man das besser als auf dem freien Markt, wo das Leistungsprinzip gilt? John Galt, den Helden ihres Epos »Atlas Shrugged«, lässt Rand am Ende seiner irrwitzig langen und von Pathos triefenden Radioansprache jenes Credo sprechen, das sie ihren Jüngern anempfiehlt: »Ich schwöre bei meinem Leben und bei meiner Liebe zum Leben: Ich werde nie für andere leben, und ich werde nie von anderen verlangen, dass sie für mich leben.«

Das kann man als Warnung vor Willkür und Bekenntnis zu aufgeklärtem, über das rein Materielle hinausgehendem Selbstinteresse werten oder aber im Gegenteil als Heiligung eines narzisstischen Egoismus. Ayn Rand meinte Ersteres – doch weil es die

Leute so schön auf die Palme trieb, sprach sie lieber von der Göttlichkeit des »Ich« und der »Tugend des Egoismus«, der sie noch die »Tugenden« der Produktivität und des Stolzes beiordnete. Mit der kryptischen begrifflichen Parallelwelt, die sie sich mit solchen Umwertungen schuf, wuchs ihre singuläre romantische Aura genauso wie ihre wissenschaftliche Isolation.

Dabei ist Rands philosophischer Standpunkt durchaus anschlussfähig, wenn man sich von manchen konzeptionellen Impräzisionen ebenso wenig abschrecken lässt wie von ihren arg apodiktischen Urteilen. Rand verstand sich, durchaus unbescheiden, als geistige Nachfolgerin von Aristoteles, dessen Tugendethik sie liebte. Dafür hasste sie Immanuel Kant mit Inbrunst. Der Königsberger Philosoph, berühmt für seinen kategorischen Imperativ, erschien ihr als Verkörperung des Bösen und als gemeingefährlicher Wegbereiter des Totalitarismus.

Mit dieser maßlosen Vehemenz schloss sie sich selbst aus der wichtigen, ernsten Debatte über Kant aus, in der sie durchaus hätte Verbündete finden können. Wie vielen, nicht nur liberalen Denkern gefiel Rand an Aristoteles besonders, dass er – anders als später Kant – von der umfassenden Kraft des Verstandes ausging. Daraus leitet sich die Vorstellung ab, dass Erkenntnis auch in Bezug auf metaphysische Fragen möglich ist: Mit dem Verstand hat der Mensch, wenn er denn will, einen vollen, »objektiven« Zugriff auf die Realität.

Diesen Aspekt übernahm Ayn Rand und erfand dafür als eigenen philosophischen Markennamen das etwas hochtrabende Label »Objektivismus«. Auf der Basis seiner eigenen Erkenntnis hat dann jeder einzelne Mensch ohne Vorgaben zu entscheiden, was für ihn selbst ein gutes, erfülltes, tugendhaftes Leben ist. Rand machte in ihrem naturrechtlichen Überschwang daraus sogar eine Norm: Der Mensch ist nicht nur frei, sein Glück zu machen, er ist dazu aufgefordert.

Auch für Kant war der Verstand von höchster Bedeutung, doch

er sah letzte metaphysische Fragen. Zu denen hatte das fehlbare Mängelwesen Mensch, dessen Verstand bei der Verarbeitung seiner Anschauung durch den Filter seines – eben nicht objektiven – Bewusstseins getrübt ist, keinen Zugang. Für ihn gab es Dinge, die man zwar denken, aber nicht wissen kann.

Wo Kant deshalb Demut und ein sich bescheidender Gottesglaube angebracht erschienen, witterte Rand die Selbstaufgabe des Individuums und das Einfallstor gerade für das, was Kant selbst verdammte: Willkür, Verzweckung des Menschen, Gewalt, Totalitarismus. Hatte Kant als liberaler Aufklärer nicht noch den »Ausgang des Menschen aus seiner selbstverschuldeten Unmündigkeit« gefordert? Ayn Rand, die Unversöhnliche, verzieh ihm diesen Widerspruch nie.

Karen Horn

WU JINGLIAN

Chinas Mister Marktwirtschaft

// Wu Jinglian ist der bedeutendste Ökonom Chinas. Keiner hat Chinas Reformen der 1980er und 1990er Jahre, die das Land öffneten und die Wirtschaft beflügelten, so stark geprägt wie er.

Es war im Juli 1989 in der Lobby eines großen Hotels in Peking. Erst wenige Wochen waren seit dem Massaker auf dem Tiananmen-Platz vergangen. Mir gegenüber saß ein freundlicher, etwas zerbrechlich und zugleich ehrlich wirkender Mann von 59 Jahren, der so klare marktwirtschaftliche Auffassungen vertrat, dass sie selbst in der heimatlichen Schweiz Aufsehen erregt hätten. Und er tat dies mit Kampfgeist und ohne Rücksichtnahme auf irgendwelche Mithörer, mit denen in der aufgeheizten Atmosphäre von damals fast immer zu rechnen war, wenn ein ausländischer Journalist mit einem Chinesen sprach.

Wenige Monate später veröffentlichte ich einen Text von ihm in der »Neuen Zürcher Zeitung«, vielleicht seinen ersten Text auf Deutsch. Die Episode zeigt geradezu idealtypisch einige Charakteristika des wohl bedeutendsten chinesischen Ökonomen der Gegenwart.

Da ist die marktwirtschaftliche Überzeugung, die in einem kommunistischen Land alles andere als selbstverständlich ist. Wu, der seine Studien 1954 an der renommierten Fudan-Universität in Schanghai abschloss, war zunächst Marxist und Maoist. Als Ende der 1970er Jahre die zarten Pflänzchen der Reform zu sprießen begannen, brach Wu mit den Lehren der Väter. Er lernte dank des prägenden Einflusses seines Freundes Gu Zhun Englisch und die Grundlagen der Marktwirtschaft, ging zwischendurch ein Jahr nach Yale und gilt seither in China als Mister Marktwirtschaft.

Entgegen den Etikettierungen seiner Gegner ist Wu aber kein fundamentalistischer Marktfanatiker; das belegen auch seine kritischen Äußerungen der vergangenen Jahre zur Entwicklung an den chinesischen Börsen. Zum einen nimmt Wu in seinem Werk Rücksicht auf die politische Realität seines Landes und plädiert daher für eine sozialistische Marktwirtschaft. Darunter versteht er ein System, das kaum gemischter, kaum weniger marktwirtschaftlich ist als das, was Europäer seit Jahrzehnten gewohnt sind. Zum anderen ist er überzeugt, dass mehr Markt China weiterbringen würde, fordert aber, dass die Entwicklung fair verlaufen sollte, und kritisiert den »Crony«-Kapitalismus, den er ebenso ablehnt wie den Maoismus. Manches erinnert an die Ordoliberalen der Nachkriegszeit, etwa wenn er in einem Aufsatz fordert, die Eigentumsreform sollte vollendet werden, die Staatsbetriebe seien zu privatisieren, es brauche eine Anti-Monopol-Politik, man müsse das Sozialversicherungssystem erneuern, und die politischen Reformen seien zu beschleunigen, weil Demokratie und Rechtsstaat die Garanten jeder modernen Marktwirtschaft seien.

Noch bemerkenswerter an jener Szene von 1989 ist, wie offen Wu nach dem Fall von Hu Yaobang und Zhao Ziyang sowie dem Reformrückschlag in einem totalitären Polizeistaat mit einem ausländischen Journalisten über Reformen sprach. Barry Naughton, Herausgeber eines Sammelbandes wichtiger Aufsätze von Wu (Wu Jinglian, »Voice of Reform in China«, MIT Press 2013), stellt in seiner Einleitung zum Buch die Frage, ob Wu ein Insider oder ein Outsider der Macht sei. Seine Antwort lautet: beides. Die Frage stellte sich schon damals, und wahrscheinlich war Wu immer beides, aber einmal mehr das eine, einmal mehr das andere. Wu war oft sehr nahe an der Macht, doch hielt ihn selbst seine Mitgliedschaft in wichtigen Expertenkommissionen nicht davon ab, sich gelegentlich kritisch zu äußern. Und er fiel auch öfter in Ungnade, jedoch – abgesehen von der »Kulturrevolution« – nie so stark, dass er aus dem Verkehr gezogen worden wäre.

Schließlich steht Wus Verve, sein Kämpfertum, für den starken Willen, nicht nur zu denken und zu argumentieren, sondern zu gestalten und zu bewegen. Wu hat den Reformprozess Chinas in den 1980er und 1990er Jahren so stark geprägt wie kein zweiter Wissenschaftler. Das Team, das er Mitte der 1980er Jahre zusammenstellen durfte, brachte sein Reformprogramm zwar zunächst nicht durch, aber die Widerstände und die Rückschläge im Reformklima nach 1989 machten aus dem Wissenschaftler Wu zunehmend einen Politikberater, ja einen Lobbyisten für die Marktwirtschaft. Sein Werk besteht nicht zuletzt aus Reformentwürfen, Memoranden und Redetexten. Einmal schreibt er, »Wissen sollte der praktischen Anwendung dienen – das ist das chinesische Erbe«.

Und so entwarf er nicht neue Modelle oder fand neue Zusammenhänge, sondern er präsentierte und verteidigte seine Sicht der Reformen und ihrer Notwendigkeit allenthalben, bis hinauf ins Politbüro, zu den Parteisekretären und Ministerpräsidenten, situationsbezogen immer etwas anders, aber durchaus konsistent.

Zwei Botschaften durchziehen fast alle diese Aufsätze und Dokumente. Wu spricht sich immer wieder gegen Stückwerkreformen aus und plädiert für ein koordiniertes oder integrales Reformprogramm. Zwar scheiterte er mit diesem Konzept, als Ministerpräsident Zhao Ziyang im Herbst 1986 zu seiner großen Enttäuschung kalte Füße bekam, aber sechs Jahre später wurden große Teile unter Jiang Zemin als Generalsekretär der kommunistischen Partei dann doch umgesetzt.

Die zweite Botschaft – wohl ebenso wichtig und ebenso kontrovers – lautet, dass man Reformen nur in einem stabilen, weitgehend inflationsfreien makroökonomischen Umfeld durchführen kann. Auch das beherzigten die Machthaber zunächst nicht, doch Wu hatte recht. Wäre man ihm gefolgt, wäre es vielleicht nie zu den Unruhen gekommen, die dann im Juni 1989 mit Gewalt niedergeschlagen wurden. Sie wurden vor allem durch den Ärger über die stark steigenden Preise ausgelöst.

Gerhard Schwarz

JAMES BUCHANAN

Politiker sind Egoisten

// James Buchanan wusste: Politiker verfolgen knallhart eigene Interessen. Das ist erst mal nicht schlimm.

Wenn man in der wirtschaftspolitischen Beratung tätig ist, taucht regelmäßig die Frage auf, warum die Bundesregierung wirtschaftspolitischen Ratschlägen nicht folgt. Das »Richtige« zu tun und das »Falsche« zu unterlassen müsse doch jenseits bestehender Mehrheitsverhältnisse möglich sein.

Hier liegt ein falsches Politik- und Demokratieverständnis vor. In der Politik geht es vor allem um Verteilungsinteressen, zwischen denen die politischen Entscheidungsträger einen möglichst billigen Ausgleich herstellen sollen. Eine solche Politik muss demokratisch legitimiert und rechtsstaatlich rückgebunden sein. Die Vorstellung, Experten (»Philosophenkönige«) könnten stattdessen die Politik bestimmen, entstammt platonischem Denken und ist einer offenen Gesellschaft unangemessen. Gerade unabhängige Beratungsgremien in Deutschland sollten sich vielmehr des Privilegs bewusst sein, ordnungspolitisch saubere Lösungen in die Diskussion einbringen zu dürfen.

Die Grundhaltung, in der Wirtschafts- und Finanzpolitik »richtige« Lösungen umzusetzen, entstammt der Wohlfahrtsökonomik. Spätestens seit Arthur Pigou haben Ökonomen sich zum Ziel gesetzt, Marktversagen zu korrigieren und Ressourcen effizient zuzuordnen.

Davon ausgehend sollten dann unerwünschte Verteilungsergebnisse durch Einkommensumverteilung gemäß sozialer Normen korrigiert werden, die in einer sogenannten Wohlfahrtsfunktion abbildbar wären. Bis heute dominiert dieser Ansatz die

Finanzwissenschaft, ergänzt um eine Makroökonomik, die nicht selten ebenfalls nach optimalen Politikregeln sucht.

James Buchanan (1919 – 2013) hatte eigentlich schon in seinem zweiten Aufsatz im Dezember 1949 begonnen, mit diesen Vorstellungen aufzuräumen. Darin entwickelte er eine Theorie finanzpolitischer Austauschprozesse, gemäß der staatliche Entscheidungsträger öffentliche Güter und Leistungen bereitstellen im Austausch gegen die Steuerzahlungen der Bürger.

Die Effizienz von Politik wird dadurch bestimmt, wie viel Zustimmung sie bekommt. Wichtiger noch: Der Staat ist kein monolithischer Akteur; die Entscheidungsträger sind Individuen, die gemäß ihren eigenen Interessen im Rahmen bestimmter Restriktionen entscheiden. Diese Restriktionen können vielfältig sein; nicht zuletzt sind es die Spielregeln des politischen Prozesses, etwa der verfassungsrechtliche Rahmen, bestehende Gesetze oder die Mechanismen der Macht.

Damit war die Grundlage für ein Forschungsprogramm gelegt, das den Individualismus des Verhaltens in der Ökonomie konsequent auf die Politik ausweitet. Prominenter Ausgangspunkt ist das mit Gordon Tullock gemeinsam verfasste Werk »The Calculus of Consent«. Die politischen Entscheidungsträger – Politiker in Regierung und Parlament, die öffentliche Verwaltung, Interessengruppen, Wähler, die Judikative – verfolgen grundsätzlich ihr eigenes Interesse.

Ob daraus so etwas wie das Gemeinwohl entsteht, hängt von den Rahmenbedingungen, eben den Spielregeln ab. Buchanan setzte darauf, sich Beschränkungen, zum Beispiel in der Verfassung, zu überlegen, die zu besseren wirtschafts- und finanzpolitischen Ergebnissen führen, statt konkrete wirtschafts- oder finanzpolitische Vorschläge zu machen.

Für die Entwicklung »der kontrakttheoretischen und konstitutionellen Grundlagen für die Theorie ökonomischer und politischer Entscheidungsprozesse« erhielt James Buchanan im Jahr

1986 den Nobel-Gedächtnispreis für Wirtschaftswissenschaften. Diese Formel erfasst den Kern seines Denkansatzes treffend. Denn er wendet nicht nur das ökonomische Verhaltensmodell auf die Politik an, sondern er verschiebt den Fokus der Analyse auf die Regelebene.

Das Buchananische Forschungsprogramm ist dadurch eng verwandt mit dem deutschen Ordoliberalismus. Seiner Suche nach geeigneten Regeln für den wechselseitigen Vorteil von Beteiligten entspricht bei Walter Eucken die Frage nach einer funktionsfähigen und menschenwürdigen Ordnung der Wirtschaft. Daher ist es wenig verwunderlich, dass Buchanan einen erheblichen Widerhall unter deutschen Ökonomen fand.

Er war ein Verfechter von Schuldenbremsen und sprach sich für geldpolitische Regeln aus, die eine verlässliche Geldpolitik gewähren sollten. Der deutsche Furor gegen die Euro-Rettungspolitik der Bundesregierung und der Europäischen Zentralbank erschließt sich erst vollständig vor diesem Hintergrund.

Das Zerrbild der Öffentlichkeit zeichnete Buchanan als rechten Libertären, der antidemokratisch, antiegalitär und antiwissenschaftlich war. In Wahrheit trifft das Gegenteil zu. Er war leidenschaftlich individualistisch, der Mensch stand im Mittelpunkt seines Interesses. Seine Betonung individueller Freiheitsrechte bot vielmehr einen Kontrast zu manch elitären Attitüden von Kollegen, die ihm wohl nicht verziehen, dass er die Politik ihrer Romantik und sie damit ihres Einflusses beraubt hat.

James Buchanan konnte ungewöhnlich lange sein Werk vollenden. Er verstarb 2013 mit 93 Jahren und blieb bis zuletzt wissenschaftlich und publizistisch aktiv. Er schrieb Arbeiten zu allen möglichen ökonomischen Themen – zu den Facetten politischer Entscheidungsprozesse und zur Verfassungsökonomik, zur methodologischen und ethischen Fundierung der Sozialwissenschaften, zur europäischen Einigung und zum Zusammenbruch des Eisernen Vorhangs.

Buchanan teilte gerade nicht den Optimismus, dass sich nach dem Abklingen des Ost-West-Konflikts die Ideen einer liberalen Demokratie und Marktwirtschaft überall durchsetzen würden. Die Vorstellung, dass die Wirtschaft »gemanagt« werden müsse, sterbe nie aus. Ohne Verständnis, was liberale Demokratie bedeute, sei man vor Rückschlägen nicht sicher. Es sieht so aus, als habe er recht behalten.

Lars Feld

HENRY HAZLITT

Starkolumnist des Kapitalismus

// Henry Hazlitt war ein radikal liberaler Publizist. Er trat für den Goldstandard ein. Und widerlegte Keynes Seite für Seite.

Am 29. November 1964 kamen im New York University Club namhafte Liberale zusammen. Sie hielten Vorträge zu Ehren eines Jubilars, der gerade ein Buch über die Grundlagen der Moral publiziert hatte. Ludwig von Mises würdigte ihn in seinem Grußwort: »In dieser Zeit des großen Ringens für Freiheit und eine Gesellschaft, in der Menschen als freie Menschen leben können, sind Sie unser Anführer.« Anlass war der 70. Geburtstag eines der größten Freiheitspublizisten: Henry Hazlitt. 2014 jährte sich sein Geburtstag zum 120. Mal, zugleich lag sein Todestag erst 21 Jahre zurück – klassische Liberale werden alt und geraten in Vergessenheit.

Henry Hazlitt war ein Autodidakt, ein echter Selfmademan, der sein Leben lang mit dem Selbststudium der Ökonomie und Wirtschaftspublizistik verbracht hat.

Hazlitt war vielseitig tätig, als Literaturkritiker, Journalist und Herausgeber, Ökonom und Philosoph. Meilensteine sind seine Tätigkeiten für die »New York Times« von 1934 bis 1946 und anschließend für »Newsweek«, wo er 20 Jahre lang seine berühmte Kolumne »Business Tides« schrieb. Als ökonomischer Publizist war er im 20. Jahrhundert vielleicht so brillant wie sein Vorbild Frédéric Bastiat im 19. Jahrhundert.

1946 schrieb er in nur drei Monaten neben seinen journalistischen Verpflichtungen sein bekanntestes Buch: »Economics in One Lesson«. Insgesamt wurden 700 000 Stück der ersten Auflage verkauft. Weltweit verkaufte sich die wirtschaftspolitische Einführung in die Grundprinzipien von Marktwirtschaft und Interventionismus bereits bis zum Ende der siebziger Jahre millionenfach.

Die zeitlose Lektion lautet: Die Kunst guter Wirtschaftspolitik besteht darin, nicht nur die aktuellen, sondern vielmehr die langfristigen Wirkungen der Politik zu betrachten; zugleich gilt es, die Folgen der Politik nicht nur für eine Gruppe, sondern für alle Gruppen zu berücksichtigen, weshalb gute Wirtschaftspolitik allgemeingültig sein muss.

Offenkundig können staatliche Eingriffe zwar kurzfristig erwünschte Zustände bewirken, langfristig stiften sie aber immensen Schaden, der über das Ausmaß des beklagten, auslösenden Zustandes weit hinausgeht. Mindestlöhne sind ein Beispiel. Hazlitt wurde vom Erfolg des Buches überrascht. Friedrich August von Hayek bezeichnete es als »brillant«; er kenne kein Buch, von dem man so viel über die Grundsätze der Ökonomie in so kurzer Zeit lernen könne.

Henry Hazlitt war ein publizistisch begnadeter und fachlich bestechend konsequenter Verteidiger von Marktwirtschaft und

Freihandel, Goldstandard und klassisch liberalen Prinzipien. Er wurde als führende Stimme in den Vereinigten Staaten gegen Sozialismus, Etatismus, staatliche Planung und Lenkung gehört. Das galt auch für die Debatte um die überbordenden keynesianischen Einflüsse – Hazlitt bezeichnete die keynesianische Ökonomie als »einen der größten intellektuellen Skandale unserer Zeit«. Er konnte sich auf die von ihm verfasste, gründliche Auseinandersetzung mit der »Allgemeinen Theorie« von Keynes stützen, die er Seite für Seite widerlegte (»Das Fiasko der Keynes'schen Wirtschaftslehre«).

Hazlitt war Anfang der 1950er Jahre in den Vereinigten Staaten omnipräsent: im Radio, im Fernsehen, in den Printmedien; seine Bücher erreichten, auch über Fassungen in »Reader's Digest«, Millionen Menschen. Hazlitt debattierte mit hochrangigen Personen seiner Zeit, darunter Vizepräsidenten und Außenminister. 1950 gründete er zusammen mit John Chamberlain die Zeitschrift »The Freeman«, die lange Zeit die einzige konsequent liberale Zeitschrift blieb.

Hazlitt selbst schätzte, dass er etwa 10 Millionen Wörter geschrieben habe und seine gesammelten Werke 150 Bände umfassen würden. Er war ein dezidierter Gegner des Marshallplans und warnte vor der Inflation, bevor sie sichtbar um sich griff. Er begründete facettenreich, warum nur Marktwirtschaft zur Überwindung von Armut geeignet ist, und verwarf Grundeinkommen und progressive Steuern. Hazlitt warnte 1969 vor dem Ausufern des Wohlfahrtsstaates, dessen Existenz er für das Ende des 19. Jahrhunderts aufzeigte. In seinem Roman »Time Will Run Back« zeigte er die Konsequenzen eines vollentwickelten Sozialismus auf: die Rückentwicklung der Zivilisation.

Hazlitts Erfolgsgeheimnis lag in der Verbindung von bemerkenswerter Expertise mit einer eleganten und massentauglichen Darstellung, die durch Qualität, Klarheit und Kürze bestach. Seine Rezension von Mises »Gemeinwirtschaft« (»Socialism«)

machte den Band zu einem Klassiker in der angelsächsischen Welt. Hayeks Buch »The Road to Serfdom« wurde durch Hazlitts erfolgreiche Bemühungen um eine Kurzfassung in »Reader's Digest« und seine Rezension in der »New York Times« zum Bestseller. Ludwig von Mises bezeichnete Hazlitt als »das ökonomische Gewissen unserer Nation« und als »herausragenden Ökonomen«. Und Milton Friedman schätzte Hazlitts Urteil so sehr wie kaum jemandes sonst. Paul Samuelson studierte sogar Wirtschaft, weil er einen Artikel von Hazlitt gelesen hatte.

Hazlitt urteilte, dass er kein Ökonom war, der Neues entdeckt habe, dafür aber jemand, der die orthodoxen Lehren der Ökonomie seit Adam Smith gegen die »Neue Ökonomie« verteidigt habe: »Alte Wahrheiten wiederzuentdecken kann häufig genauso hilfreich sein, wie neue zu entdecken.«

Hazlitt sah die freie soziale Kooperation als Kern der Moral an, da die Tauschwirtschaft die Akzeptanz moralischer Regeln voraussetze. Ein System freier Marktwirtschaft und freien Unternehmertums könne nur innerhalb einer Ordnung von Recht und Moral funktionieren. Und der soziale Austausch könne Sympathie und Freundschaft erzeugen, die zu den schönsten menschlichen Erfahrungen zählen.

Im New York University Club ergriff Hazlitt selbst das Wort und zog Bilanz: »Wir haben die Pflicht, noch klarer und couragierter zu sprechen.« Auch die über 70-Jährigen könnten nicht einfach in der Sonne Floridas dösen. Nicht weniger als die Zukunft der Freiheit stehe zur Disposition und damit die Zivilisation selbst.

Michael von Prollius

JOHN RAWLS

Der Philosoph des Fairplay

// John Rawls hat neu erklärt, was Gerechtigkeit ist. Und damit das
Denken revolutioniert.

Selten gelingt es einem einzigen Werk, die philosophische Szene
von Grund auf zu verändern. Während andere Umwälzungen aus
gemeinsamen Anstrengungen hervorgehen, setzte vor mehr als
40 Jahren der Harvard-Professor John Rawls mit seinem monu-
mentalen Werk »Eine Theorie der Gerechtigkeit« (1971) einen
so tiefgreifenden Wandel durch, dass seither die Geschichte der
Politischen Philosophie den lapidaren Titel trägt: von Platon zu
Rawls.

Rawls' Theorie der Gerechtigkeit, nicht etwa die zupackende
Programmschrift eines begnadeten Schriftstellers, vielmehr ein
»gelehrter Wälzer«, wird in mehr als zwei Dutzend Sprachen
übersetzt und erfährt eine intellektuelle Diskussion von geradezu
industriellem Ausmaß. Zufällig ist dieser Erfolg nicht. Die Theorie
der Gerechtigkeit, vielleicht sogar der wichtigste Text zur Politischen Ethik des 20. Jahrhunderts überhaupt, ist mit einem langen
Atem verfasst. Vorphilosophische Anregungen reichen weiter zurück. Der bescheidene, zugleich hochdisziplinierte Rawls wächst
in einer wohlhabenden Südstaatenfamilie auf. Sein Vater ist
Anwalt, seine aus einer angesehenen deutschstämmigen Familie
stammende Mutter ist politisch engagiert. Rawls war sich bewusst,
in dieser Weise unverdiente Privilegien zu genießen, was zu seiner
nie ausgesprochenen Lebensmaxime führte: »La noblesse et le
talent obligent.« Zu Deutsch: Adel und Talent verpflichten.

Rawls' Paradigmenwechsel beginnt bei der Aufgabe der philosophischen Ethik: Er wendet sich unmittelbar Sachfragen zu. Soweit

denn doch normative Fragen erörtert wurden, waren sie vom Utilitarismus geprägt. Dessen Stammvater Jeremy Bentham erklärte die Menschenrechte zu »Unsinn auf Stelzen«. Nach Rawls hingegen besitzt jeder Mensch unveräußerliche Rechte. Ihretwegen tritt er dem utilitaristischen Prinzip vom »größten Glück der größten Zahl« mit dem Gedanken der »Gerechtigkeit als Fairness« entgegen. Danach sollen sowohl die Gewinne als auch die Lasten der gesellschaftlichen Kooperation so verteilt werden, dass jeder Einzelne einen möglichst großen Vorteil erzielt.

Schon der Philosoph, mit dem sich Rawls am stärksten verbunden fühlt, Immanuel Kant, sieht den Sinn eines Gemeinwesens nicht im gelingenden Leben selbst. Nicht beauftragt, seine Mitglieder glücklich zu machen, ist der Staat auf Zwecke des Rechts, auf Freiheitssicherung durch Gesetze beschränkt. Weniger dezidiert, aber ähnlich erwartet Rawls von den Gerechtigkeitsgrundsätzen nicht ein glückliches Leben. Ihren Gegenstand bilden stattdessen gesellschaftliche Grundgüter (»social primary goods«). Sie bedingen im Unterschied zu natürlichen Grundgütern wie Kraft, Intelligenz und Ideenreichtum überhaupt Gesellschaft. Sie sind für jede Art von Lebensplan unabdingbar, deshalb auch in pluralistischen Gesellschaften eine Gemeinsamkeit. Darüber hinaus soll man ein Maximum der jeweiligen Grundgüter suchen.

Die Gerechtigkeitsgrundsätze lauten nun: »Erster Grundsatz: Jedermann hat gleiches Recht auf das umfangreichste Gesamtsystem gleicher Grundfreiheiten, das für alle möglich ist. Zweiter Grundsatz: Soziale und wirtschaftliche Ungleichheiten müssen folgendermaßen beschaffen sein: (a) Sie müssen unter der Einschränkung des gerechten Spargrundsatzes den am wenigsten Begünstigten den größtmöglichen Vorteil bringen, und (b) sie müssen mit Ämtern und Positionen verbunden sein, die allen gemäß fairer Chancengleichheit offenstehen.«

Von diesen beiden Gerechtigkeitsgrundsätzen ist der erste Grundsatz unstrittig und auch der zweite Teil des zweiten Grund-

satzes (2b). Elementare Grundrechte bilden einen festen Bestandteil unserer geschriebenen oder gelebten Verfassungen. Und die
Offenheit der Ämter und Positionen wird von Demokratien seit
langem gepflegt. Anders verhält es sich mit dem ersten Teil des
zweiten Grundsatzes (2a), dem Unterschiedsprinzip. Soweit es
lediglich um Grundrechte geht, etwa um ein angemessenes Existenzminimum, handelt es sich um den ebenfalls wenig strittigen,
nämlich freiheits- und demokratiefunktionalen Kern der Sozial-
staatlichkeit. Die Forderung, die Schlechtestgestellten möglichst
gut zu stellen, ist hingegen ungewöhnlich. Ein Rawls'scher Sozialstaat sieht paternalistischer aus, als es unstrittige Gerechtigkeits-
überzeugungen zulassen.

Noch in einer anderen Weise macht sich Rawls um die Wirtschaftswissenschaften verdient. Bei der Begründung der Gerech-
tigkeitsprinzipien greift er auf die Entscheidungs- und Spieltheorie
zurück. Rawls stellt eine Liste alternativer Ideen für gesellschaftliche Grundprinzipien auf. Und dann wählt er die Option aus, die
den größten Nutzen für jeden Einzelnen erwarten lässt. Rawls will
ausdrücklich moralische Urteile durch rationale Klugheitsurteile
ersetzen. Dies geschieht durch einen Trick. Er schafft eine ideale,
selbst schon gerechtigkeitsbestimmte Bedingung: den von Justi-
tia-Darstellungen bekannten »Schleier des Nichtwissens« (»veil
of ignorance«). Wer gerechte Regeln aufstellen will, muss demnach eine Gesellschaft so betrachten, als habe er selbst dort noch
keine Position und als sei nicht ausgemacht, unter welchen Umständen er selbst einmal in sie hineintritt. Welche Regeln würde
man für die deutsche Gesellschaft aufstellen, wenn man noch
nicht wüsste, ob man in eine Hartz IV-Familie oder in die Oberschicht hineingeboren wird?

Otfried Höffe

ALBERT O. HIRSCHMAN

Lob der Aufmüpfigkeit

// Unzufriedene haben immer zwei Möglichkeiten: protestieren oder abhauen. Das gilt für die Ehe wie für den Euro. Die Theorie dazu stammt von Albert Hirschman.

Wettbewerb ist der Himmel der Ökonomen. Wenn Unternehmen sich in harter Konkurrenz abmühen, ihre Leistung zu steigern und billiger zu werden, kommen die Kunden zu guten und günstigen Produkten. So lehrt es die ökonomische Theorie seit den Tagen von Adam Smith. Es ist nichts Geringeres als dieses Monopol des Konkurrenzprinzips, das der 2012 verstorbene Albert O. Hirschman angegriffen hat. Und zwar mit einem Lob der Aufmüpfigkeit.

Es gibt laut Hirschman in Wirklichkeit nämlich zwei Möglichkeiten, wie sich Menschen wehren können, wenn sie mit der Leistung einer Organisation nicht zufrieden sind: Sie können zur Konkurrenz wechseln, ganz im Sinne des Wettbewerbsgedankens. Hirschman nennt das Abwanderung (»Exit«). Man könnte auch sagen: Abstimmung mit den Füßen. Oder aber sie können bleiben, protestieren und versuchen, Veränderungen durchzusetzen. Hirschman nennt das Widerspruch (»Voice«).

Gut vorstellen kann man sich das anhand eines Kaufhauses: Was machen Leute, die seit Jahren im selben Kaufhaus einkaufen, und auf einmal wird das Angebot drastisch schlechter? Die Verkäufer sind nicht mehr so freundlich, Auswahl und Qualität der Waren nehmen ab. Dann gibt es zwei Möglichkeiten: Entweder man beschwert sich beim Chef – in der vagen Hoffnung, dieser werde in Zukunft mehr auf die Qualität achten und das Kaufhaus zur gewohnten Leistung zurückführen. Oder, leichter: Man kauft künftig woanders ein.

Das ist die Entscheidung zwischen »Exit« und »Voice«. Aus ihr entwickelte Hirschman, ein Grenzgänger zwischen Ökonomie, Politologie und Philosophie, eine originelle Theorie. Sie lässt sich auf viele Lebensbereiche anwenden: auf Unternehmen genauso wie auf die Ehe, die EU oder den Euro.

Ursprünglich aufgefallen sind Hirschman »Exit« und »Voice« auf einer Reise durch Afrika. In Nigeria wurde der Güterverkehr auf der Schiene immer schlechter, obwohl die Bahn starkem Wettbewerb durch Lastwagen ausgesetzt war. Nach der klassischen Lehre der Ökonomie hätte die Konkurrenz das Geschäft beleben müssen. Das Gegenteil aber war der Fall: Besonders starke und zahlungskräftige Kunden wichen auf Lastwagen aus. Sogar beim Transport von Massengütern wie Erdnüssen, die mehr als 800 Meilen vom Hafen entfernt wuchsen. Die Bahn verlor zwar Einnahmen – aber das war der Leitung wegen der Staatsfinanzierung nicht so wichtig. Und die Kunden, die bei der Bahn blieben, ärgerten sich zwar über die Leistung – waren aber zu schwach, als dass ihr Protest etwas bewirkt hätte.

Hirschman folgerte: Wenn Menschen in solchen Situationen abwandern können, schwächt das die Gruppe, die widerspricht. Umgekehrt kann die Möglichkeit, Widerspruch zu leisten, die Tendenz zur Abwanderung verringern.

Dieses Prinzip lässt sich auf viele Lebensbereiche übertragen – beispielsweise auf die Ehe: Ein strenges Scheidungsrecht führt zu mehr Konflikten in der Ehe – ein laxes zu vielen Scheidungen. Außerdem kann es die Tendenz zur Abwanderung in einer Ehe (»Exit«) befördern, wenn über Probleme zu wenig geredet wird (»Voice«). Umgekehrt kann die Auseinandersetzung innerhalb der Beziehung leiden, wenn einer von beiden längst einen neuen Partner hat – und deshalb kein Druck mehr da ist, zu reden und das Verhältnis zu verbessern.

Es war sicher kein Zufall, dass sich ausgerechnet der Exilant Hirschman intensiv mit Abwanderung und Widerspruch auseinandersetzte. Sein ganzes Leben war eine Odyssee, wie der Historiker Jeremy Adelman in seiner 2013 erschienenen Biographie »Wordly Philosopher« schreibt. 1915 in Berlin geboren, engagierte sich der protestantisch getaufte, aus einer jüdischen Familie stammende Hirschman früh in der sozialistischen Jugendbewegung. 1933 verließ er Deutschland, ging zunächst nach Frankreich, kämpfte später im Spanischen Bürgerkrieg und meldete sich 1940 freiwillig zur französischen Armee. Er verhalf vielen Intellektuellen zur Flucht nach Amerika, unter anderen Hannah Arendt, Siegfried Kracauer und Marc Chagall.

Später hatte Hirschman Professuren in Yale, an der Columbia University, in Harvard und Princeton inne. Außerdem beriet er Regierungen in aller Welt: Unter anderem war er am Aufbau des Marshallplans für Deutschland beteiligt und arbeitete für die Weltbank in Lateinamerika. Ein Politiker in Chile soll ihm einmal gesagt haben, es gebe eigentlich nur zwei Arten von Problemen: solche, die unlösbar seien, und solche, die sich von selbst lösen. Genau damit wollte Hirschman sich nie abfinden.

Eine Anekdote erzählte Hirschman selbst über die Veränderung seines Namens. Ursprünglich hatte er sich in Deutschland mit zwei »n« geschrieben, und sein Rufname war Otto. Seine Eltern hatten ihn nach dem »eisernen Kanzler« Otto von Bismarck benannt. Aber schon als er nach Frankreich auswanderte, besann er sich auf seinen zweiten Vornamen Albert; Otto klang auf Französisch zu sehr wie »Auto«. Und als ihm später bei der Emigration nach Amerika der Mann von der Einwanderungsbehörde das zweite »n« des Nachnamens strich, nahm Hirschman das zwar hin – für das »c« im Hirsch aber kämpfte er. Seither führte der Ökonom den Namen Albert O. Hirschman, unter dem er berühmt wurde.

Im vergangenen Jahr unternahm der britische Historiker Harold James den Versuch, Hirschmans Theorie auf Europa und die EU zu übertragen. Eigentlich naheliegend: Schließlich war überall vom »Grexit« die Rede, als Griechenland kurz davor schien, den Euro zu verlassen. Und man spricht vom »Brexit«, wenn Großbritannien mal wieder damit droht, aus der Europäischen Union auszutreten. Was lag da näher als eine Einordnung in die Theorie von »Exit and Voice«?

Schon Hirschman selbst hatte erkannt, dass man die Theorie auch auf Staaten anwenden kann. Die Möglichkeit für die Menschen auszuwandern (»Exit«) steht dabei in einem Spannungsverhältnis zu Protesten mit dem Ziel von Reformen innerhalb des Landes (»Voice«).

In Europa stellt sich vor allem die Frage, ob es nützt oder schadet, wenn ein Staat die gemeinsamen europäischen Institutionen verlässt. Auf der einen Seite sorgt offenbar schon der Gedanke, dass ein Land mit dem »Exit« spielt, für Veränderungen: Weil der britische Premier David Cameron damit droht, sein Land könnte die Europäische Union verlassen, ist die EU unter Druck, sich zu reformieren – und achtet stärker darauf, dass die Ausgaben nicht aus dem Ruder laufen.

Auf der anderen Seite könnte ein tatsächlicher Austritt der Briten durchaus negative Folgen haben. Man denke an die Staatsbahn von Nigeria: Wenn starke Kritiker aus einem sozialen System abwandern, gibt es in diesem weniger Widerspruch. Das würde wohl auch gelten, wenn die Briten als erklärte Gegner von allzu viel Europa-Bürokratie die EU verließen. Die kritische Auseinandersetzung innerhalb der EU könnte leiser werden – zu Lasten von Reformen.

Christian Siedenbiedel

MICHAIL BAKUNIN

Der erste Anarchist

// Michail Bakunin lebte und dachte ungezügelt. Jede staatliche Ordnung war ihm ein Graus, dafür wollten ihn fast alle europäischen Mächte hinrichten. Heute berufen sich linke Revolutionäre und amerikanische Libertäre auf ihn.

Michail Alexandrowitsch Bakunin war ein gesuchter Mann. Gleich mehrere Länder wollten ihn haben. Er wurde nach dem gescheiterten Aufstand von Dresden im Jahr 1849 von Preußen verhaftet und als Rädelsführer zum Tode verurteilt. Da die Österreicher aber ebenfalls noch eine Rechnung mit ihm offen hatten, wurde er nach Wien ausgeliefert und dort ebenfalls zum Tode verurteilt. Nun bestand auch das Russische Reich auf seinem Recht und erwirkte die Auslieferung nach St. Petersburg. Auch dort wurde Bakunin ein Prozess gemacht, der mit dem Todesurteil endete. »Diese ewigen Prozesse beginnen mich zu langweilen«, schrieb er aus seiner Zelle.

Wer war der Mann, um dessen Hinrichtung fast alle europäischen Mächte wetteiferten? Bakunin wuchs in den endlosen Weiten Russlands auf. Er war groß und dick, er aß viel, trank viel, rauchte viel und redete viel. Vor allem aber war er von einem unbezwingbaren Freiheitsdrang beseelt. In Moskau, wohin er nach kurzer und erfolgloser Militärzeit zog, kam er mit revolutionären Ideen in Kontakt, die er in Berlin, an der Universität Fichtes und Hegels, zu unterfüttern beschloss. Die Ideen schwankten und schwirrten in seinem Kopf, immer aber hatte er die Befreiung der Menschen aus den gegenwärtigen Verhältnissen vor Augen, welche nur zu deren Unterdrückung dienten.

Er zog weiter nach Paris, wo er sich bald in sozialistischen und anarchistischen Kreisen einen Namen machte. Mit Marx verband ihn dort ein zwiespältiges Verhältnis. Einerseits erkannte Bakunin an, dass dieser ein bedeutender theoretischer Kopf im Dienste des Sozialismus war. Andererseits hielt er dessen Lehre für im Grunde autoritär. Die Arbeiterschaft werde bei Marx von einer abstrakten Theorie und ihren Hohepriestern gegängelt und sei damit am Ende nicht freier als zuvor. So erinnerte sich Bakunin: »Es bestand nie eine offene Intimität zwischen Marx und mir. Unsere Temperamente vertrugen sich nicht. Er nannte mich einen sentimentalen Idealisten, und er hatte recht; ich nannte ihn einen perfiden und tückischen eitlen Menschen, und ich hatte auch recht.«

Bakunins Todesstrafe wird, da er aus einer guten adeligen Familie kommt, vom Zaren zunächst in Festungshaft umgewandelt. Später wird er nach Sibirien in die Verbannung geschickt, wo er bald die Gelegenheit zur Flucht nutzt. Über Japan und die Vereinigten Staaten gelangt er nach England, wo er zehn Jahre nach seiner Festnahme völlig ungeniert und mit ungeminderter Energie für den Anarchismus wirbt. Er ist kein Schreibtischrevolutionär wie Marx, sondern wann immer irgendwo in Europa eine Revolte losbricht, findet Bakunin sich auf den Barrikaden im Auge des Sturms. Je chaotischer es zugeht, desto wohler fühlt er sich.

Seine Theorien entsprechen seinem Lebenswandel. Er verfasst Aufsätze und Pamphlete, setzt mehrfach dazu an, ein längeres Werk zu schaffen, aber zu einem zusammenhängenden Lehrgebäude fehlen ihm Zeit, Ruhe und die Haltung des Professors. Zwei Themen kommen aber immer wieder vor und können als das Zentrum seines Denkens gelten. Erstens ist er überzeugt, dass der Untergang alter Strukturen kein Übel ist, sondern die Voraussetzung für neues Wachstum: »Lasst uns also dem ewigen Geiste vertrauen, der nur deshalb zerstört und vernichtet, weil er der unergründliche und ewig schaffende Quell alles Lebens ist.« Zweitens stellt er fest, dass Macht ihre Träger unvermeidlich korrumpiert.

»Vorrechte, jede bevorrechtigte Stellung, haben die Eigentümlichkeit, Geist und Herz der Menschen zu töten.« Er sieht daher die ideale Organisation in kleinen Einheiten, in denen die Macht von unten nach oben ausgeübt wird (Syndikaten). Ihm schweben dörfliche Gemeinschaften vor, in denen sich die Menschen zwanglos zu Produktionsgemeinschaften zusammenfinden, die sich wiederum in Föderationen koordinieren.

Bakunin liegt am Ende aber das Wohl der Menschen näher am Herzen als alle Theorien. Als er erkennt, dass die Menschen im Grunde nur ihren Frieden wollen, resigniert er bedauernd und zieht sich vom aktiven Kampf zurück. Ein Anarchist kann niemandem etwas aufzwingen, nicht einmal die Revolution.

Bakunins Erbe ist am offensichtlichsten in den anarchistischen Revolten, die es insbesondere in Südeuropa bis zur Mitte des 20. Jahrhunderts immer wieder gegeben hat. Zuletzt hat mit »Occupy Wall Street« eine anarchistische Bewegung der Sehnsucht nach kleinen überschaubaren Einheiten Ausdruck gegeben, ohne alternativlose Bankenrettungen und korrupte Staatsapparate. Auch heute sind die Menschen nicht gerne unberechenbaren, unansprechbaren, namenlosen Mächten ausgeliefert. Daher zielt der Anarchismus, so David Graeber, der Vordenker von Occupy, »darauf, alle sozialen Verhältnisse zu eliminieren, die nur durch die systematische Androhung von Gewalt aufrechterhalten werden können, von der Lohnarbeit bis zum Patriarchat«. Bakunin hätte das nicht anders formuliert.

Seine Erben finden sich politisch aber auch am rechten Spektrum. Heinrich Meier hat etwa Bakunins Bedeutung für Carl Schmitt hervorgehoben. Am lebendigsten ist der Anarchismus heute aber bei den Libertären in den Vereinigten Staaten, welche ebenfalls mit großer emotionaler Energie die Abschaffung des Staates fordern. Sie unterscheiden sich von Bakunin letztlich nur in der Betonung robuster Eigentumsrechte. Sie stehen der Österreichischen Schule in der Ökonomie nahe, die staatliche Eingriffe in Wirtschaft und Gesellschaft ablehnt und ebenfalls den Charme der »schöpferischen Zerstörung« sieht.

Bakunins Leben war zu chaotisch, seine Ideen zu wenig lehrbuchartig, als dass man sich heute explizit auf ihn berufen könnte. Er selbst hätte es auch absurd gefunden, ein Denkmal zu bekommen. Nur auf gedenktafelfähige Menschen kann man sich aber berufen, wenn man ernst genommen werden möchte.

Bakunins Satz von der Korruption der Macht hat bis heute seine Gültigkeit nicht verloren, er gilt in »House of Cards« nicht weniger als bei Wladimir Putin. Die Reaktion darauf ist der Anarchismus. Diesen gelebt und formuliert zu haben ist Bakunins bleibendes Vermächtnis.

Georg von Wallwitz

JEAN TIROLE

Seid nicht so streng mit Google

// Jean Tirole weiß, wie man mächtige Konzerne dazu bringt, dem Gemeinwohl zu dienen. Dafür bekam er 2014 den Nobelpreis.

Jean Tirole will auch nach der Verleihung des Nobelpreises im Jahr 2014 am liebsten über Dinge reden, von denen er etwas versteht. »Aber ich hoffe, dass mir die Leute jetzt eher zuhören als früher«, sagte der französische Ökonom, nachdem bekanntgegeben worden war, dass er 2014 den Wirtschafts-Gedächtnispreis der schwedischen Reichsbank bekommt. Eine halbe Stunde brauchte Tirole, um sich von der Nachricht zu erholen, sagte er dem Komitee. Seiner 90 Jahre alten Mutter empfahl er erst einmal, sich zu setzen, bevor er ihr davon erzählte.

Diese Nüchternheit zieht sich durch Tiroles Arbeit: Allumfassende Ansätze zur Welterklärung findet man dort nicht. Der Franzose kam Anfang der neunziger Jahre vom amerikanischen Massachusetts Institute of Technology (MIT) zurück nach Frankreich, um in Toulouse beim Aufbau des wirtschaftswissenschaftlichen Forschungszentrums IDEI zu helfen, das sein Mentor Jean-Jacques Laffont gegründet hatte. In seinen Theorien hat sich Tirole immer darum bemüht, der Komplexität wirtschaftlicher Prozesse gerecht zu werden. Das macht seine Modelle kompliziert, aber realistischer als viele andere.

Tiroles Spezialgebiet ist die Regulierung von Märkten, die nicht dem Ideal vom perfekten Wettbewerb entsprechen. Im perfekten Wettbewerb konkurrieren viele unterschiedliche Firmen um Kunden, die Preise sind deshalb niedrig. Tirole beschäftigt sich mit Fällen, in denen der Markt von einem einzigen Monopolisten beherrscht wird, wie es in Europa lange Zeit vor allem bei Eisenbahnen oder Telefonnetzen der Fall war. Er interessiert sich auch für Märkte, die sich mehrere ähnlich starke Firmen untereinander aufgeteilt haben, wie zum Beispiel heute auf vielen Energiemärkten. Ökonomen sprechen dann von einem Oligopol. Das Problem ist in beiden Fällen, dass die Firmen zu viel Macht haben: Bei einem Monopol kann die marktbeherrschende Firma die Preise festlegen, bei Oligopolen besteht die Gefahr, dass sich die Firmen untereinander absprechen. In beiden Fällen schadet das den Kunden.

Dass unperfekte Märkte in der Realität sehr häufig vorkommen, wissen Ökonomen schon länger. Schon Adam Smith geißelte im Jahr 1776 in seinem Buch »Wohlstand der Nationen« die Monopole. Das Nobelpreiskomitee zeichnete Tirole vor allem dafür aus, dass wir dank seiner Arbeit heute viel besser verstehen, wie der

Staat die Macht solcher Firmen begrenzen kann – oder aber dafür sorgen kann, dass sie diese Macht im Interesse der Allgemeinheit einsetzen.

Denn es ist gar nicht so leicht, mächtige Firmen auf sinnvolle Weise zu regulieren. Lange Zeit versuchten Regierungen, die Macht der Monopolisten mit einfachen Rezepten wie Preiskontrollen zu begrenzen. Doch das ging oft schief, weil die Regulierungsbehörde nicht genug über die tatsächlichen Kosten der Firmen wusste: War die Grenze zu hoch, machten die Firmen weiterhin Gewinne auf Kosten der Allgemeinheit. War sie zu niedrig, investierten sie nicht mehr genug in ihre Infrastruktur, oder der Service für die Kunden verschlechterte sich dramatisch. Das ließ sich bei ehemals staatlichen Monopolen wie etwa der britischen Eisenbahn beobachten.

Gemeinsam mit Laffont entwickelte Tirole spieltheoretische Modelle, wie Regulierungsbehörden diese Probleme besser lösen können. Eine zentrale Einsicht seiner Arbeit ist, dass regulatorische Maßnahmen immer auf einen Markt zugeschnitten werden müssen: »Wie man Kreditkarten reguliert, hat nichts damit zu tun, welche Maßnahmen man bei Eisenbahnen ergreifen sollte«, sagt Tirole. Nicht immer ist die Entmachtung der Firmen dabei der beste Weg: Oft funktioniert es besser, sie mit strategischen Tricks zur Kooperation zu bewegen.

Diese Erkenntnisse bilden heute unter anderem die wissenschaftliche Grundlage für die Wettbewerbspolitik der EU. In Amerika verfolgt man dagegen nach wie vor traditionellere Ansätze – für viele amerikanische Ökonomen eine Erklärung, warum amerikanische Kunden zum Beispiel schlechtere Internet- und Mobilfunktarife haben als Europäer.

Eine besondere Rolle spielen in Tiroles Arbeiten zur Regulierung sogenannte Plattform-Märkte. Dort bedienen Firmen zwei unterschiedliche Gruppen von Kunden. So haben zum Beispiel Zeitungen sowohl Leser als auch Anzeigenkunden; Google bietet seinen Nutzern eine Suchmaschine und seinen Werbekunden eine Plattform für ihre Anzeigen. In solchen Märkten ist die optimale Preisgebung anders als auf »einseitigen« Märkten: Es ist zum Beispiel nicht unbedingt eine schädliche Nutzung von Marktmacht, wenn Google seinen Nutzern den Dienst kostenlos zur Verfügung stellt, den Werbekunden aber hohe Preise berechnet. Tirole mahnt daher, dass man bei der Regulierung dieser Märkte noch mehr Fingerspitzengefühl beweisen muss als sonst.

Trotz ihrer Komplexität folgen Tiroles Arbeiten zur Regulierung der Grundannahme der Ökonomie, dass Firmen und Kunden rational ihren Nutzen maximieren. Allerdings wird auch in der Ökonomie immer deutlicher, dass sich Menschen oft irrational verhalten. Daher beschäftigt sich Tirole, der aus der Wettbewerbsforschung viel über Anreize weiß, in letzter Zeit auch zunehmend mit Situationen, in denen die klassische »Homo oeconomicus«-Annahme nicht greift. Gemeinsam mit seinem Kollegen Roland Bénabou zeigte er zum Beispiel, dass sich Menschen nicht immer durch finanzielle Anreize motivieren lassen. So kann es zum Beispiel kontraproduktiv sein, Kindern Geld als Belohnung für gute Schulnoten zu bieten, weil das ihre intrinsische Motivation beeinträchtigt.

In diesem Zusammenhang beschäftigte sich Tirole auch mit der Frage, warum manche Menschen ohne Lohn hart arbeiten. Das gilt etwa für Programmierer, die Open-Source-Software entwickeln. Tirole vermutet, dass neben der Sorge um die eigene Reputation – viele Programmierer machen sich mit dieser Arbeit einen Namen – auch selbstlose Motive eine Rolle spielten, wie der Wunsch, die eigenen Fähigkeiten zum Wohle der Allgemeinheit einzusetzen.

Auch Jean Tirole will sich in Zukunft stärker den Problemen der Allgemeinheit widmen, vor allem in seiner französischen Heimat. Schon vor Jahren hat er gemeinsam mit seinem Kollegen Olivier Blanchard Vorschläge zur Reform der französischen Wirt-

Seid nicht so streng mit Google // 249

schaft vorgelegt. Beide argumentierten, dass Frankreich vor allem unter dem zweigeteilten Arbeitsmarkt leide, in dem manche Arbeitnehmer von beinahe unkündbaren Verträgen profitieren, während andere sich von einem Zeitvertrag zum nächsten hangeln. Tirole und Blanchard schlugen vor, stattdessen einen einheitlichen Arbeitsvertrag einzuführen. Außerdem forderten sie eine Sondersteuer für Firmen, die Mitarbeiter entlassen, um die sozialen Kosten der Arbeitslosigkeit effizienter zu verteilen. Damals hörte niemand zu – das dürfte sich nun ändern.

Lena Schipper

JOSEPH SCHUMPETER

Vergesst mir die Banken nicht!

// Joseph Schumpeter ist für das Lob des »schöpferischen Zerstörers« bekannt, des Pionier-Unternehmers, der altgediente Firmen herausfordert. Vergessen hat die Welt, dass Schumpeter zudem dafür warb, die Banken ernst zu nehmen. Nach der Finanzkrise ist das aktueller denn je.

Der österreichische Ökonom Joseph A. Schumpeter (1883 – 1950) ist vor allem durch seinen Begriff der »schöpferischen Zerstörung« bekannt geblieben. Damit ist die Entstehung innovativer Pionierunternehmen gemeint, die mit neuen Produkten oder Produktionsverfahren ältere und weniger leistungsfähige Unternehmen verdrängen. Weniger bekannt ist geblieben, dass sich Schum-

peter diese Prozesse nicht ohne die Mitwirkung von Banken vorstellen konnte. »Kapitalismus ist jene Form privater Eigentums-
wirtschaft, in der Innovationen mittels geliehenen Geldes durch-
geführt werden«, schrieb Schumpeter in seinem Spätwerk über
Konjunkturzyklen.

In diesem Satz sind die drei konstitutiven Bestandteile des
Kapitalismus in der Lesart Schumpeters vereint: Privateigentum,
unternehmerische Initiative sowie Finanzierung durch Banken.

Sieben Jahre nach Ausbruch einer verheerenden Finanzkrise
wird die Feststellung, dass Banken und Finanzmärkte im Ablauf
der vergangenen 100 Jahre in den jeweils dominierenden ökonomischen Theorien keine oder fast keine Rolle gespielt haben,
heute Kopfschütteln hervorrufen. Schumpeter gehörte zu den
Ökonomen, die dafür kämpften, dass der Finanzsektor einer Wirtschaft in den Lehrbüchern die ihm geziemende Aufmerksamkeit
findet.

Schumpeters innovative Pionierunternehmer waren nicht die
etablierten Konzerne, sondern junge Leute, die erst einmal nicht
mehr besaßen als eine Idee. Schumpeter hat den Aufstieg des Sili-
con Valley nicht mehr miterlebt, aber er hätte ihn zweifellos unterstützt. Diesen Unternehmern stellte er Banken zur Seite, die ohne
Lenkung durch den Staat durch Kreditschöpfung Geld bereitstellen.

Schumpeter lebte in einem Zeitalter, in dem sich das Bankwe-
sen mächtig entwickelte und Großbanken entstanden, die Indust-
rieunternehmen ins Ausland begleiteten und internationale Finan-
zierungen organisierten. Sein Idealbild einer Bank war nicht das
traditionelle kleine Privatbankhaus, das überwiegend vorsichtig
agierte, sondern eine moderne Aktienbank, in der Manager bereit
waren, Fachkompetenz mit dem Mut zur Kreditvergabe auch an
Pioniere zu verbinden. Es handelte sich um eine Arbeit, die nach
seiner Auffassung »intellektuelle und moralische Qualitäten erfordert, die nicht bei allen Leuten vorhanden sind, die das Bank-

fach einschlagen«. Um seine symbiotische Beziehung von Unternehmer und Banker baute Schumpeter eine eigene Konjunkturtheorie. Wirtschaftliche Katastrophen, so befand er, würden vor allem durch Banken ausgelöst.

Schumpeter, der in den frühen zwanziger Jahren als Vorstand einer Wiener Privatbank wegen unvorsichtiger Kreditvergabe gescheitert war, hat die Wirtschaftstheorie seiner Zeit mit seinen Analysen zur Rolle der Banken nicht wesentlich befruchten können. Dies erklärt sich zum einen mit seinem Charakter: Schumpeter war ein Solitär, der sich wenig um Schüler bemühte und daher im Unterschied zu seinem Altersgenossen John Maynard Keynes auch keine eigene Schule bilden konnte.

Zudem war, was Schumpeter in späten Schriften konzedierte, seine Annahme über die Finanzierungspraxis von Banken nicht sehr realitätsnah. Banken vergeben Kredite aus allen möglichen Gründen, aber selten an junge Pionierunternehmer, weil sie die Risiken einer solchen Kreditvergabe schwer einschätzen können. Wer unternehmerische Neulinge finanzieren will, wird eher Eigenkapital als einen Kredit in die Hand nehmen.

Schließlich beschrieb Schumpeter in einer Zeit, in der sich die Mathematisierung der Wirtschaftstheorie ausbreitete, seine Analysen zur Rolle der Banken rein verbal. Interessant ist, dass einige Jahrzehnte später die Ökonomen Philippe Aghion und Peter Howitt mathematische Modelle entwickelten, in denen Schumpeters Pionierunternehmer am Werk sind. Aghion und Howitt gelten seit einiger Zeit als Kandidaten für den Nobelpreis. In ihren Modellen gibt es zwar noch den Unternehmer, aber der Banker ist abhandengekommen.

Schumpeter hatte zwar keine Schule gegründet, aber er besaß Erben. In den ersten Jahrzehnten nach dem Zweiten Weltkrieg begann in den Vereinigten Staaten eine mächtige Entwicklung der Kapitalmärkte, die von der Bildung institutioneller Großanleger wie Fonds und Pensionskassen begleitet wurde. Damals begannen sich Ökonomen zu fragen, ob die Existenz großer Kapitalmärkte etwas an der Wirksamkeit von Geld- oder Finanzpolitik ändert. Die Frage ist in unserer Zeit wieder hoch aktuell geworden, seitdem Notenbanken wie die Fed Wertpapiere kaufen, um durch Zinssenkungen für solche Papiere die Wirtschaft anzuregen.

Der wichtigste Ökonom, der in den ersten Jahrzehnten nach dem Zweiten Weltkrieg an der Zusammenführung von Finanztheorie und gesamtwirtschaftlichen Analysen arbeitete, war ein Mann, der als Student an der Harvard University Schumpeter begegnet war. Im Jahre 1981 erhielt er den von der Schwedischen Akademie der Wissenschaften vergebenen Nobel-Gedächtnispreis für Wirtschaftswissenschaften für, so die offizielle Begründung, »die Analyse von Finanzmärkten und ihre Beziehungen zu Ausgabenentscheidungen, Beschäftigung, Produktion und Preisen«. Der Preisträger war James Tobin. Auch seine Analysen bestanden seinerzeit nicht den Test der Zeit und wurden ab den siebziger Jahren des 20. Jahrhunderts von gesamtwirtschaftlichen Analysen abgelöst, in denen das Geld, die Banken und die Finanzmärkte praktisch keine Rolle mehr spielten. Mit derartigen gesamtwirtschaftlichen Analysen gingen viele Ökonomen in die jüngste Finanzkrise, und es erstaunt nicht, dass man sie für realitätsfremd hielt.

In der kurzen Zeit seit dem Ausbruch der Finanzkrise hat sich viel getan, unter anderem werden von jüngeren Ökonomen ältere Arbeiten Tobins gelesen, während eine Renaissance der Arbeiten Schumpeters zu den Banken bisher ausgeblieben ist. Stattdessen versuchen moderne Ökonomen ein weiteres Mal, Finanztheorie und gesamtwirtschaftliche Analysen zusammenzuführen. Unter anderem wird die Rolle der Geldpolitik in einer Zeit analysiert, in der die Grenzen zwischen Sicherung der Geldwertstabilität, Sicherung der Stabilität des Finanzsystems und Tragfähigkeit der Staatsverschuldung verschwimmen.

Ein anderer Zweig der modernen Forschung befasst sich mit den Folgen der Globalisierung der Finanzströme für die wirtschaftliche Entwicklung in Industrienationen und Schwellenländern. Auf diesem Gebiet hat der koreanische Ökonom Hyun Song Shin bedeutende Studien veröffentlicht, den man als einen Erben Schumpeters bezeichnen könnte. Shin, der seit einigen Monaten als Chefökonom bei der Bank für Internationalen Zahlungsausgleich arbeitet, vertritt unter anderem die These, dass die großen Vermögensverwalter wie Versicherungen und Fondsgesellschaften heute für die Stabilität des Finanzsystems ebenso wichtig sind wie Banken. Schumpeter ist schon lange tot, aber manche seiner Gedanken sind quicklebendig.

Gerald Braunberger

DIE AUTOREN DIESES BUCHES

Die Ansprüche an die Autoren der »Weltverbesserer« waren hoch: Verständlich, unterhaltsam, kurz und knapp sollten die Beiträge sein; gleichzeitig wissenschaftlich korrekt und anregend, gerne auch provokant. Eine Mischung verschiedenster Autoren hat dafür gesorgt, dass das gelang. Die Texte in diesem Buch stammen von Wissenschaftlern, die so wunderbar formulieren können, dass auch Nicht-Wissenschaftler sie bestens verstehen. Von Journalisten, die sich intensiv und begeistert mit Ideen, Wissenschaft und Geschichte befassen. Und von Politikern, die Lust haben sich mit ihren wissenschaftlichen Ideengebern auseinanderzusetzen.

Hendrik Ankenbrand ist Wirtschaftskorrespondent der »Frankfurter Allgemeinen Zeitung« in Schanghai.

Alexander Armbruster ist Redakteur der »Frankfurter Allgemeinen Zeitung«.

Hanno Beck ist Professor für Volkswirtschaftslehre an der Hochschule Pforzheim.

Britta Beeger ist Redakteurin der »Frankfurter Allgemeinen Zeitung«.

Patrick Bernau ist verantwortlicher Redakteur für »Wirtschaft Online« der »Frankfurter Allgemeinen Zeitung«.

Peter Bofinger ist Professor für Volkswirtschaftslehre an der Universität Würzburg und einer der fünf Wirtschaftsweisen.

Ralph Bollmann ist Redakteur der »Frankfurter Allgemeinen Sonntagszeitung«.

Gerald Braunberger ist verantwortlicher Redakteur für den Finanzmarkt der »Frankfurter Allgemeinen Zeitung«.

Lars Feld ist Professor für Wirtschaftspolitik an der Universität Freiburg und einer der fünf Wirtschaftsweisen.

Clemens Fuest ist Präsident des Zentrums für Europäische Wirtschaftsforschung (ZEW) in Mannheim.

Carsten Germis ist Wirtschaftskorrespondent der »Frankfurter Allgemeinen Zeitung« in Tokio.

Rainer Hank ist Ressortleiter Wirtschaft sowie »Geld und Mehr« der »Frankfurter Allgemeinen Sonntagszeitung«.

Otfried Höffe ist emeritierter Professor für Philosophie an der Universität Tübingen.

Karen Horn ist Vorsitzende der Friedrich A. von Hayek-Gesellschaft und Dozentin an der Humboldt-Universität zu Berlin.

Stefan Kolev ist Professor für Wirtschaftspolitik an der Westsächsischen Hochschule Zwickau und Geschäftsführer des Wilhelm-Röpke-Instituts in Erfurt.

Heinz D. Kurz ist Professor am Institut für Volkswirtschaftslehre der Universität Graz und am Graz Schumpeter Centre.

Lisa Nienhaus ist Redakteurin der »Frankfurter Allgemeinen Sonntagszeitung«.

Johannes Pennekamp ist Redakteur der »Frankfurter Allgemeinen Zeitung«.

Winand von Petersdorff ist Wirtschaftskorrespondent der »Frankfurter Allgemeinen Zeitung« in Washington.

Philip Plickert ist Redakteur der »Frankfurter Allgemeinen Zeitung«.

Michael von Prollius ist Publizist und Gründer der Internetplattform »Forum Ordnungspolitik«.

Bertram Schefold ist Professor für Volkswirtschaftslehre an der Goethe-Universität in Frankfurt.

Lena Schipper ist Redakteurin der »Frankfurter Allgemeinen Sonntagszeitung«.

Gerhard Schwarz hat lange Jahre die Wirtschaftsredaktion der »Neuen Zürcher Zeitung« geleitet und ist Direktor der liberalen Schweizer Denkfabrik Avenir Suisse.

Christian Siedenbiedel ist Redakteur der »Frankfurter Allgemeinen Sonntagszeitung«.

Ulrich van Suntum ist Professor für Volkswirtschaftslehre an der Westfälischen Wilhelms-Universität Münster.

Harald Uhlig ist Professor für Wirtschaftswissenschaften an der Universität von Chicago.

Sahra Wagenknecht ist stellvertretende Vorsitzende der Partei »Die Linke«.

Georg von Wallwitz ist Mitinhaber einer Vermögensverwaltung in München.

Carl Christian von Weizsäcker ist emeritierter Professor der Universität Köln und arbeitet am Max Planck Institut zur Erforschung von Gemeinschaftsgütern.